es

edition suhrkamp

Neue Folge Band 674

Das fotografische und das filmische Medium enthalten in sich Aporien, die zwischen der vermeintlichen Naturalisierung der Aufnahmeapparatur und dem Scheinhaften der mit ihm konstruierten Bildwelten ausgespannt sind. Daraus resultiert eine enorme Bandbreite an sozialen Funktionen: der Erstellung von Archiven, der Konstruktion historischen Gedächtnisses, der kulturellen Selbstvergewisserung ebenso wie apologetischer Einarbeitung in aktuelle Strategien. Der Focus liegt auf der visuellen Konstruktion jüdischer Geschichte und ihrer antisemitisch ausgelegten ›Gegen-Geschichte‹.

Der propagandistischen Gleichsetzung von Bild und Referenzobjekt steht eine Ästhetik gegenüber, die aus dem alttestamentarischen Bilderverbot das Verdikt über solch naturalistischen Fehlschluß begründet – darin haben die Antisemitismusstudien und die ästhetische Theorie der Kritischen Theorie ihren gemeinsamen sozialphilosophischen Hintergrund.

Gertrud Koch

Die Einstellung ist die Einstellung

Visuelle Konstruktionen des Judentums

Suhrkamp

edition suhrkamp 1674
Neue Folge Band 674
Erste Auflage 1992

Erstausgabe

Satz: Otto Gutfreund, Darmstadt
Druck: Nomos Verlagsgesellschaft, Baden-Baden
Umschlagentwurf: Willy Fleckhaus
Printed in Germany

1 2 3 4 5 6 – 97 96 95 94 93 92

Inhalt

To whom it may concern.

Vorwort

Einstellung (englisch: *shot*) bezeichnet ein kontinuierlich belichtetes und ungeschnittenes Stück Film, das aus einer seiner Länge entsprechenden Abfolge von Einzelbildern besteht. Das Maß einer Einstellung ist die Laufzeit der Kamera. Bevor diese abgefahren wird, wird sie eingerichtet, eingestellt, das heißt ihre Optik, von der die Größe des Bildausschnittes abhängt (Detail-, Groß-, Nah-, Total-, Panoramaeinstellung etc.), wird als entsprechende Linse präpariert, ihr Standpunkt bestimmt (Augenhöhe, Aufsicht, Untersicht etc.) und ihre Bewegung (Schwenk, Fahrt etc.) ermöglicht (Schulter, Schiene, Kran, Dolly etc.). Zur Einrichtung einer Einstellung gehört auch das Setzen von Licht, möglicherweise die Einrichtung für Tonaufnahmen etc., die Plazierung von Akteuren etc. Die Einstellung umfaßt also bereits jede Menge intentionaler Handlungen, die darauf ausgerichtet sind, aus der Technizität der Aufnahmeapparatur und der Physikalität der Objektwelt ein drittes, das filmische Bild zu konstruieren. Dabei mögen die Tücke des Objektivs und die des Objekts gegen die Intentionalität zurückschlagen, oft genug hat auch die fertige Einstellung ihre Tücken. Eine Einstellung setzt eine Bezugnahme auf Objektwelten voraus, eine Welt aus Willen und Vorstellung. Noch der zufällig und willkürlich festgelegte Ausschnitt aus einer Objektwelt, wie ihn der »Schnappschuß« repräsentiert, wird im nachhinein als semantisch gehaltvoll präsentiert, so als sei das Zufällige der Garant des Authentischen.

Die technische Einstellung ist eine intentionale Einstellung, Ergebnis einer Kette von Detailentscheidungen: Die Einstellung ist die Einstellung. Die Einstellung von etwas und die Einstellung zu etwas. Die Einstellung zum Judentum, die Einstellung des Judentums zum Bild, die komplexen Beziehungen zwischen Selbst- und Fremdbild schlagen sich in den Einstellungen der Filme, Fotografien, Bildästhetiken nieder. Vor diesem Hintergrund einer doppelten Einstellungsanalyse operieren die Texte des vorliegenden Bandes. Sie erheben keinen Anspruch auf historische oder theoretische Systematik, sondern orientieren sich an den Binnenlogiken von Problemdarstellungen, wie sie sich aus den kulturellen und politischen Konfliktfeldern der jüngsten Geschichte, der des 20. Jahrhunderts, ergeben haben. Zu verorten sind sie auf einer Topographie folgenreicher Grenzüberschreitungen wie der Assimilation, der Emanzipation, der Emigration, der Okkupation.

Die meisten Filme fangen mit einer dramaturgisch wichtigen Einstellung an: dem »establishing shot«. In ihm werden die Raumkoordinaten für die Zuschauer als Orientierungshilfe verdeutlicht. Als »establishing shot« sei dieses Vorwort zu verstehen.

Frankfurt, im November 1991

I.

In Sachen Moses gegen Aron
Die Kritische Theorie
und das Kino

Moses und Aron, die beiden mythologischen Kombattanten des Buches Exodus, sind längst Synonyma geworden für die Bedeutung, die das zweite Gebot, das Jahwe an Moses weitergegeben hat, angenommen hat: »Du sollst dir kein Gottesbild machen und keine Darstellung von irgend etwas am Himmel droben, auf der Erde unten oder im Wasser unter der Erde« (Ex. 20.4). Dieses Gebot wird zwar schon im Deuteronomium eingeschränkt vom generellen Darstellungsverbot der Schöpfung auf Darstellungen derselben, die zur Herstellung eines Gottesbildes dienen: »Du sollst dir kein Gottesbildnis machen, das irgend etwas darstellt am Himmel droben, auf der Erde unten oder im Wasser unter der Erde« (Deut. 5.8) – aber bis in die heutigen Debatten hinein hat sich der Verdacht, daß sich im Fetischcharakter der eigentliche des Bildes niederschlage, erhalten. Daß das im zweiten Gebot enthaltene Bilderverbot ein ästhetisches enthalte (das aus dem Erbe des theologischen entsprungen zu sein scheint), gehört zu den Kerngedanken von Theodor W. Adornos Ästhetik; daß sich das Bilderverbot im Judentum als inhärenter Konflikt produktiv niedergeschlagen habe, einerseits in der Tendenz zur »Verschriftung« der Bilder, andrerseits in der Fokussierung auf Wort und Musik als Medien des Ausdrucks, ist eine oft geäußerte kulturhistorische Vermutung. Ihr soll im folgenden an zwei Werken, die sich auf besondere Weise mit dem Bilderverbot befassen, nachgegangen werden. Zum einen erscheint mir Adornos Konzeption des »ästhetischen Bilderverbots« relevant als regulative Idee einer Bildästhetik, die sich negativistisch zur vorfindlichen Welt verhält, die sie nur »ver«schoben und reflexiv aufnimmt, zum anderen lassen sich die Konflikte um die idolatrischen Funktionen des Illusionskinos, wie sie Horkheimer und Adorno im »Kulturindustrie«-Kapitel der *Dialektik der Aufklärung* festmachen, vor diesem Hintergrund schlüssiger rekonstruieren, als wenn man die darin enthaltene elitäre Kulturkritik aufs bildungsbürgerliche Motiv allein reduziert. Die dialektische Spannung zwischen den beiden Polen eines radikalisierten Bilderverbots und einer nach unten vermittelnden, medialen Kultur, als deren erster Vertreter Aron, als der »Mund Moses«, angenommen werden kann, hat Arnold Schönberg schließlich zu seiner Oper *Moses und Aron* gebracht, deren visuelle Rezeption in Jean-

Marie Straubs und Danièle Huillets Verfilmung an eben jenem Konflikt zu zerbrechen scheint.

Die vereinfachende Formel, die der *Dialektik der Aufklärung* eingeschrieben zu sein scheint, setzt »Kulturindustrie« und Propaganda als rhetorische Figuren auf einer Ebene an, nämlich der, von der aus der direkte Zugriff auf die psychischen Tiefenstrukturen der adressierten Subjekte erfolgt, deren Ressentiments und geheimer Regungen man sicher sein kann, weil sie die Propagandisten auf dieser Ebene teilen. So entstand die eigenwillige Situation, daß man sich durchaus Hollywoods bedienen wollte, um den Antisemitismus zu bekämpfen, nach dem Wagnerischen Motiv, daß nur das Schwert, das die Wunde schlug, sie auch zu heilen vermöchte. Im Rahmen der empirischen Studien zum Antisemitismus hatte sich der Plan herausgebildet, für Gruppendiskussionen einen filmischen »Grundreiz« zu konstruieren, der einem narrativen Perspektivismus folgen sollte, um verschiedene Stereotypen aufzufächern, auf deren Hintergrund das antisemitische sich klarer herausheben sollte. In den Korrespondenzen, Entwürfen und Diskussionen zu diesem Projekt sind eine Fülle von Hinweisen vergraben, die das *pragmatische* Verhältnis der Kritischen Theorie im Exil zur Nachbarschaft Hollywoods noch einmal neu beleuchten; die Auseinandersetzung schließlich um Edward Dmytryks Film *Crossfire*, einem quasi offiziellen Versuch Hollywoods, den Antisemitismus mit den Mitteln des populären Films zu schlagen, bietet sich zur Überprüfung einiger der Thesen aus dem »Kulturindustrie«-Kapitel anhand eines Films selbst an, erlaubt also die generalisierten Aussagen an einem Beispiel filmanalytisch zu überprüfen. Die Komplementarität des Moses-und-Aron-Streits um die Vermittlung findet sich hier auf sozialphilosophische Grundannahmen verwiesen, die von der anderen Richtung die Brücke zur *Dialektik der Aufklärung* wieder zurückschlagen.

Die eigentümliche Mischung aus *pragmatischen* Projekten zur Aufklärung und Erziehung einerseits und sozialanthropologischen, geschichtsphilosophischen Thesen, die das Verhältnis der Kritischen Theorie in den vierziger Jahren zu den Fakten und ins Exil vermittelten Erfahrungen der Massenvernichtung eher reaktiv erscheinen läßt, kann andrerseits kaum darüber hinwegtäuschen, daß die Ereignisse in Europa erst sehr viel später in ihrer vollen Tragweite reflektiert worden sind. Siegfried Kracauer, der einzige aus der Frankfurter Gruppe, der sich intensiv mit dem Kino beschäftigt hat, stellt sich erst spät die Frage, ob die Existenz der Vernichtungslager das Drama der Repräsentation noch einmal neu stellen könnte. Der Konflikt wäre dann der zwischen Bilderverbot auf der einen und der Verpflichtung, Zeugnis abzulegen, auf der anderen Seite, wie es im Buche Levitikus festgelegt wird, das eine weitere Moses in den Mund gelegte Liste mit Vorschriften enthält, nach der jemand, der »Zeuge« ist, »da er gesehen oder darum gewußt hat, aber er zeigt es nicht an«, »damit Schuld auf sich« (Lev. 5.1) lädt.

In der von Kracauer eingeführten Figur des »Sammlers« und des Zeugen findet sich eine komplexe Alternative zur filmischen Darstellungsproblematik, und nicht zufällig ortet Kracauer sie einer geschichtsphilosophischen Denkfigur unter. Die Debatten der letzten Jahre um narrative Konzepte und ihren Anteil an der Faktenkonstruktion der Historiographie werfen freilich ihre Schatten auch auf Kracauers geschichtsphilosophisches Konzept. Die Diskrepanz zwischen der Faktizität der Ereignisse und ihrer Darstellung, die eben immer Form ist und nicht unmittelbar, kann auch Kracauers Versuch, der Aufhebung der Fakten in ihre zeichenhafte Vermittlung hinein zu entrinnen, nicht abwerfen. Sein Programm ist nicht weniger brüchig als das der anderen.

Mimesis und Bilderverbot in Adornos Ästhetik

Das Verhältnis der Kritischen Theorie zu Kino und Film gilt als traditionell schlecht, zumindest äußerst kritisch. Wenn ich dennoch im folgenden den Versuch unternehmen möchte, die Aktualität der Kritischen Theorie auf diesem Gebiet unter Beweis zu stellen, dann verstehe ich das nicht nur als einen Versuch rettender Kritik im Sinne Walter Benjamins, den eine Kritische Filmtheorie ja noch am ehesten für sich reklamieren könnte, sondern als einen Versuch der Vermittlung durch die Extreme hindurch – und diese wären für eine Bild- und damit Filmtheorie: Mimesis und Bilderverbot.

Mimesis und Bilderverbot tauchen im Denken Adornos in unterschiedlichen Konstellationen auf, von denen ich die zur ästhetischen Argumentation führenden Linien verfolgen möchte, die zwar den kulturanthropologischen und psychoanalytischen nahe kommen, aber von den Warenformanalysen des Kulturindustrie-Kapitels aus der *Dialektik der Aufklärung* wegführen. Wo sich Filmtheorie auf Kritische Theorie bezieht, geschieht dies in der Regel über zwei Aufsätze, die sich diametral entgegenstehen: Benjamins »Kunstwerk im Zeitalter seiner technischen Reproduzierbarkeit« und eben das Kapitel über »Kulturindustrie« der *Dialektik der Aufklärung*.

In letzterem gerinnt die mimetische Fähigkeit zum Zwang, mit dem sich die Konsumenten den Bildern anpassen sollen, die die Kulturindustrie von ihnen entwirft und die Tiefenpsychologie – im Netz ihrer »Ordnungsbegriffe« – als deren Kern wieder hervorholt:

(...) ja das ganze nach den Ordnungsbegriffen der heruntergekommenen Tiefenpsychologie aufgeteilte Innenleben bezeugt den Versuch, sich selbst zum erfolgsadäquaten Apparat zu machen, der bis in die Triebregungen hinein dem von der Kulturindustrie präsentierten Modell entspricht. Die intimsten Reaktionen der Menschen sind ihnen selbst gegenüber so vollkommen verdinglicht, daß die Idee des ihnen Eigentümlichen nur in äußerster Abstraktheit noch fortbesteht: personality bedeutet ihnen kaum mehr etwas anderes als blendend weiße Zähne und Freiheit von Achselschweiß und Emotionen. Das ist der Triumph der Reklame in der Kulturindustrie, die zwanghafte Mimesis der Konsumenten an die zugleich durchschauten Kulturwaren.[1]

Die Aufhebung der Differenz zwischen Produkt und Konsumenten, zwischen Schein und Wirklichkeit, zwischen Subjekt und Gesellschaft findet im »Stahlbad des Fun« statt, alles ist mit »Ähnlichkeit geschlagen«.

Im Gesellschaftsprozeß gehen die Verkörperungen der Kulturindustrie in »Fleisch und Blut des Publikums« über, an die Stelle der ästhetischen Sublimierung der Erniedrigung der Triebe tritt die plane Unterdrückung, die Reduktion auf die Vorlust, die Verewigung der Kastrationsdrohung. Unter der totalen Herrschaft verschwindet die Differenz zwischen Natur und Gesellschaft, weil diese sich als Natur setzt. Die Menschen werden wieder zu hohlen Monaden, in die die stampfende Maschinerie der Kulturindustrie ihre Schnittmuster stanzt.

Polemisch könnte man freilich sagen, daß Adorno und Horkheimer dem angegriffenen Kulturalismus-Konzept Fromms nie so nahe gekommen sind wie im Kulturindustrie-Kapitel – wenn auch nicht im humanistischen Sinn Fromms, sondern im Sinne negativer Kulturkritik: negativer Kulturalismus. 1963 gab Adorno in einem Vortrag *Résumé über Kulturindustrie* seinen Kritikern eine Replik, in der er zwar am Warenfetischcharakter kulturindustrieller Produkte festhielt, aber gleichwohl die steilsten Höhen der These von der völligen Identität zwischen Produkt und Rezipient etwas abmilderte:

Nur ihr (der Menschen, G. K.) tief unbewußtes Mißtrauen, das letzte Residuum des Unterschieds von Kunst und empirischer Wirklichkeit in ihrem Geist, erklärt, daß sie nicht längst allesamt die Welt durchaus so sehen und akzeptieren, wie sie ihnen von der Kulturindustrie hergerichtet ist.[2]

Der Riß im monolithischen Weltbild der *Dialektik der Aufklärung*, der sich hier zeigt, verdankt sich dem neuerlichen Rekurs auf das Unbewußte, das dem gesteuerten Bewußtsein opponiert. Daß sich in der Triebnatur ein vorgesellschaftliches Widerstandspotential gegen die totalitären Ansprüche des Vergesellschaftungsprozesses findet, gehört zum Grundbestand des Denkens der Kriti-

[1] Theodor W. Adorno/Max Horkheimer, *Dialektik der Aufklärung*, Hamburg, Berlin, Havanna o. J., Raubdruck, S. 198.
[2] Theodor W. Adorno, »Résumé über Kulturindustrie«, in: *Ohne Leitbild. Parva Aesthetica*, Frankfurt a. M. 1967, S. 69.

schen Theorie. Freilich ist Adorno nie so weit gegangen wie Marcuse in *Triebstruktur und Gesellschaft*, aus der Triebnatur selbst ein positives Gesellschaftsmodell herauszubuchstabieren. Für ihn war die Kunst, die ästhetische Erfahrung das Ausdrucksmedium der Opposition der geknechteten und unterdrückten Natur gegen die gesellschaftlichen Zwänge und Zurichtungen. An den Rändern, wo sich Natur und Gesellschaft reiben, entsteht die Wunde Kunst. Darum scheint es mir nicht zufällig, daß dort, wo Adorno Film nicht vom Primat der Ökonomie und vom Warenfetisch aus analysiert, sondern auf dessen ästhetische Dimension eingeht, wie in den *Filmtransparenten*, der Erfahrungsbegriff im Zentrum steht:

Die Ästhetik des Films wird eher auf eine subjektive Erfahrungsform rekurrieren müssen, der er, gleichgültig gegen seine technologische Entstehung, ähnelt und die das Kunsthafte an ihm ausmacht. Wer etwa, nach einem Jahr in der Stadt, für längere Wochen im Hochgebirge sich aufhält und dort aller Arbeit gegenüber Askese übt, dem mag unvermutet widerfahren, daß im Schlaf oder Halbschlaf bunte Bilder der Landschaft wohltätig an ihm vorüber oder durch ihn hindurch ziehen. Sie gehen aber nicht kontinuierlich ineinander über, sondern sind in ihrem Verlauf gegeneinander abgesetzt wie in der Laterna magica der Kindheit. Diesem Innehalten in der Bewegung verdanken die Bilder des inneren Monologs ihre Ähnlichkeit mit der Schrift: nicht anders ist auch diese ein unterm Auge sich Bewegendes und zugleich in ihren einzelnen Zeichen Stillgestelltes. Solcher Zug der Bilder dürfte zum Film sich verhalten wie die Augenwelt zur Malerei oder die akustische zur Musik. Kunst wäre der Film als objektivierende Wiederherstellung dieser Weise von Erfahrung. Das technische Medium par excellence ist tief verwandt dem Naturschönen.[3]

In dieser Passage wird deutlich, daß für Adorno in der ästhetischen Erfahrung ein Stück Auseinandersetzung mit innerer und äußerer Natur stattfindet, daß dies eine Ästhetik des Films begründen soll. Die Analogie zur Schrift wird phänomenologisch gesehen: nicht Sprache, sondern die Grapheme der Schrift bilden den Vergleich – in einem mimetischen Abbildungsverhältnis.

Mir scheint es nicht zufällig, daß gerade im engeren (und weiteren) Umkreis der Kritischen Theorie von Benjamin bis Adorno (und Kracauer) die Materialität des Filmbildes nicht symbolisch begründet wird, sondern phänomenologisch. Wenn das Substrat der Psychoanalyse-Konzeption der Kritischen Theorie sich auf die »naturalistische« Triebtheorie gründet, wird der Übergang zur

[3] Ders., »Filmtransparente«, in: ebd., S. 81 f.

Anthropologie fließend. Dieser haben wir Einsichten zu verdanken, die den vor-sprachlichen Bereich der Menschheit und der Menschen erhellen. Der von Adorno so häufig gebrauchte Begriff der Mimesis hat dort seinen Platz. Während die Gestik durch Konventionen und Regeln definiert ist, also ein quasi-sprachliches Verständigungsmodell ist, sieht Helmuth Plessner im mimischen Ausdruck:

> eine Bedeutung, indem sich in ihm eine Erregung (ein Zustand oder eine Aufwallung des Innern) spiegelnd äußert. (...) Im mimischen Ausdruck verhalten sich psychischer Gehalt und physische Form wie Pole einer Einheit zueinander, die man voneinander nicht ablösen und in das Verhältnis von Zeichen und Bezeichnetem, von Hülle und Kern bringen kann, ohne ihre gewachsene, unmittelbare und unwillkürliche Lebenseinheit zu zerstören.[4]

Als modernen Zug der Kunst hält Adorno das in der *Ästhetischen Theorie* fest:

> Das Verhältnis zur Kunst war keines von Einverleibung, sondern umgekehrt verschwand der Betrachter in der Sache; erst recht ist das der Fall in modernen Gebilden, die auf jenen zufahren wie zuweilen Lokomotiven im Film.[5]

Der mimetische Impuls – in der Kulturindustrie Zwang, ans falsche Bild sich anzupassen – wird in glückhafteren Momenten zur Erfüllung einer vorsprachlichen, nicht-repressiven Aneignung und Transformation von Natur im rätselhaften »Bild«. Gilt, wie Josef Früchtl[6] in seiner Arbeit zum Mimesisbegriff Adornos gezeigt hat, für diesen die Abhängigkeit von jeweiligen Konstellationen, die sein Umschlagen von zwanghafter Anpassung in spielerische Anverwandlung regeln, so fällt auf, daß diese ambivalente Strukturierung des Begriffs für den des Bilderverbots nicht zutrifft. Vom Bilderverbot redet Adorno als einer nicht hintergehbaren Schranke in der Kulturgeschichte der Menschheit. Das erscheint nicht zuletzt deswegen erstaunlich, weil sich ein Primat des Bilderverbots und eine starke Auslegung des Mimesis-Begriffs auf den ersten Blick doch eher entgegenzustehen scheinen, schließlich untersagt das Bilderverbot ja gerade die Herstellung von Ähnlichkeiten, auf der wiederum der mimetische Impuls basiert. Das rät-

[4] Helmuth Plessner, *Philosophische Anthropologie*, Frankfurt a. M. 1970, S. 61, 63.
[5] Theodor W. Adorno, *Ästhetische Theorie*, Frankfurt a. M. 1973, S. 27.
[6] Josef Früchtl, *Mimesis. Konstellation eines Zentralbegriffs bei Adorno*, Würzburg 1986.

selhafte Bild nun ist aber das Bild, das nicht auf abbildhafter Ähnlichkeit beruht, während die Kulturindustrie Bilder produziert, die den Zustand zweiter Natur der Gesellschaft abbilden, eine positive Ähnlichkeit behaupten. Damit verstoßen sie ebenso gegen das Bilderverbot wie der Positivismus gegen die immanente Negation. Die Entstehung des Bilderverbots ist gebunden ans Tabu, entstammt einer »Vorzeit«, aus der auch die Mimesis herüberreicht. In der nachgelassenen *Ästhetischen Theorie* bindet Adorno Mimesis, Bilderverbot und Tabu nicht nur in einen zeitlichen Kontext ein, er stellt deren Zusammenhang als einem zeitlichen Problem geschuldet dar, dem der Dauer und des Todes:

> Dauer des Vergänglichen, als Moment der Kunst, das zugleich das mimetische Erbe perpetuiert, ist eine der Kategorien, die auf die Vorzeit zurückdatieren. Das Bild selbst, vor aller inhaltlichen Differenzierung, ist nach dem Urteil nicht weniger Autoren ein Phänomen von Regeneration,

schreibt Adorno, und mit einem Zitat des Kulturanthropologen Frobenius fortfahrend:

> So stellen die Bilder der Tiere Verewigungen dar, Apotheosen, und rücken gleichsam als ewige Sterne an das Firmament.[7]

Genau in diesem Verewigungsaspekt aber liegt das Problem der Dauer, die, so Adorno, »im Geist des Bilderverbots (...) als Schuld den Lebendigen gegenüber empfunden wird«.[8] Die »Scheu, Menschen darzustellen«, entstammt zudem dem magischen Denken, daß sich im Bild etwas vom Abgebildeten substantialisiert habe, das Bild wie die Puppe des Voodoo-Kults auf das Dargestellte selbst zurückschlagen könne. Der erste Halt auf dem Weg der Transformation der magischen Angst vor der Rache der Toten ist die Mumie, mit ihr sieht Adorno unter Berufung auf kulturanthropologische Forschung die »Idee ästhetischer Dauer« zuerst sich entwickeln. Ein Versuch, den Toten Dauer unter den Lebendigen zu geben: »Verdinglichung der einst Lebendigen« als »Revolte gegen den Tod«.[9]

Das Bilderverbot, wie es sich in der »Vorzeit«, noch vor der Entstehung des jüdischen Monotheismus, andeutet, erfährt so doch eine doppeldeutige Auslegung. Zum einen führt es nämlich zu magischer Verletzung und Vernichtung des Bildes oder einiger seiner

[7] Theodor W. Adorno, *Ästhetische Theorie*, a.a.O., S. 416.
[8] Ebd.
[9] A.a.O., S. 417.

Teile, um das animistische Erbe in ihm zu beruhigen, zum anderen führt es, wie in der folgenden Beschreibung eines von Adorno herbeizitierten Anthropologen, zur Autonomie der Darstellung vom ursprünglich Dargestellten:

Speiser deutet diese Wandlung als Übergang von der Erhaltung und Vortäuschung körperlicher Gegenwart des Toten zur symbolischen Andeutung seiner Gegenwart, und damit sei der Übergang zur reinen Statue gegeben.[10]

Während Adornos Ästhetik sich an eine bestimme Variante des jüdischen Bilderverbots anschließen läßt, lassen sich die auf die Entstehung der Kunst im Totenkult beziehenden kulturanthropologischen Argumente auch in André Bazins Ableitungen einer Bildtheorie finden. In seinem einflußreichen Essay über die »Ontologie des fotografischen Bildes« beginnt Bazin mit der Kunst der Mumifizierung, die für ihn die erste Form der bildenden Kunst darstellt: »Die erste ägyptische Statue ist der Mensch, mumifiziert, gegerbt und in Natron konserviert.«[11] Allerdings zieht Bazin diametral entgegengesetzte Schlüsse aus dem genetischen Tatbestand: indem nämlich die Mumie vor Grabräubern geschützt werden sollte durch die Gesellschaft von Terrakottastatuen, habe sich das Abbild des Menschen als dessen rettender Schatten auf dem Weg in die Ewigkeit behauptet, die Kunst des Abbilds wurde geschaffen, um den Menschen vor der Zerstörung durch Zeit und Tod zu schützen. Vom »anthropologischen Utilitarismus« befreit, habe sich die Herstellung des Bildes schließlich vor allem an der Herstellung von Ähnlichkeit interessiert gezeigt: »Wenn die Geschichte der bildenden Künste nicht nur die ihrer Ästhetik, sondern vor allem die ihrer Psychologie ist, dann ist sie wesentlich die Geschichte der Ähnlichkeit oder, wenn man so will, die Geschichte des Realismus.«[12]

Vor allem aber ist Bazin an einem Argument interessiert, das auch Kracauer umtreibt und das mit der Frage zusammenhängt, ob es im Sinne der Phänomenologie so etwas wie die unmittelbare Anschauung einer Sache gibt. Bazin entdeckt nun, wie Kracauer, im Film (vorher der Fotografie): »Zum ersten Mal ist das Bild der Dinge auch das ihrer Dauer, eine sich bewegende Mumie.«[13] Diese

[10] Ebd.

[11] André Bazin, »Ontologie des fotografischen Bildes«, in: ders., *Was ist Kino? Bausteine zur Theorie des Films*, Köln 1975, S. 21.

[12] A.a.O., S. 21f.

[13] A.a.O., S. 25.

Möglichkeit ist freilich nur gegeben durch die Technik, durch die Entsubjektivierung des Objektivs, das statt bloßer Ähnlichkeit von der physischen Präsenz des Objekts in einem bestimmten zeitlichen Moment zeugen kann:

Allein das Objektiv gibt uns ein Bild von dem Objekt, das imstande ist, in unserem Unterbewußtsein die Sehnsucht nach mehr als nur einer annähernden Abbildung des Objektes zu befriedigen: nach dem Objekt selbst, ohne dessen zeitliche Begrenzungen.[14]

Nun ist es eine spannende Frage, inwieweit eine solche sich offenbarende Objekthaftigkeit, die durch eine Apparatur vermittelt wird, überhaupt noch mit dem alten Abbildungsproblem in Verbindung zu bringen ist, wobei es ja interessant genug ist, daß unabhängig voneinander der katholische Bazin und der jüdische Kracauer im selben ontologisch gefaßten Phänomen einen theologischen Rettungsgedanken einführen, der auf einer Kategorie von Verzeitlichung basiert. Das Heraussprengen eines zeitlichen Moments, das auch in Benjamins kurzem Programm zu einer Filmästhetik eine so entscheidende Rolle spielt, tritt offenbar an die Stelle der Abbildungsproblematik.

Von der Vortäuschung über die symbolische Andeutung zur Autonomie der Darstellung und damit auch der Vorstellung, in die die Bilder schließlich eingehen: das Bilderverbot hat seit magischer Vorzeit den Vorboten der Entwicklung ästhetischer Autonomie gespielt.

Betrachtet man die kunstgeschichtlichen Folgen des jüdischen Bilderverbots, dann kommt man zu nicht einmal ganz unähnlichen Problemlagen.[15] In den orientalischen Mystiken Babyloniens herrschte noch die klare Vorstellung einer Anwesenheit des Abgebildeten im Abbild vor. Das hieße also, daß das Bild im ge-

[14] Ebd.

[15] Im folgenden beziehe ich mich auf die Ergebnisse neuerer Debatten, wie sie bei Malka Rosenthal dargestellt werden. Diesem Aufsatz ist nicht nur mein Argument geschuldet, auch die *Talmud-* und *Sohar-*Zitate sind nach Rosenthal zitiert. Malka Rosenthal, »›Mach dir kein Bildnis‹ (Ex. 20,4) und ›Im Ebenbild erschaffen‹ (Gen. 1,26f.) – Ein Beitrag zur Erforschung der jüdischen Ikonophobie im Mittelalter«, in: Lieselotte Kötzsche/Peter von der Osten-Sacken (Hg.), *Wenn der Messias kommt. Das jüdisch-christliche Verhältnis im Spiegel mittelalterlicher Kunst,* Veröffentlichungen aus dem Institut Kirche und Judentum, Band 16, Berlin 1984; außerdem Zofia Ameisenowa, »Das messianische Gastmahl der Gerechten in einer hebräischen Bibel aus dem 13. Jahrhundert. Ein Beitrag zur eschatologischen Ikonographie bei den Juden«, a. a. O.

gebenen Falle der Ebenbildlichkeit zu Gott göttlich sei, Gott sich darin substantialisiert habe – eine magische Herbeizauberung, die nur zur verbotenen Götzendienerei führen kann, zur angemaßten Herrschaft, die verboten ist. So heißt es im *Talmud* sinngemäß: »Alle Gesichter sind darzustellen erlaubt – bis auf das menschliche Antlitz«, und im *Sohar* wird daraus gefolgert: »denn das menschliche Antlitz übt über alle Dinge Herrschaft aus«. In Exodus 20,4 wird bekanntlich untersagt, sich ein Bild zu machen von dem, was im Himmel, auf Erden und im Wasser ist. Die Einhaltung dieses Verbotes hat in der jüdischen religiösen Kunst immer wieder auf verschiedene Auslegungen reagiert, die im Zusammenhang mit der biblischen Genesis entstanden sind und die Ähnlichkeitsbeziehungen regeln. Folgt man den kunst- und religionsgeschichtlichen Debatten, dann stellt sich das Problem nicht unplausibel als eines dar, das mit einer gewissen inneren Logik zu einer immer größer werdenden Autonomie der Darstellung gegenüber dem Dargestellten kommen mußte. Wo nämlich aufgrund der gnostischen Vorstellungen das Bild von Gottähnlichem selbst göttlich ist, durften nur nicht-ähnliche Bilder entstehen. Bilder also, deren Gegenstände weder im Himmel noch auf der Erde oder im Wasser zu finden sein würden, deren Nicht-Existenz folglich auch keinen Götzendienst nach sich ziehen konnte. Die babylonischen und später die kabbalistischen Gnostiker schlugen sich mit einem Ähnlichkeitsproblem herum, das seit der Durchsetzung der modernisierten Variante der Auslegung von Exodus 20,4 als Bilderverbot dessen, was im Himmel ist, also von Gott selbst, im Mittelalter nur noch an den Rändern Bedeutung behielt. Die gnostische Variante des Bilderverbots, die auf eine bestimmte Negation alles Existierenden im Bild hinausläuft, verbindet sich auf verblüffende Weise mit der Ästhetik der Moderne, so daß es nicht zufällig zu sein scheint, daß Benjamin und Kafka, wie verschlungen auch immer, sich auf kabbalistische Denkfiguren bezogen haben bzw. beziehen lassen. Dabei geht es mir keineswegs darum, historisch zu rekonstruieren, ob Scholem, Benjamin oder Kafka mit ihren Kenntnissen der kabbalistischen Mystik und jüdischen Theologie den Forschungsstand dieser Gebiete erreicht haben, noch geht es mir darum, das Denken der Kritischen Theorie auf die jüdische Mystik zurückzuführen, vielmehr möchte ich zeigen, daß die Idee des Bilderverbots, wie sie in der Kritischen Theorie verwendet wird, vermutlich angeregt durch Debatten um Motive der jüdischen Mystik, regulativ auf den Mimesisbegriff und damit die Bildtheorie zurückwirkt.

Unter dem Datum des 12. November 1955 hält Adorno in den »Traumprotokollen« einen sogenannten Prüfungstraum fest, der auf hintersinnige Weise auf das Bilderverbot Bezug nimmt. Der Träumende soll sich dem Examen zum soziologischen Diplom unterziehen, speziell in der empirischen Sozialforschung. Die Fragen nach empirischen Techniken und nach Begriffen werden falsch beantwortet. Auch mit dem Englischen scheint es eher zu hapern. Aber die Freudsche Logik des Prüfungstraums ist ja, die Angst vor der bevorstehenden Prüfung durch Rückerinnerung an die ausgestandenen, am Ende erfolgreich bestandenen Prüfungen zu beschwichtigen; und solcher Zweiteilung folgt auch das Protokoll:

Aus Mitleid mit meiner Ignoranz erklärte der Prüfende, nun mich in Kulturgeschichte drannehmen zu wollen. Er hielt mir einen deutschen Reisepaß von 1879 vor. An dessen Ende stand als Abschiedsgruß: »Nun auf in die Welt, kleines Wölfchen!« Dies Motto war aus Blattgold gebildet. Ich wurde gefragt, was es damit für eine Bewandtnis habe. Langatmig setzte ich auseinander, der Gebrauch des Goldes zu dergleichen Zwecken gehe auf russische oder byzantinische Ikonen zurück. Man habe es dort mit dem Bilderverbot sehr ernst genommen: nur für das Gold, als das reinste Metall, habe es nicht gegolten. Sein Gebrauch zu bildlichen Darstellungen wäre von dort auf Barockdecken, dann auf Möbelintarsien übergegangen, und die Goldschrift in dem Paß wäre das letzte Rudiment jener großen Tradition. Man war begeistert von meinem profunden Wissen, und ich hatte das Examen bestanden.[16]

Nun läßt sich unschwer im Traumprotokoll eine Bewegung feststellen, die über die »große Tradition« des Bilderverbots vom Bild zur Schrift gelangt. Adornos Versuch, den Film ästhetisch zu retten, geht einen ähnlichen Weg, wenn er in den *Filmtransparenten*, wie oben bereits zitiert, die Analogie zwischen Filmästhetik und Schrift aufmacht:

Diesem Innehalten in der Bewegung verdanken die Bilder des inneren Monologs ihre Ähnlichkeit mit der Schrift: nicht anders ist auch diese ein

[16] Theodor W. Adorno, »Traumprotokolle«, in: *Gesammelte Schriften*, Bd. 20.2, Frankfurt a. M. 1986, S. 578.

Abb. 1 Anfang des Buches Ezechiel. Ambrosianische Bibel, Süddeutschland, 13. Jh.

unterm Auge sich Bewegendes und zugleich in ihren einzelnen Zeichen Stillgestelltes. Solcher Zug der Bilder dürfte zum Film sich verhalten wie die Augenwelt zur Malerei oder die akustische zur Musik.[17]

Das Bild scheint legitimer Erbe des Naturschönen, als dessen Anwalt Adorno gerne den Film einsetzen möchte, nur insoweit, als es sich der Schrift ähnlich gemacht hat, von der reinen Abbildfunktion also Abschied nimmt. In einer längeren Passage der *Dialektik der Aufklärung* ist dieser Gedanke noch einmal mit der Idee des Bilderverbotes gekoppelt:

Gerettet wird das Recht des Bildes in der treuen Durchführung seines Verbots. Solche Durchführung, *bestimmte Negation,* ist nicht durch die Souveränität des abstrakten Begriffes gegen die verführende Anschauung gefeit, so wie die Skepsis es ist, der das Falsche wie das Wahre als nichtig gilt. Die bestimmte Negation verwirft die unvollkommenen Vorstellungen des Absoluten, die Götzen, nicht wie der Rigorismus, indem sie ihnen die Idee entgegenhält, der sie nicht genügen können. Dialektik offenbart vielmehr jedes Bild als Schrift.[18]

Wie ich zu zeigen versucht habe, entstammt die Vorstellung einer im Zuge des Bilderverbots sich bildenden »bestimmten Negation« (Hegels) einer radikalisierten Version des Bilderverbots über Genesis, wie es für die gnostischen Strömungen verbindlich war. In

[17] Ders., »Filmtransparente«, a. a. O.
[18] Ders., *Dialektik der Aufklärung,* a. a. O., S. 36.

figürlichen Darstellungen der jüdischen Kunst des Mittelalters finden sich fragmentierte Figuren wie die Cherubim, die nur aus Kopf und Flügeln bestehen, Hybriden, aus Mensch- und Tiergestalt komponierte Wesen, die sehr genau dem Bilderverbot entsprechen, das Ähnlichkeitsrelationen eben wegen der Gottähnlichkeit der Schöpfung untersagt (vgl. Abb. 1). Darstellungen, die auf merkwürdige Weise die »bestimmte Negation« der Empirie betrieben haben, ohne in völligen Ikonoklasmus zu verfallen. Die Modernität der Darstellungen, die Züge aufweisen, die Benjamin nicht zufällig im barocken Trauerspiel als Allegorie wiederfindet, hängt eng mit dem Verbot zusammen, die ganze Gestalt zu zeigen, deren Vollkommenheit die Ebenbildlichkeit zu Gott bedeuten würde: Fragmentierung, das Bild eben als »unsinnliche Ähnlichkeit«, die gelungene Mimesis herstellt, die mit dem Bilderverbot kompatibel wäre.

Die Entwicklungslinie vom Bildertabu über das monotheistische Bilderverbot bleibt freilich nicht in Theologie stecken, sondern wird von Adorno spätestens in der *Ästhetischen Theorie* radikal säkularisiert auf die Dimension hin, die zur Autonomie des Ästhetischen führt:

> Das alttestamentarische Bilderverbot hat neben seiner theologischen Seite eine ästhetische. Daß man sich kein Bild, nämlich keines von etwas machen soll, sagt zugleich, kein solches Bild sei möglich. Was an Natur erscheint, das wird durch seine Verdopplung in der Kunst eben jenes Ansichseins beraubt, an dem die Erfahrung von Natur sich sättigt. Treu ist Kunst der erscheinenden Natur einzig, wo sie Landschaft vergegenwärtigt im Ausdruck ihrer eigenen Negativität.[19]

Daß kein Bild von etwas möglich, Zeichen und Bezeichnetes getrennte Wege gehen, ist die Voraussetzung freilich für Autonomie und Freiheit des ästhetischen Bildes, es ist auch die Voraussetzung dafür, daß die Kunst mit dem Wahrheitsproblem verbunden wird: der ästhetische Schein ist ihre Wahrheit. Das Naturschöne an sich, wie es im Bild durch bestimmte Negation zum Audruck kommt, ist Allegorie der Gesellschaft und somit selbst Chiffre der Geschichte gesellschaftlicher Naturbeherrschung: In der *Dialektik der Aufklärung*, einem Buch, das selbst unermüdlich Bilder produziert, gibt es einen Passus, der das in einem Bild faßt:

[19] Ders., *Ästhetische Theorie*, a. a. O., S. 106.

Die Anrufung der Sonne ist Götzendienst. Im Blick auf den in ihrer Glut verdorrten Baum erst lebt die Ahnung von der Majestät des Tags, der die Welt, die er bescheint, nicht zugleich versengen muß.[20]

Die bestimmte Negation ist die Platzhalterin der Utopie, Verneinung die Voraussetzung der Möglichkeit eines anderen.

Wie aber nun verträgt sich eine ästhetische Theorie, die aus der bestimmten Negation des gnostischen Bilderverbots »profane Erleuchtung« zieht, mit den Beschaffenheiten des Films als eines technischen Reproduktionsmittels? Sind Filmbilder nicht immer in einem ganz technischen Sinne Abbilder, Bilder von etwas, was sich vor der Kamera bewegt, hat die atavistische Furcht, im Filmbild eines Stücks der eigenen Person beraubt zu werden, hierin einen säkularen Sinn? Gibt es nicht Züge am Film, die sich seiner Verschriftung im Adornoschen Sinne widersetzen? Sollten die neofundamentalistischen jüdischen Sekten mit Recht Film generell als Verstoß gegen das Bilderverbot auslegen?

Der Weg in die kulturindustrielle Bildproduktion scheint diesen Tendenzen das Unterfutter zu bieten: die technische Reproduzierbarkeit, der Illusionscharakter des Filmbildes, das für Wirklichkeit gehalten werden will, kündigen das Bilderverbot auf: Die Diva wird göttlich, Idol, Fetisch, der Teil der Herrschaft ist. Die Trennung zwischen filmästhetischen Argumenten und der Warenfetischanalyse bringt beide Teile in Widerspruch zueinander, steuert in eine der zahlreichen Antinomien der Kritischen Theorie, ohne sie in diesem Fall noch dialektisch aufheben zu können. Die filmästhetischen Argumente Adornos, mit denen er Benjamin und vor allem Kracauer näherrückt, widersprechen und widerlegen zum Teil Konstruktionen des Kulturindustrie-Kapitels. Das filmästhetische Argument verklammert Einzelbilder und Montage im Film über die regulative Idee vom Bilderverbot als Verschriftung der »vorgeschichtlichen« Einzelbilder, dessen mimetische Qualitäten noch alle Vieldeutigkeiten mythischer »Vorgeschichte« und ihrer magischen Praktiken ungeschieden enthält. Die Emphase, die sich auf diese Form der »Verschriftung« der Bilder legt, haben sich Filmavantgardisten von Eisenstein bis heute zu eigen gemacht, ihnen ging es dabei auch immer darum, den Fetischcharakter des Illusionskinos zu brechen, das Filmbild als einzelnes aus der intentionalen Verklammerung der

20 Theodor W. Adorno/Max Horkheimer, *Dialektik der Aufklärung*, a. a. O., S. 259.

geschlossen-mythischen Struktur des Erzählkinos zur Intentionslosigkeit der *objets trouvés*, eines »apparatfreien Aspekts der Wirklichkeit« (Benjamin) kommen zu lassen. Die Theorien der Montage liefern die Theorien zur Verschriftung der Einzelbilder.

Nicht zufällig beschreibt Alexander Kluge, einer der wenigen Filmemacher, die selber im Dickicht der Ambivalenz gegenüber Bildern bei den Kritischen Theoretikern groß geworden sind, seine eigene filmästhetische Praxis ganz in diesem Kontext:

Kluge: Ja, wir werden nicht locker lassen. Diese Metamorphosen, diese simultanen Gleichzeitigkeiten sind das eine Element. Das andere Epiphanien, d. h. eine Einstellung, eine zweite Einstellung, und beide sind nicht das Bild, sie verletzen sich gegenseitig durch ihren Kontrast, ihre Differenz oder Tautologie. Daß also ein drittes Bild herausspringt, das in der Schnittstelle steckt und selber nicht materiell ist. Das dritte Bild ist das stille Ideal, das in den Zuschauern längst vorhanden ist.
Koch: Das dritte Bild ist dann die Utopie, die dem Bilderverbot folgt.
Kluge: Im wörtlichsten Sinne, weil es nicht vorhanden ist.[21]

Aber nicht nur die Filmavantgarde greift auf dergleichen Gedankengänge zurück. Eine Verstärkung hat diese Seite nicht zuletzt von der feministischen Filmtheorie erfahren. Der Fetischbegriff steht auch dort im Zentrum, freilich nimmt er Bezug auf die Freudsche Theorie, deutet den Fetisch als Zeichen der hartnäckigen Strategie der Verleugnung des weiblichen Geschlechts, das in einer männlich-patriarchal ausgerichteten Kultur der Verachtung und Verdrängung anheimfällt, die sich in dergleichen Verleugnungen zum Syndrom verdichten. Die Verleugnung des Geschlechtsunterschieds unter der Kastrationsdrohung führt genau zu der Form der Fetischbildung, gegen die das Bilderverbot einmal gerichtet schien. Wird die ganze Menschheit dem Bilde des einen Geschlechts nachgebildet, wird alles im Fetisch mit Ähnlichkeit geschlagen. Soweit stützt sich also auch die feministische Filmtheorie auf Gedanken, die der Entwicklungslogik von Fetischisierung und Identitätsdenken kritisch gegenüberstehen.

Die ideologiekritische Position der feministischen Filmtheorie führt dabei in ähnliche Aporien, vor allem aber zu ähnlichen ästhetischen Überlegungen, die sich – gegen das über den Fetisch-

21 »Die Funktion des Zerrwinkels in zertrümmernder Absicht – Ein Gespräch zwischen Alexander Kluge und Gertrud Koch«, in: R. Erd et al. (Hg.), *Kritische Theorie und Kultur*, Frankfurt a. M. 1989, S. 116.

charakter der patriarchalen Kultur determinierte Erzählkino – der Avantgarde verschwistern. Aktuell ist die Kritische Theorie für das Gebiet des Films und der Filmtheorie wohl noch immer, die produktive Umsetzung einer filmtheoretischen Vermittlung durch die Extreme von Mimesis und Bilderverbot freilich erst noch auszuführen. Insofern ist die Kritische Theorie für die Filmtheorie und -ästhetik, von einigen Ansätzen abgesehen, weitgehend noch Programm ohne Aufführungen.

Moses und Aron: Musik, Text, Film und andere Fallen der Rezeption

Im folgenden möchte ich die Aporien des Bilderverbots in seiner konstruktivistischen Auflösung in eine autonom verfahrende Ästhetik und seine kritische Angewiesenheit auf Vermittlung an einem Beispiel untersuchen, an einer kurzen Rezeptionsgeschichte, die die Oper *Moses und Aron* von Arnold Schönberg in dessen eigener Werkgeschichte und auf der Leinwand hinterlassen hat. Ausgehend von der Selbstthematisierung des Konflikts zwischen Moses und Aron als eines paradigmatischen Modells für das Ineinanderverflochtensein einer hermeneutischen Spirale, wie sie sich bildet bei der Auslegung von Gesetzestexten – zu der man hier getrost auch Schönbergs Zwölftontechnik zählen darf –, erscheint es doch aufschlußreich, daß Schönberg in seiner Oper selbst als der zwischen Treue zum Gesetz und Vermittlungsbedürfnis in eine soziale Praxis hinein (sei es die des Künstlers, Künders oder Politikers) zerrissene Protagonist gesehen werden kann. Wie virulent offenbar gerade unter den assimilierten Juden des deutschsprachigen Raums die Auseinandersetzung mit dem für »alttestamentarisch-jüdisch« geltenden Bilderverbot war, läßt sich nicht nur Schönbergs komplexen und widersprüchlichen Strategien entnehmen, sondern auch dem Werk der Malerin Charlotte Salomon.

Wiederholt hat Adorno von Schönberg behauptet, daß er das »alttestamentarische Bilderverbot auf die Musik übertragen habe«.[1] Ein Hinweis, der schließlich in Adornos anläßlich der Berliner Aufführung von *Moses und Aron* im Jahre 1963 verfaßtem Essay zu Schönbergs Oper zentralen Raum einnimmt.[2] Die Schnittstellen muten ohnehin auf den ersten Blick bizarr genug an: Nicht nur, weil Schönberg in seiner expressionistischen Phase selbst als Maler mit der Verfertigung von Bildern beschäftigt war, sondern auch, weil in *Moses und Aron* das Bilderverbot als religiöses und ästhetisches dramaturgisch und musikalisch thematisch geworden ist. Daß sich rund zehn Jahre später, und offenbar unter

[1] Theodor W. Adorno, »Zum Verständnis Schönbergs«, in: *Gesammelte Schriften* 18, Frankfurt a. M. 1984, S. 440.

[2] Ders., »Sakrales Fragment. Über Schönbergs Moses und Aron«, in: *Quasi una fantasia,* Frankfurt a. M. 1963.

Abb. 2 *Moses und Aron* (Straub/Huillet 1975):
Aron und Moses – das unzertrennbare Paar

dem nachhaltigen Eindruck der von Tumulten überzogenen Berliner Aufführung aus dem Jahre 1959 unter Hermann Scherchen, Jean-Marie Straub und Danièle Huillet an eine Verfilmung der Schönberg-Oper wagen, mutet kaum zufällig an. Die Filmästhetik von Straub/Huillet bewegt sich in einem Bereich, der die bildliche Repräsentation in einer Weise in Frage stellt, die sie mit *Moses und Aron* teilt.

Unter den musikalischen Genres ist die Oper wie kein anderes auf Visualisierung hin angelegt; daß Schönberg den Stoff zuerst in die Form eines (bilderlosen) Oratoriums bringen wollte, daß er 1930 eine *Begleitmusik zu einer Lichtspielszene* komponierte ohne Szene und ohne Lichtspiel, sind nur Hinweise auf die lebenslange Fixierung des Malers und Komponisten auf eine Idee vom Bild, die Musik ist und nicht Abbild, und auf eine Idee von Musik, die als Negation des Bildes dessen Idee perpetuiert. Die *Begleitmusik zu einer Lichtspielszene* ist übrigens bereits mehrfach ins Bild gesetzt worden: Straub/Huillet haben danach 1972 einen kurzen Film gemacht, dessen wesentliches sprachliches Moment der Text jenes berühmten Briefes aus dem Jahre 1923 ist, den Schönberg an Kandinsky geschrieben hatte, nachdem dieser ihn aufgefordert hatte, dem »Blauen Reiter« beizutreten; hierin beklagt Schönberg sich hellsichtig, mit erheblichem Sarkasmus und realistischer Bitterkeit vor allem über Kandinskys antisemitische Äußerungen[3]; von Pierre Boulez stammte die Idee, die »Begleitmusik« dem Dritten, nicht komponierten Akt von *Moses und Aron* für eine Nürnberger Inszenierung zu unterlegen[4], Schönbergs Überschrift zur »Begleitmusik« lautete lapidar »Drohende Gefahr, Angst, Katastrophe«.

Der Widerspruch zwischen expressionistischer Bildlichkeit und dem Gesetz des Bilderverbots, der im Brüderpaar Moses und Aron auftritt, besteht freilich nur auf der Ebene der Narration – sieht man das Werk als Ganzes, tritt die Paarstruktur in den Vordergrund und der Antagonismus erscheint als vermittelter: Adorno wendet eine seiner Lieblingsformulierungen »Les extrêmes se touchent« auf Schönberg an, und zwar in seinen Bemerkungen

[3] Das Drehbuch ist abgedruckt zusammen mit weiteren Matèrialien in *Filmkritik*, Nr. 194, Februar 1973; das Drehbuch zu *Moses und Aron* in: *Filmkritik*, Nr. 221/2, 1975.

[4] Vgl. Gerhard R. Koch, »Versuch über das Unmögliche. Überlegungen zu ›Moses und Aron‹«, in: Katalog Salzburger Festspiele 1988, S. 150.

Abb. 3-4 *Moses und Aron*: Berlin, Deutsche Oper 1959

»Zum Verhältnis von Malerei und Musik heute«, die er zum Teil auf Schönbergs doppelte Aktivität, als Maler und Komponist, bezieht. Er endet diesen Aufsatz mit den Sätzen:

> Das Einlegen des Ausdrucks in die Konstruktion beim letzten Schönberg, die Versetzung der Bildgestalt mit chokhaften Fragmenten des Menschengesichts beim späten Picasso, seit Guernica, dürften in der Tat einem gemeinsamen Kern der geschichtlichen Erfahrung angehören. Die Einheit der modernen Kunst, ihre Emanzipation, die Idee der vollen Freiheit wird am ehesten gefaßt von dem Satz Les extrêmes se touchent.[5]

Mit einer Lieblingsformulierung Harold Blooms könnte man freilich statt in einer Metapher der dialektischen Vermittlung auch das Brüderpaar Moses und Aron als die Ringer im Turm des Agons sistieren.

Die Beteuerung Adornos, daß sich Schönberg wie keiner sonst ans Bilderverbot gehalten habe, kann freilich kaum darüber hinwegtäuschen, daß *Moses und Aron* dessen ästhetische Aporien wie keine Oper sonst zum Vorschein bringt. In seinem Essay zur Oper weist Adorno auf die Schönbergschen Aporien eindringlich hin, die sich nicht zuletzt daraus ergeben, daß der sakrale Gehalt, die Vorlage eines heiligen Textes, mehr als jeder andere Stoff zur Häresie führen kann: »Denn Mund des Unbedingten zu sein, sei für den Sterblichen zugleich Lästerung.«[6] Führte das romantische Unsagbarkeits-Motiv als Brücke von der frühromantischen Musikästhetik zur Idee der absoluten Musik als Metasprache, so haben sich gleichwohl darin sakrale Motive und Momente erhalten, die Schönberg wieder manifest machen wollte. Und eben das »Absolute, auf das diese Musik ohne Erschleichung hinaus will, ist sie als ihr eigener Gedanke, selber das, was die Fabel am letzten möchte, Bild des Bilderlosen«.[7] Aber diese immanente Aporie, »Bild des Bilderlosen« zu sein, verweist auch auf den historischen Entwicklungspfad, der mit der zunehmenden Durchdringung der Künste Musik ausdrucksästhetisch ins »Bildwesen aller europäischen Kunst verstrickt«.[8] »Dem hat«, so fährt Adorno fort, »unwillentlich, mit abgründiger Ironie, Schönberg seinen Tribut zollen müssen, Aron, der Mann der Bilder und der Vermittlung, muß in der

[5] Theodor W. Adorno, »Zum Verhältnis von Malerei und Musik heute«, in: *GS* 18, a.a.O., S. 147f.

[6] Ders., »Sakrales Fragment«, a.a.O., S. 306.

[7] Ebd. S. 312.

[8] Ebd.

Abb. 5 Arnold Schönberg, Grünes Selbstporträt

Abb. 6 Arnold Schönberg, Der rote Blick

Oper singen, bedient sich der bilderlosen Sprache, Moses aber, der Träger des Bilderverbots, singt bei Schönberg nicht, sondern spricht: nicht anders kann er dramaturgisch das alttestamentarische Tabu über den Ausdruck fassen, als dadurch, daß er ihn so sich mitteilen läßt, wie er es nach biblischer Erzählung kaum recht vermag.«[9] Daß Schönberg sich des biblischen Stoffes nicht nur in sakraler Absicht genähert hat, sondern in der Tat der ironischen Deplazierung Raum gelassen hat, in der biblischer Stoff und technische Vergegenwärtigung aufeinandertreffen können, mag eine seiner Regieanweisungen verdeutlichen, mit der der erste Auftritt der göttlichen Stimme aus dem Dornbusch unterlegt ist:

**Die Stimme aus dem Dornbusch.* Diese Stimmen (hier sind es bloß *vier*, später sechs, anfangs schwach besetzt) sprechen in gleichem Rhythmus, *sehr deutlich akzentuiert,* in möglichster Annäherung an die angegebenen Lagen (nicht gesungen!!!). Es kann erwogen werden, sie hinter der Scene, klanglich voneinander isoliert, bloß durch Sicht geeint, in Telefone sprechen zu lassen, deren jedes durch eine eigene Leitung für sich allein an einen andern Ort durch Lautsprecher nach vorn gebracht wird, so daß sie sich erst im Saal vereinigen.[10]

Die Idee einer technischen Verfremdung der Vokalstimmen, die wie eine getrennte Tonaufnahme zum Bild auf der Bühne sich verhalten würde, wird schließlich umgekehrt in der Verfilmung realisiert, in der die Sänger physisch präsent sind und ihre Partien life in der Arena aufgenommen werden, während der Orchesterpart vorab im Studio aufgenommen wurde und dazugemischt wird. Eine Entscheidung, die zur Folge hat, daß die Instrumentalmusik wieder in ihre Rechte als »absolute« Musik, die bilderlos bleibt, eingesetzt wird, während die Sing- und Sprechstimmen genau in die Aporie der Entsakralisierung durch Verbildlichung geraten. Ob sich darin mehr als die objektive Verabsolutierung eines technischen Apparates, des Orchesters und des Aufnahmestudios, niedergeschlagen hat, bleibt in der Analyse des Films noch zu erörtern.

Die Betonung von *Moses und Aron* als sakralem Werk, das seine Wurzeln in der jüdischen Theologie hat, übersieht einen anderen Aspekt, der aus dem keineswegs ganz in der Transzendenz aufgehobenen historischen Kontext seiner Entstehung zu verstehen ist.

9 Ebd.

10 Arnold Schoenberg, *Moses und Aron,* Studien-Partitur Edition Schott 4590, Mainz, London, New York, o.J., S. 3.

Abb. 7 Arnold Schönberg mit drei Selbstporträts

George Steiner hat in seinem Essay über die Oper 1965 bereits auf Schönbergs Parteinahme für das zionistische Projekt im unpublizierten »historischen« Drama *Der biblische Weg* hingewiesen.[11] In seiner detaillierten, vergleichenden Darstellung des Manuskripts arbeitet Herbert Lindenberger die komplizierten Verzweigungen heraus, die Schönbergs religiöse, ästhetische und politische Motive miteinander verbanden[12] und die sich zweifelsohne im dramaturgischen Aufbau von *Moses und Aron* wiederfinden lassen als der Streit darum, wie das jüdische Volk aus der ägyptischen Gefangenschaft zu befreien sei. Sowohl das Theaterstück *Der biblische Weg* wie auch *Moses und Aron* beschäftigen sich mit zweierlei Gründungsmythen, die auf die exponierte Rolle von Gründungsvätern rekurrieren: im Theaterstück handelt es sich um eine verschlüsselte Auseinandersetzung mit Theodor Herzls Versuch, einen jüdischen Staat zu gründen, und in der bekannten biblischen Geschichte von Moses um den Bund mit Gott, der die zwölf Stämme Israel als ein Volk von Auserwählten konstituiert. In den frühen zwanziger Jahren, in denen *Der biblische Weg* (und vermutlich auch die Idee zu *Moses und Aron*) entstand, hatte sich Schönberg, der als junger Mann zum Protestantismus konvertiert war, wieder stärker auf sein Judentum bezogen und stand in Korrespondenz mit Vertretern des rechten Flügels der zionistischen Bewegung wie Jacob Klatzkin[13], wobei er wohl in Reaktion auf den europäischen nationalistischen Antisemitismus 1938 ein »Four Point Program for Jewry«[14] formuliert, in dem er Bezug nimmt auf das Sujet des »Biblischen Wegs«, das Uganda-Projekt Herzls, das dieser auf dem zionistischen Kongreß in Basel 1903 als Übergangslösung bis zur Gründung des jüdischen Staates in Palästina nicht hatte durchsetzen können:

When Theodore Herzl, recognizing his error, decided to abandon for a time the idea of palestine and accepted the offer of England (Uganda as a Jewish Colony), he was exposed to such tremendous opposition that the

[11] George Steiner, »Schoenberg's *Moses and Aaron*« (1965), in: *Language and Silence*, New York ^{7}1986, S. 129.

[12] Herbert Lindenberger, »Arnold Schönbergs *Der biblische Weg, Moses und Aron*: Zu Problemen politischer Führung«, in: Paul Michael Lützeler (Hg.), *Zeitgenossenschaft. Zur deutschsprachigen Literatur im 20. Jahrhundert. Festschrift für Egon Schwarz zum 65. Geburtstag*, Frankfurt a. M. 1987.

[13] Vgl. hierzu Steven S. Schwarzschild, »Adorno and Schoenberg as Jews – Between Kant and Hegel«, in: *Leo Baeck Institute Year Book*, London 1990, S. 474f.

[14] Vgl. Schwarzschild, a. a. O., und Lindenberger, a. a. O.

Abb. 8 Arnold Schönberg in Petersburg

excitement and fear of failure of the whole enterprise probably caused his death.

Schönberg folgert aus diesem Ereignis, daß sich die politische Führung nicht von der Uneinigkeit unter den Anhängern der Bewegung ablenken lassen und auch nicht überrascht sein soll, wenn diese sich weigern, »to vote in favor of an idea which was not exactly their own«.[15]

Im folgenden berichtet Schönberg von seinem autokratischen Verhalten im 1919 gegründeten Verein für musikalische Privataufführungen, den er, darin sich Herzl überlegen darstellend, auf illegalem Wege aufgelöst habe, als man seinen Vorstellungen nicht entsprochen habe:

There were some sentimentalists who considered it wrong, but it was the only healthful means of avoiding the encroachment of non-artistic principles upon artistic ones. Right or wrong – these principles were my country.[16]

Die Fusion zwischen ästhetischer Radikalität, politischer Autorität (wenn Herzl das alleinige Entscheidungsrecht gehabt hätte, könnten die jüdischen Flüchtlinge sich heute, 1938, nach Uganda retten, folgert Schönberg) und religiös gedeuteter Legitimität, die Schönberg für sich in Anspruch nehmen wollte, wird in der biblischen Oper *Moses und Aron* dank ihrer ästhetischen Radikalität zum inneren Antagonismus transformiert. Insofern erscheinen mir die Analogien zwischen Schönberg/Herzl/Moses doch an der Oberfläche der Person Schönbergs mit all seinen Idiosynkrasien und zeitbedingten Kurzschlüssen zu bleiben.

Obwohl von Schönberg selbst heftig abgelehnt, wurde seine Oper doch früh als Selbstthematisierung der Funktion Kunst aufgefaßt. Die Debatte um die zweierlei politische Autorität, die im Widerstreit zwischen Moses und Aron liegt, hat im Laufe der Rezeptionsgeschichte des Werkes zu den unterschiedlichsten Parteinahmen geführt, die politischen Sympathien – oder Schönberg zugeschriebenen Favorisierungen des einen oder anderen Bruders – haben ihr eigenes Schicksal. Lindenberger weist darauf hin, daß *Der biblische Weg* in der Schlüsselfigur Aruns, des durchsetzungsfreudigeren Herzls, eine deutliche Verschmelzung von Moses und Aron unternommen hat, deren Hintergrund eine nationalreligiöse Version des zionistischen Projektes ist, das die »Volkwerdung«,

[15] Lindenberger, a.a.O., S. 61.
[16] Ebd., S. 62.

von der Schönberg in seiner Korrespondenz spricht, als religiösen Bund und als Staatsgründungsidee zu realisieren gedenkt. Daß Schönberg mit seiner Bewunderung für Jabotinsky sich eindeutig am rechten Rand des zionistischen Spektrums bewegt hat, auf der Seite der sogenannten Revisionisten und nicht der sozialistischen und demokratischen Flügel, steht außer Frage. Zur plastischen Verdeutlichung sei hier auf einen Bericht Siegfried Kracauers aus der *Frankfurter Zeitung* vom 7. September 1927 verwiesen, in dem er über den zionistischen Kongreß in Basel im Rahmen einer siebenteiligen Artikelserie zu recht kritischen Äußerungen gelangt. Kracauer findet für Jabotinsky ausgesprochen drastische Worte, die dennoch historisch gerechtfertigt sind:

In der Opposition stehen die verhältnismäßig bedeutungslosen Fraktionen der *Radikalen* und *Revisionisten*, beide *nationalistisch* geartet. (...) Sind aber die Radikalen für eine friedliche Lösung (ohne »Verteidigungskriegen« abgeneigt zu sein), so haben die Revisionisten den militaristischen Tick. Ihr Führer *Jabotinsky* ist ein ins Jüdische herabgemilderter kleiner Mussolini. Ein assimilierter Russe, der, bezeichnend genug, im Italien des Tripolis-Krieges studiert hat. Er träumt von einer Erneuerung seiner jüdischen Legion. In seiner Rede trieb er zum Teil eine martialisch-sentimentale Demagogie, die in einem krassen Mißverhältnis zur Wirklichkeit stand.[17]

Obwohl auch Kracauer keineswegs sich blind gemacht hatte gegen die offen antisemitischen Tendenzen seiner Zeit, hat er doch eine wesentlich skeptischere Haltung zum zionistischen Projekt, das Schönberg gerade in seiner revisionistischen Variante für attraktiv hielt. Es ist hier nicht der Ort, den Einfluß des Zionismus auf das deutschsprachige Judentum der zwanziger Jahre näher zu untersuchen, der Vergleich zu Kracauer soll an dieser Stelle lediglich deutlich machen, wie breit das Spektrum an Positionen war und daß unter diesen Bedingungen von einer dezidierten Stellungnahme Schönbergs im Sinne einer offenen Parteinahme ausgegangen werden muß.

Vor diesem offen politischen Programm eines starken Dezisionismus, das sich bei Schönberg von den frühen zwanziger Jahren mindestens bis zu seiner Proklamation einer jüdischen Exilregierung in seinem 4-Punkte-Programm aus dem Jahre 1938 belegen läßt, stellt sich die Frage, warum *Moses und Aron* Fragment geblie-

[17] Für diesen Hinweis danke ich Thomas Y. Levin.

ben ist, noch einmal neu. Die Beschäftigung mit der unfertigen Oper hat ihn bis zu seinem Tod nicht mehr losgelassen. Die Studienpartitur fügt zwischen dem Ende des auskomponierten II. Akts und dem überlieferten Text zum III. Akt eine lapidare Sammlung von Briefstellen ein, die Gertrud Schönberg, die Frau des Komponisten, beigesteuert hat. Diese enden mit der Einwilligung, daß der III. Akt »bloß gesprochen, aufgeführt wird, falls ich Komposition nicht vollenden kann« (1951).[18] Dennoch verrät die Witwe mit ihrem Schlußsatz, was sie im Interesse der Vieldeutigkeit eines ästhetischen Werkes erst leugnet: »Wie es ist, so hat es sein sollen.« Nun läßt sich in der Tat darüber streiten, ob 30 Jahre Zögern nicht einem langen Abschied und Abschluß gleichkommen, auch eine Absage bedeuten an die steilen politischen Ansprüche und Anschauungen. Denn der Text des III. Aktes ist eindeutig darin, daß Aron nicht von Moses getötet wird, sondern nach seiner Freilassung tot umfällt, das Säkulare vom religiösen Bund übertroffen wird. Moses wirft am Ende Aron vor, daß er die Bilder nicht als sprachliche, sondern als Abbilder mißverstanden hat. Aron, der Tatmensch, verwechselt Gleichnis und Abbild: »Da begehrtest du leiblich, wirklich, mit Füßen zu betreten ein unwirkliches Land, wo Milch und Honig fließt.« Moses, der ihm das vorwirft, proklamiert letztlich wieder die Trennung von Religion und Politik: Das gelobte Land ist nicht das Altneuland Herzls, der »Biblische Weg« nicht die Bahn, in die die biblische Oper gelenkt wird. Adornos Essaytitel »Sakrales Fragment« bekommt, bezieht man die Texte des III. Aktes ein, seine Berechtigung. Der Kampf ist am Ende doch einer gewesen zwischen einem Verzeitlichungs- und einem Verräumlichungsmodell sowohl in der Musik wie in der Theologie.

In den politisch bewegten Mittsiebzigern, in denen der Appetit auf Sakrales dem auf sinnliche Vermittlung von Politik und Ästhetik unterlag, wurde die Tabula rasa der Exegese des Fragments noch einmal neu eingedeckt. Michael Gielen, eminenter Vertreter der Neuen Musik als Dirigent und Komponist, publizierte 1975 eine Schallplatteneinspielung von *Moses und Aron*, die zur musikalischen Grundlage der Straub/Huilletschen Verfilmung desselben Jahres wurde, an der Gielen als Dirigent beteiligt war. Für die Schallplatteneinspielung hat Gielen ganz auf die Präsentation des

[18] Schoenberg, a. a. O., ohne Paginierung.

III. Aktes verzichtet, und zwar mit Gründen, die er im Werk selbst sucht:

Bestimmt war es keine Frage der Zeit, bestimmt nicht. Ich glaube nicht, daß er oder sonst jemand diesen dritten Akt hätte vertonen können, da das Stück mit zwei Akten vollständig ist. Was könnte noch auf »O Wort, du Wort« folgen? Dies ist der letzte Ausdruck der Unmöglichkeit Moses', sich selbst auszudrücken, und es ist das perfekte Ende des Ganzen.[19]

Unterstellt, daß der III. Akt die Niederlage Moses' aus dem II. zu dessen Gunsten wendet, dann hat Gielen natürlich immanent recht, das Werk mit dem II. abzuschließen, mit der Niederlage Moses'. Gielen hat seiner Einspielung eine ebenso kluge wie zeitbezogene politische Interpretation beigegeben:

Ich bin überzeugt, daß Moses' Politik falsch ist. Doch der Gegensatz zwischen Moses und Aron ist fingiert. Sie sind die zwei Seiten derselben Münze. Was taugt der Gedanke, wenn er nicht verwirklicht wird? Was nützt eine Revolution, die nur in Büchern stattfindet? Aron wählt den Weg des Demagogen. Damit bringt er das Volk in Bewegung und orientiert es dorthin, wo er es haben will. Es hätte Moses nicht gestört, wenn all diese Menschen in der Wüste gestorben wären, sofern sie nur seinem Gedanken verbunden geblieben wären. (...) Und nur er sah Gott, sonst niemand. Die anderen mußten glauben, er war der »Führer«. Deshalb stehen meine Sympathien hundertprozentig auf der Seite Arons.[20]

Im Widerstreit der antagonistischen und dennoch aufeinander angewiesenen Brüder nimmt Gielen Partei für den, den er für den demokratischeren hält, weil er sich um Vermittlung bemüht; dennoch ist Gielen sich bewußt, daß die musikalische Struktur eine solch politische Parteinahme nicht zuläßt: »der Gegensatz ist fingiert.« Straub/Huillet lassen sich auf eine Parteinahme *innerhalb* des Szenarios in der Verfilmung nicht ein; die Kamera verhält sich äquidistant zu den beiden, allenfalls gibt es zaghafte Versuche einer materialistischen Auslegung der Metapher vom Gelobten Land. Der III. Akt ist Teil der Verfilmung, worin sicher eine bewußte Entscheidung liegt. Der gesamte Film teilt sich in 94 Einstellungen auf und entspricht bis auf Vor- und Abspann der Zeit der Aufführungsdauer aller drei Akte. Dem läßt sich bereits entnehmen, daß auf der visuellen Ebene nichts eingefügt ist, was die musikalische Struktur als einer zeitlichen aufbrechen würde. Zu Recht wurde

19 »Ein Interview« von John Ellis mit Michael Gielen im Begleitheft zur Schallplatteneinspielung Philips 6700084.
20 Ebd.

immer wieder darauf verwiesen, daß sich Straub/Huillet einem strengen Prinzip musikalischer Werktreue untergeordnet haben. Die enormen Schwierigkeiten, im Rahmen eines solchen Prinzips eine filmische Montage vorzunehmen, liegen in der kompositorischen Zwölftontechnik begründet. Da die letzten drei Töne einer Reihe die ersten drei der folgenden bilden, läßt sich, folgt man dem musikalischen Ablauf, nur schwerlich in eine solche Struktur hineinschneiden; einer oberflächlichen Sicht des Films hat sich darum mitunter der Eindruck eingestellt, daß es keine Bewegung im Film gäbe, daß er gänzlich statisch sei. Dies nun ist falsch, denn die Auflösung des Montageproblems, daß schnelle Schnitte aus musikalischen Gründen nicht möglich sind, führt zu einer vermehrten Bewegung der Kamera selbst, sei es in genau durchkomponierte Fahrten oder durch Schwenks. Dieses Prinzip läßt sich besonders gut an der 1. Szene des I. Aktes zeigen, die in einer einzigen Einstellung von 9'35" Dauer gefilmt ist und exakt die ersten 97 Takte der Partitur einschließt. Diese Szene enthält Moses' erste Begegnung mit der Stimme Jahwes aus dem Dornbusch, in dem er Moses seinen Namen offenbart. Die Kamera ruht erst auf Moses' Schultern im Halbprofil von hinten, löst sich aber zu einem elliptischen 300-Grad-Schwenk, wenn Moses beteuert, daß er denken, aber nicht reden kann. »Sehr gemessen vollführt sie einen Rundschwenk, der den Blick spiralenförmig aus der Arena in die Landschaft, die Abruzzeser Berge, in den Himmel schraubt. In der Dauer, die dem neuen Schauplatz zugemessen wird, malt die Kamera kein Stimmungsbild, sondern erfaßt die Landschaft, die sich in Gürtel aus Licht und Farben zerteilt.«[21] Die Bewegung dieses eindrücklichen Schwenks greift Schönbergs Anweisung auf: »etwas fließender«, »etwas breiter«, »Wieder etwas fließender« usw. bis »Sehr langsam«. Folgt man der Partitur, dann ergeben sich in der Tat keine Anhaltspunkte, die Schnitte nahelegen würden, sondern doch eher eine fließende, kontinuierliche Kamerabewegung. Die Emphase auf der Bewegung im Bild als einer Verzeitlichung des Raumes hat im übrigen durchaus einen theologischen Sinn, der Schönbergs religiöser Intention entsprechen dürfte. Im biblischen Text der Offenbarung des Namens durch die Stimme im brennenden Dornbusch entspricht der Name Jahwe im hebräischen einem Zeitwort,

[21] Karsten Witte, »Kommentierte Filmografie«, in: Peter W. Jansen/Wolfram Schütte (Hg.), *Herzog/Kluge/Straub*, Reihe Film 19, München 1976, S. 199.

es heißt soviel wie »er ist da«. Die Anwesenheit des in der Zeit präsenten, verborgenen Gottes faßt Schönberg nicht im Aussprechen des Namens, sondern in der zeitlichen Struktur der Musik.

In seiner Einleitung zu Olivier Revault D'Allonnes' Buch *Musical Variations on Jewish Thought* unterstreicht Harold Bloom die enge Verbindung zwischen dem jüdischen Gott, der sich in der Zeit zu Gehör bringt, und dem zweiten der zehn Gebote, dem sogenannten Bilderverbot, und versucht damit der oft beschworenen Bevorzugung der Musik vor dem Bild im Judentum eine argumentative Basis zu geben.[22] Die Frage, wie sich das Bilderverbot ausgerechnet im filmischen Bild durchsetzen soll, ist mit der reinen Temporalisierung des Raumes durch die Bewegung der Kamera freilich noch nicht beantwortet. Immerhin ist die Häresie die List der Vernunft der Orthodoxie, zumindest legt das Blooms ironischer Kommentar zum Bilderverbot nahe:

> But the prohibition then continues until it becomes remarkably comprehensive, and the Divine passion mounts to Sublime hyperbole. That the intent of the Second Commandment is to compel us to an extreme interiority is palpable enough, but the very power of this rhetoric encouraged the rebellious Gnostic imagination to an unprecedented originality in the idolatry of fabulation.[23]

Nun hat ja Adorno mit seiner Formulierung der immanenten Häresien in der Schönbergschen Oper als »Bild des Bilderlosen« bereits darauf hingewiesen, daß das strenge Bilderverbot in der säkularen Moderne nicht mehr mehr sein kann als eine regulative Idee der Ästhetik. Straub/Huillet haben, ob nun bewußt oder unbewußt, gerade in ihrer Anklammerung an das Schönbergsche Werk dessen Schleichwege zur Via Regia ins filmische Bild genommen. In der bereits beschriebenen 1. Szene/10. Einstellung ist nämlich die Loslösung des Kamerablicks über die Landschaft hinweg an die Textstelle gebunden, in der Moses seine Zweifel an der Tauglichkeit als göttlicher Vermittler ausspricht, woran sich rasch eine Textstelle des Chores der »göttlichen Stimme« anschließt, die eine freie Invention Schönbergs ist und im Buch Exodus kein Äquivalent hat: »Wie aus dem Dornbusch, finster, eh das Licht der Wahrheit auf ihn fiel, so vernimmst du meine Stimme aus jedem Ding.«

[22] Harold Bloom, »Introduction«, in: Olivier Revault D'Allonnes, *Musical variations on Jewish Thought*, New York 1984, S. 14f.
[23] Ebd.

Abb. 9 *Moses und Aron* (Straub/Huillet 1975)

Abb. 10 *Moses und Aron* (Straub/Huillet 1975)

»Jedes Ding« kann also zum Zeichen der Stimme werden, die Bilder werden Gleichnisse, Zeichen. Der extreme Reduktionismus, der die Bildästhetik von Straub/Huillet kennzeichnet, entstammt der Weigerung, sie zum Abbild zu machen. Was ihnen »heilig« ist, ist freilich die zeichenhafte »Präsenz«, die sich in der Dauer eher manifestiert als in der Fülle, als in einer als möglichst umfassend und komplett gedachten Abbildung der Mannigfaltigkeit. Daß Straub durch die Schule Robert Bressons gegangen ist, macht eine von dessen *Notes sur le cinématographe* deutlich: »Vider l'étang pour avoir les poissons« (Den Teich leeren, um die Fische zu haben).[24] Das scheint das Prinzip zu sein, nach dem Straub/Huillet den Ton konzipiert haben, das Orchester ist, wie bereits erwähnt, ausgelagert, nur die Sänger sind zu sehen und werden im O-Ton aufgenommen. Das entlastet den Film ein weiteres Mal vom Problem der Abbildung. Was zu sehen und zu hören ist, sind ganz deutlich Sänger, die in Kostümen stecken, die mythischen Zeichen und Wunder werden mit einfachen Schnitten hergestellt, denen nichts Trickhaftes eignet, sondern die allenfalls wieder als Bild wirken, wie etwa die Schlange, in die sich Moses' Stab verwandelt hat. Dieses Bild einer realen Schlange wird zusätzlich zu einer grafischen Konfiguration durch eine antinaturalistische Kameraaufsicht gemacht, was das Bild zum biblischen Gleichnis der Oper macht und eben nicht zum Abbild einer Schlange.

In gewisser Weise könnte man sagen, daß Straub/Huillet darin, in der Verwendung physischer Objekte, vor allem aber in den Landschaftsaufnahmen einen materialistischen Inszenierungsstil einführen, der vorführen will und nicht abbilden im Sinne einer illusionistischen Ähnlichkeitsbeziehung. Der scheinbare Naturalismus des O-Tons weckt den Eindruck, einer Vorführung beizuwohnen, sogar das verschwundene Orchester unterstreicht das Artifizielle. Dennoch hat der minimalistische Gestus einer Arte povera zugleich die Tendenz, ins Essentialistische zu verfallen. Reduktion soll die aufs Wesentliche sein. Im Falle des Films ist dies die Musik selbst, deren Realzeit die Struktur des Films bestimmt.

In der emphatischen Verwendung des O-Tons in ihren Filmen und seine Anwendung auf die Opernverfilmung folgen Straub/Huillet einer ästhetischen Position, wie sie André Bazin entwickelt hat. Bazin war bekanntlich der Vertreter der französischen Film-

[24] Robert Bresson, *Notes sur le cinématographe*, Paris 1975, S. 99.

theorie der fünfziger Jahre, der einer phänomenologischen Ontologie verhaftet blieb. Er schöpfte sie aus einem katholisch-religiösen Hintergrund und gelangte dabei zu sehr ähnlichen theoretischen Konstruktionen wie Siegfried Kracauer, der seinen »wunderlichen« Realismus (Adorno) ebenfalls aus dem theologischen Motiv der »Errettung« heraus entwickelte. Für Bazin wird die Ästhetik des O-Tons Teil seiner Konzeption der »inneren Montage«. Darunter hat Bazin verstanden, daß die räumliche Trennung durch den Schnitt und die lineare Verknüpfung der einzelnen Einstellungen in der Montage aufgehoben wird, daß das zeitliche Nacheinander in ein raumzeitliches Kontinuum integriert wird. Bazins Apologie der inneren Montage führte dazu, daß er die physische Präsenz der Tonquelle in der Einstellung selbst einzuklagen versuchte. Für eine kinematographische Tonästhetik ist das folgenreich: eine Verortung des Tons als physische Präsenz der Tonquelle schließt zumindest den üblichen Gebrauch von Musik im Film aus. Straub/Huillet folgen dieser ästhetischen Direktive vor allem in ihrem Bach-Film *Die Chronik der Anna Magdalena Bach*, in *Moses und Aron* hingegen haben sie sich durch die Abtrennung vom Orchester aus dem sichtbaren Raum für einen gänzlich anderen Weg entschieden. Dennoch bekommen die O-Tonaufnahmen der Sänger, die ganz explizit zusammen mit den im physikalischen Raum vorhandenen Geräuschen registriert werden, eine starke ästhetische Dominanz. Moses, Aron, das Volk: sie werden materialisiert als Darstellungen, als Konstellationen, nicht als Personen. Indem sie als Produzenten von Tönen gezeigt werden, als Kunstproduzenten, schreiben Straub/Huillet sie in ein Brechtsches Modell ein, das in eigentümlicher Spannung steht zu dem der Bazinschen existentiellen Präsenz.

Diese Spannung – als eine zwischen technischer Apparatur und präfilmischem Rohmaterial jeder filmischen Projektion inhärent – tritt besonders hervor in einer Einstellung, die von dem geprägt ist, was man in einer Abwandlung von Adornos Beschreibung von Kracauer als »wunderlichen Realisten« als den »wunderlichen Materialismus« von Straub/Huillet bezeichnen könnte. Exemplarisch erscheint mir dies an den drei letzten Einstellungen des I. Aktes, von denen die beiden letzten lange Schwenks über den Nil enthalten. Diese beiden Einstellungen sprengen das Prinzip der Präsenz in zweierlei Hinsicht: die Stimmen des Chores sind aus dem Off zu hören, die Bilder sind einmontierte *reale* Schwenks über den Nil, verlassen also die szenische Präsenz der Handlung.

Ästhetisch haben diese beiden Einstellungen eine recht doppelzüngige Wirkung. Während nämlich Aron den Untergang Pharaos im Wasser des Nil prophezeit, der nur im Zeichenhaften des Wassers aus dem Krug beschworen wird, werden die langen Einstellungen vom irreal schönen, realen Nil nicht nur zu einer Ästhetik des Erhabenen verdichtet, sie werden auslegbar als Visionen des Gelobten Lands, von dem der Chor des Volkes singt:

Das gelobt er uns:
Er wird uns führen in das Land, wo Milch und Honig fließt,
und wir soll'n genießen, was er unseren Vätern verheißen.

und:

Du hast uns auserwählt,
führst uns ins gelobte Land.
Wir werden frei sein, frei, frei, frei, frei!

Narrativ sehen wir den Nil des Pharao und eine Vision des Gelobten Lands in einem einzigen Bild – eine Deplazierung, die auf eigensinnige Weise das Bilderverbot einhält, weil es *kein* Bild des Gelobten Lands ist, andererseits aber die ihm verbotene Utopie des Gelobten geographisch materialisiert: Das Land jenseits des Nil soll es sein. So geraten beide Einstellungen reiner Natur in den Sog der Ambiguität des *Moses und Aron*, einschließlich seines zionistischen, politisch-biographischen Moments.

»The idolatry of fabulation« fällt dabei merkwürdigerweise zusammen mit dem Versuch, die Bilder gleichsam von Bedeutungen freizufegen. Die Einstellungen, in denen die zeichenhaften Wunder – die Verwandlung des Stabes in die Schlange, Wasser in Blut usw. – vollzogen werden, erzählen, insofern ihr Bildinhalt als visueller Evidenzbeweis fungiert: wenn das Wasser aus dem Krug auf die Erde fließt, *ist* es Blut, die Schlange *ist* da. Das biblische Gleichnis ist eine Erzählung in Bildern, daran ändert auch deren reduktionistische Entleerung nichts, am Ende zappeln die Fische – wenn auch auf dem Trocknen. Aus dieser Paradoxie, daß selbst die zeichenhafteste Reduktion noch immer Erzählung ist und damit teilhat an der Verbildlichung des Bilderlosen, kommt auch Straub/Huillets Film nicht heraus.

Gielen wie auch Straub/Huillet fassen Schönbergs Werk vorwiegend als verkapptes Oratorium auf und mißtrauen insofern dessen explizit opernhaften Zügen, zumal des II. Aktes. Das immanente Problem eines Changierens zwischen sakralem Oratorium und säkularer Oper, zwischen Gleichnis und Fabel, die die Spannung zwischen Moses und Aron charakterisiert, wird ungelöst mitgeschleppt. Vor allem in der Inszenierung der Orgie um das Goldene Kalb gruppieren sich die Probleme. Mit großer Stringenz halten Straub/Huillet an ihrem Projekt fest, jede Art von opernhaft/filmischem Illusionscharakter zu vermeiden. Der Preis, den sie dafür zu entrichten haben, ist freilich eben nicht niedrig. Während die Musik die Aronsche Rhetorik in der Singstimme auskomponiert, haben Straub/Huillet die drastischen Bühnenanweisungen Schönbergs, die die Orgien der Lust und der Todeswut der Menge beschreiben, eher wörtlich als bildlich genommen. Die naturalistischen Details und Objekte, die der Komponist empfiehlt und die auf der Bühne ein erhebliches Augenspektakel abgeben würden, wirken im Film als im wörtlichen Sinne bühnenmäßige Ausstattung. Der Verzicht auf den naturalistischen Stileffekt in der filmischen Transformierung ist nicht nur der explizit anti-illusionistischen Filmästhetik von Straub/Huillet geschuldet, er ist auch Ergebnis der Behandlung von Schönbergs Partitur als Text, dessen narrative Teile auf den Handlungskern reduziert werden. In diesem Zusammenhang gewinnt der Text einen eigenen Status als Gegenstand des Films, Straub/Huillet inszenieren ihn so, daß sein Status als Text durchsichtig wird. Diesem Umstand sind wohl auch die Schwarzfilmteile zu verdanken, die einige Kritiker in Rage versetzt haben – sie vermuteten Phantasielosigkeit statt Texttreue am Werk. Dabei ist die eine der Schwarzfilmsequenzen nichts anderes als die Begleitung des Zwischenspiels zwischen I. und II. Akt, für das Schönberg vorsieht: »Vor dem Vorhang im Finstern unsichtbar, ist ein kleiner Chor (...) aufgestellt.« Exakt an diesen Text aus der Partitur halten sich Straub/Huillet.

Die Behandlung der Partitur als Komposition und als Text hat wohl mit dazu geführt, Straub/Huillets Film als eine Mischung von Brechtschem Antiillusionismus und Derridascher referentieller Unendlichkeit ohne Objekt zu sehen. Karsten Witte hat *Moses und Aron* als einem dekonstruktionistischen Verfahren geschuldet gesehen, und 1987 schließlich vollzieht Jeremy Tambling den Anschluß an Derrida für *Moses und Aron*, womit dessen Rezeptionsgeschichte ganz sicher noch nicht am Ende ist:

(...) a religious-political aim motivates the God of the opera – »God loves the folk, more than he loves Moses, as we gather from Act 1 scene 1, but cannot communicate with them directly, and they do not know or love him«. It needs a Derrida to disentangle the hierarchical implications of all that as a formulation: to bring out the point that there cannot be this one original truth that is free from representation; that all truth is itself a representation, and that all »truth« partakes of the character of a sign. That does not invalidate the possibility of »communication«, though it pluralizes it, and brings about the installation of the possibility of difference being perceived in the most univocal statement: but it does deconstruct the character of God, the truth, that cannot enter into communication. It questions its possibility of being.[25]

Wenn Derrida recht hat, dann wird Tamblings Derridasche Auslegung von *Moses und Aron* sowenig die letzte sein wie Schönbergs oder Straub/Huillets Auslegungen der biblischen Brüder und der Exodus-Geschichte, die seit mehreren tausend Jahren zum narrativen Bestand der jüdisch-christlichen Kultur gehört. Deren Verwendung in der politischen Rhetorik und den modernen Freiheitslehren hat Michael Walzer in seinem Buch über *Exodus und Revolution* nachgezeichnet.[26] An seiner Sammlung von Auslegungen ließe sich ein weiterer Durchgang durch die Rezeptionsgeschichte seiner ästhetischen Umsetzung machen, die wieder da anfangen würde, wo ich meine Ausführungen begonnen habe – mit der Verschränkung von politischer und ästhetischer Revolution durch die Idee der Selbstgesetzgebung: Schönberg, der Erfinder eines Kompositionsgesetzes, sucht ein Volk von Interpreten zu einem Bund zu gewinnen, der die Zustimmung zu einem Gesetz erfordert und darin seine Freiheit findet.

[25] Jeremy Tambling, *Opera, Ideology and Film*, New York 1987, S. 147.
[26] Michael Walzer, *Exodus und Revolution*, Berlin 1988.

Abb. 11 Arnold und Gertrud Schönberg in Brentwood Park (Los Angeles)

Die Kritische Theorie in Hollywood

Nach und nach hatten sich in unmittelbarer Nähe zu Hollywood zahlreiche Künstler, Intellektuelle und Wissenschaftler an der Westküste niedergelassen, von wo aus sie die Geschehnisse im Europa der vierziger Jahre aufmerksam beobachteten. Aus der Zeit des Exils haben sich zahlreiche Anekdoten erhalten, deren Erzählperspektiven nicht immer ganz klar erscheinen. Die erbitterten Fehden, Meinungsstreitigkeiten, Neidhammeleien, depressiven Gestimmtheiten und pathetischen Fehleinschätzungen der deutschen Emigranten im amerikanischen Exil füllen mittlerweile Bände und Bänder. Die erzwungene Nähe des Exils, der Kampf um knappe Ressourcen und Anerkennung, die Angst um die Zurückgebliebenen und die Schuldgefühle der Entronnenen, die Wechselbäder zwischen Hoffnung und Enttäuschung haben zu überscharf geschnittenen Sichtweisen geführt, in denen Hellsichtigkeit und apokalyptische Vision ineinanderfallen und pragmatischer Handlungsdruck und theoretische Prognose völlig auseinanderfallen konnten.

Die Verwirrungen des Exils werden oft bemüht, um das Verhältnis der Kritischen Theoretiker zur populären Kultur Amerikas verständnisvoll therapeutisch zurechtzurücken. Sicher ist an der These vom Kulturschock, der die deutschen Mandarine angesichts der amerikanischen Massenkultur befallen hat, nicht alles falsch, aber sie greift doch zu sehr über die Praxis selbst hinweg. Weder war das Verhältnis von Adorno und Horkheimer zur Massenkultur rein theoretischer Art, noch in seiner theoretischen Bestimmung völlig von der Hand zu weisen. Dem monolithischen Verständnis der Massenkultur, das eine Textkritik den Autoren der *Dialektik der Aufklärung* nachweisen kann, stand eine praktische Auseinandersetzung mit den politischen Implikationen der Massenkultur zumindest gegenüber, die ich im folgenden an zwei Beispielen darlegen möchte. Das erste Beispiel für den mühsamen Weg, den Moses und/oder Aron durch die kalifornische Wüste nach Hollywood eingeschlagen haben, ist ein geplanter Testfilm, der im Rahmen des Antisemitismusprojektes entstehen sollte, über die Textfassung eines Drehbuchs aber nie herausgekommen ist; und das zweite Beispiel ist die paradigmatische Auseinandersetzung um Edward Dmytryks Film *Crossfire* (USA 1947), zu dem Horkheimer um ein internes Gutachten für das American Jewish Committee gebeten worden war.

Die 1939 begonnenen Diskussionen zwischen Adorno und Horkheimer zur *Dialektik der Aufklärung* wurden nach der Übersiedlung 1941 in Los Angeles fortgesetzt und protokolliert; parallel zur Entstehung der *Dialektik der Aufklärung* entstand auch der Plan zum Antisemitismusprojekt, das dem theoretischen Gerüst der *Studien zu Autorität und Familie* folgend in einem experimentell-empirischen Entwurf sich die Untersuchung des Antisemitismus in den USA vornahm. 1941 veröffentlicht die *Zeitschrift für Sozialforschung* (1941 zu *Studies in Philosophy and Social Science* umgetitelt) den Entwurf zum »Research Project on Anti-Semitism«. Vorausgegangen war dem ehrgeizigen Projekt die bereits in der Frankfurter Zeit des Instituts für Sozialforschung gesammelte Erfahrung mit empirischen Methoden, die sich der Psychoanalyse und Gesellschaftstheorie verdankten und die Kritik am positivistischen Modell der empirischen Soziologie praktisch wendeten.

Umfassende Darstellungen der empirischen und theoretischen Arbeiten des Instituts für Sozialforschung zum Nazismus und Antisemitismus der Frankfurter, New Yorker und Los Angeles-Phasen finden sich u. a. in den Monographien von Wiggershaus, Jay, Söllner, Wilson und Cramer, wo zum Teil auch die Kritik am sozialpsychologischen Übergewicht der *Studies in Prejudice* erläutert wird bzw. eine Kritik der Kritik sich formiert hat.[1] Das Modell einer gesellschaftstheoretisch aufgebauten Forschungsmethode, die mit qualitativen Verfahren dem Prozeß der Vorurteilsbildung sowohl im gesellschaftlichen Bewußtsein wie auch dem einzelner Individuen nachgeht, war bereits in der großen Studie zum Arbeiterbewußtsein am Ende der Weimarer Republik entwickelt worden. Die Verschränkung von abgespaltenen Triebregungen, die im

[1] Vgl. Erich Cramer, *Hitlers Antisemitismus und die »Frankfurter Schule«. Kritische Faschismus-Theorie und geschichtliche Realität*, Düsseldorf 1979; Martin Jay, *Dialektische Phantasie. Die Geschichte der Frankfurter Schule und des Instituts für Sozialforschung 1923-1950*, Frankfurt a. M. 1976; Alfons Söllner, *Geschichte und Herrschaft. Studien zur materialistischen Sozialwissenschaft 1929-1942*, Frankfurt a. M. 1979; Rolf Wiggershaus, *Die Frankfurter Schule. Geschichte, Theoretische Entwicklung, Politische Bedeutung*, München 1986; Michael Wilson, *Das Institut für Sozialforschung und seine Faschismusanalysen*, Frankfurt a. M. 1982.

Prozeß der Zivilisation nur noch als dumpfes »Unbehagen an der Kultur« wahrgenommen werden, und einem daraus sich speisenden Haß und Mißtrauen gegen diejenigen sozialen Akteure, die als Agenten der fortschreitenden Zivilisation und Modernisierung angenommen wurden (Sündenbock-Theorem) oder denen man das Ausagieren eben jener abgespaltenen, älteren Triebregungen zutraute, die konformistisch-ängstlich aus dem eigenen zugänglichen Erfahrungsbereich verdrängt wurden (Neid-Theorem), war freilich nur eine der Linien, an denen entlang das Forschungsdesign entwickelt wurde und das sich im engeren Sinne als kulturanthropologisch und/oder sozialpsychologisch bezeichnen ließe. Das Forschungsprogramm selbst sieht eine umfassende theoretische Studie zum ideengeschichtlichen und sozialhistorischen Hintergrund des angenommenen pathischen Sozialcharakters vor, aus dem heraus gerade die unheilvolle Kongruenz von scheinbar intimsten Strebungen des Subjekts und gesamtgesellschaftlichen Tendenzen verdeutlicht werden sollte.

Da die finanzielle Lage des Instituts Ende der dreißiger Jahre angespannt war, wurde der Versuch gemacht, Auftraggeber für die geplante Studie zu finden. Gewonnen wurde zuerst das Jewish Labor Committee zur Finanzierung einer Studie über den Antisemitismus in der amerikanischen Arbeiterschaft, die schließlich von 1943 bis 1945 durchgeführt wurde. Der Auswertungsbericht fiel so umfangreich aus, daß seine Veröffentlichung nie zustande kam, zumal schließlich nach Ende des Krieges das Problem des Antisemitismus bei den zurückgekehrten amerikanischen Soldaten so groß geworden war, daß Zweifel aufkamen, ob angesichts der erdrükkenden Offensichtlichkeit des Phänomens die Veröffentlichung der Studie, die keineswegs günstigere Prognosen gestellt hatte, ratsam sei. Dies sowohl in Hinsicht auf die Lage des Instituts, das befürchtete, daß wieder einmal nur der Bote für die Botschaft geschlagen werden könnte, wie auch im Hinblick auf die vom American Jewish Committee zur selben Zeit finanzierten *Studies in Prejudice*, die besser ausgearbeitet waren. Ausgangsbasis für beide Forschungsvorhaben war die 1939 verfaßte Forschungsvorlage, die 1941 veröffentlicht worden war. Horkheimer gelang es 1942, das American Jewish Committee für sein Vorhaben zu interessieren, das die geplanten Studien zu finanzieren bereit war. 1944 wurde Horkheimer zum Leiter des neu eingerichteten Department of Scientific Research des American Jewish Committee.

Ein Film, der nie gedreht wurde: *Below the Surface*

In dem 1941 gedruckten *Research Project on Anti-Semitism* sticht der breite kulturtheoretische Rahmen hervor, in dem der Antisemitismus selbst als Phänomen verortet wird, das weit über den nationalsozialistischen Kontext hinauswies: von den Kreuzzügen, der französischen Aufklärung, der deutschen Philosophie von Herder bis Kant und Fichte, englischen Pogromrhetoriken des 12. Jahrhunderts, vom französischen Roman bis zum modernen Rassenverfechter, vom Philosemiten bis zum christlichen Antijudaismus spannen sich die Topics, die untersucht werden sollten, um zu zeigen, daß Antisemitismus ein Phänomen im Rücken des Prozesses der Zivilisation selber ist und damit latent in allen modernen Kulturen mobilisierbar und auffindbar. Eine These, die schließlich ihre theoretische Aufarbeitung im Kapitel zu den »Elementen des Antisemitismus« in der *Dialektik der Aufklärung* gefunden hat. Die These, daß der Antisemitismus Teil des globalen Verblendungszusammenhangs einer nur halb über sich aufgeklärten Gesellschaft sei, die zur völligen Regression in die totale Barbarei jederzeit zurückfallen könne, führt zu jenen merkwürdigen zeitdiagnostischen Aussagen, die von der besonderen Rolle des deutschen Nationalsozialismus eher absehen und diesem lediglich eine Art Vorreiterrolle zusprechen. Düster ist diese Prognose darum nicht weniger, denn die westliche Zivilisation wird darin als ganze sozusagen als Masse gesehen, die sich dem deutschen Diktum und Diktat möglicherweise nur allzu willig anschmiegen würde; nach dem berühmt(-berüchtigten) Satz, »While frank disgust for the anti-Semitism of the government is revealed among the German masses, the promises of anti-Semitism are eagerly swallowed where fascist governments have never been attempted«[2], läßt sich nach den folgenden Sätzen ein panisch-appellativer Unterton nicht absprechen, der noch einmal deutlich macht, daß sich der Zeitpunkt der Abfassung im Jahre 1939 befindet und daß sich 1941 die politischen Debatten in den USA tatsächlich darum drehten, ob es eine demokratische Verpflichtung zum Kriegseintritt gebe oder nicht. Daß die tatsächliche Vernichtung der europäischen Juden dabei ein starker Grund war, ist bekanntlich histo-

[2] »Research Project on Anti-Semitism«, in: *Zeitschrift für Sozialforschung/Studies in Philosophy and Social Science*, Jahrgang 9/1941, S. 124-143, dtv reprint München 1980.

risch kaum zu halten, und unter diesen Bedingungen der amerikanischen Debatte muß wohl auch die merkwürdige Ausklammerung der realen Vernichtungskampagnen der Nazis gesehen werden. Der strategische Zug der Argumentation im Abschnitt »C. The propaganda value of anti-Semitism« ist jedenfalls deutlich erkennbar an den amerikanischen Adressaten gerichtet, den die folgenden Sätze ansprechen:

Even where the anti-Semitic sympathies of the masses are not yet tolerated, or even not yet conscious to them because of a cultural democratic tradition, the social and psychological tendencies which veer in that direction are effective and can become activized from one day to the next. The German government is highly sensitive to these circumstances. Behind the pro-Semitic speeches of the educated it scents an opportunity for psychological guidance of the people toward anti-Semitic aims. It is a master in linking its policies to existing or potential tensions in foreign countries. As religion formerly won foreign soil for civilization and for home industry, today the missionaries of anti-Semitism conquer the world for barbarism and German exports.[3]

Bereits in der ersten Fassung des Forschungsvorhabens taucht die Idee zu einem Film-Experiment auf, das methodologisch begründet wird. Als letzter Paragraph des Forschungsplans fungiert »Section VII. – Experimental Section«. Ihr Setting soll dazu dienen, die in Section IV gegebene Typologie des Antisemiten, die neun Kategorien umfaßt, experimentell zu überprüfen. (Die neun definierten Typen sind nach einer Art Weberschem »Idealtyp« konstruiert, von dem man annahm, daß er in der Empirie nur selten »rein« auftreten würde, darum erscheint es nicht falsch, hier von theoretischen Kategorien zu sprechen.) Diese sind: *»A. The ›born‹ anti-Semite«*: Darunter verstand man denjenigen, der Juden »einfach nicht ausstehen kann« und dies mit physischer Ablehnung begründet gegenüber Aussehen, Geruch, Namen etc. Da er mit Naturkategorien operiert, erscheint er besonders stark auf Abwehr eigener Regungen und Wünsche eingerichtet. *»B. The religious-philosophical anti-Semite«*: Er lehnt entweder auf christlichem Hintergrund oder mit humanistisch verbrämten Hinweisen auf die zurückgebliebenen Riten der Juden deren Fremdheit ab. *»C. The back-woods or sectarian anti-Semite«*: Er glaubt an die jüdische Weltverschwörung und neigt selbst zur Sektenbildung, sein Antisemitismus trägt Züge einer Ersatzreligion. *»D. The vanquished*

[3] Ebd., S. 141 f.

competitor«: Er fühlt sich als Opfer ökonomischer Konkurrenz, in der er Juden überlegen wähnt; der kleine Ladenbesitzer an der Ecke, der dem Kaufhaus weichen muß etc., ein Opfer gesellschaftlicher Prozesse, der rational argumentiert und sich schließlich auch von den Nazis abwendet, wenn sie keine wirtschaftliche Besserung bringen. Diesem Typus des ressentimenthaften Kleinbürgers attestieren seine Konstrukteure noch wohlwollend ein Stück Rationalität, weil sie auf eine empirisch vorhandene Wirklichkeit reagierten. »*E. The well-bred anti-Semite*« ist in gewisser Weise das bürgerliche Gegenstück dazu. Er imitiert den Adel und lehnt Juden als vulgär und geschmacklos ab, der Sphäre des Geschäfts roh verbunden. Er gilt als spezifisch für den angelsächsischen Antisemiten des bessergestellten Bürgertums. »*F. The ›Condottiere‹ anti-Semite*«: Er speist sich aus dem Potential nihilistisch gestimmter Arbeitsloser nach dem Ersten Weltkrieg, die auf eine Chance außerhalb der Arbeitssphäre warten; er haßt die Juden, weil er sie für schwach hält und ängstlich; darüber hinaus läßt er sich willig auf jede Propaganda ein, die ihm eine Chance bietet. Komplementär dazu bildet sich derjenige, der sich zum Führer aufschwingt und eine Vorstellung vom »gefährlichen Leben« pflegt, gewinnbringende Abenteuer verspricht. Dieser letzte haßt Juden wegen ihres destruktiven Intellekts, bei einer heimlichen Unsicherheit, ob der zur Schau getragene Heroismus tatsächlich von Überzeugung getragen ist, er projiziert den Selbstzweifel auf den destruktiven Intellekt. »*G. The ›Jew-baiter‹*«: Ihm ist der Antisemitismus eine dünne Ausrede für unverhohlene Wut, die nach Taten drängt, er ist der eminent sadistische und gewalttätige Typus, der auf die Erlaubnis von »oben« wartet, um seinen destruktiven Wünschen nachzugeben. »*H. The Facist-political anti-Semite*«: Er ist intelligent, kalt, affekt- und gnadenlos. Er organisiert die Pogrome der anderen Typen, hat eine versachlichte Beziehung zum Antisemitismus und ist der klassische Verwalter der Massenvernichtung. Antisemitische Propaganda steuert er funktional, ohne persönlich starke Affekte gegen Juden zu haben, bedient er sich ihrer zur zynischen Machtsicherung. »*I. The Jew-lover*«: Darunter fallen all diejenigen, die sich auf starke jüdische Eigenschaften oder Züge positiv beziehen, sie sind auffällig in ihren stereotypen Schwärmereien und Überbetonungen der besonderen Züge an Juden. Die letzte Kategorie ist nach dem Muster organisiert, daß es entweder Personen, die keine affektgeladenen Unterscheidungen treffen, gibt, und solche, die dies in einer negativen oder positiven Richtung tun, demnach würde die übertrieben zur Schau gestellte »Liebe« zu den Juden den Haß auf sie nur kompensieren. (Eine Kategorie, die vor allem im Typus des Nachkriegsphilosemitismus der Bundesrepublik relevant werden wird.)

Über die Stichhaltigkeit dieser Typologie läßt sich im einzelnen sicher viel streiten, insgesamt hält sich ihre Konstruktion an das multifaktorielle Modell, in dem ökonomische, sozialpsychologische, kulturhistorische und -anthropologische Dimensionen operationalisiert werden können. Angesichts des heutigen Standes der empirischen Sozialforschung, zu dem qualitative Verfahren längst als integraler Bestandteil gehören, mag die experimentelle und neuartige Seite dieses Forschungsvorhabens kaum noch ins Auge stechen, und auch angesichts des Standes der Antisemitismusforschung mögen die Kategorien kaum mehr überraschen, dennoch bietet diese Projektbeschreibung eine Fülle von Hinweisen, die als der Versuch zur Operationalisierung einer komplexen Gesellschaftstheorie noch immer interessant sind.

Daß in der letzten Sektion als zentrale experimentelle Methode zur Aufweisung von latentem Antisemitismus Filme gezeigt werden sollten, ist im Zusammenhang des komplexen Verhältnisses zur Bildästhetik und Kulturindustrie von besonderem Interesse. Die Begründung für ein solches experimentelles Vorgehen, von den Autoren als ungewöhnlich und vielversprechend etikettiert, folgt einem kantianischen Erkenntnismodell und einer strengen Trennung zwischen Sprache und Bild. Die Begründung für die Bevorzugung filmischer Grundreize für die Diskussion wird zweimal gegeben, einmal eine positive für die Filme, ein zweites Mal negativ als Ablehnung herkömmlicher Methoden, von denen es heißt: »When asked by questionnaires or interviewers, people will often reply, in accordance with their conscious conviction of the equality of human rights, that they have nothing against the Jews.«[4] Bezogen also auf die moralische Urteilskraft – so wird damit unterstellt –, wissen alle Menschen, daß die Gleichheitsprinzipien der Menschenrechte durch antisemitisches Denken verletzt würden, der Kantsche kategorische Imperativ ist also auch im Antisemiten wirksam. Wann aber wird er von diesem gebrochen, wo-

[4] Ebd., S. 143.

durch wird das moralische Bewußtsein überlagert, getrübt, rationalisiert? Ganz offenbar in einem sprachlichen Diskursen entzogenem Bereich des affektgeleiteten Handelns, des Imaginären, der bildlichen Vorstellung. Nun geht ja nach Kant mit dem Denken auch das Vorstellen einher, und auf dieses Problem stößt jede kritische Konstruktion des Vorurteils, das erst dadurch zu einem wird, daß es die Vorstellungswelt nicht mehr empirisch überprüfbar macht. Die Vorstellungen werden in einem naturalistischen Fehlschluß für wirklich gehalten, Projektion tritt an die Stelle der Konstruktion, in der Vorstellung und Erfahrung sich jeweils kritisch kreuzen und fallibel halten.

So wie die Projektion von Bildern aus der inneren Natur auf die äußere im Vorurteil wirksam wird, so arbeitet nach Adorno/Horkheimer die Kulturindustrie, die das Bild sozial geronnener verdinglichter zweiter Natur projiziert, als gäbe es keinerlei kritische Negation mehr dazu, als enthalte es die reine Positivität selbst. Vor diesem Hintergrund des »Kulturindustrie«-Kapitels der *Dialektik der Aufklärung* wird klarer, warum man sich nun von Filmen eine Art erkenntnistheoretischen Lackmustest für Vorurteile verspricht:

> This investigation will provide a series of experimental situations which approximate as closely as possible the concrete conditions of present day life. Its aim will be to visualize the mechanism of anti-Semitic reactions realistically. (...)
>
> The most satisfactory method of experimentation appears to be the use of certain films to be presented to subjects of different regional and social groups. Reactions of the subjects will be obtained partly by observation of their behavior during the performances, partly by interviews, partly by their written reports of their impressions. Naturally, the element of introspection cannot be entirely eliminated, but by careful and critical interpretation of results it is hoped to reduce the flaws to a minimum.[5]

Der geplante Film selbst sollte folgendermaßen aufgebaut werden: Eine Gruppe von 12- bis 15jährigen Jungen spielen zusammen, streiten sich und fangen an miteinander zu kämpfen. Am Ende wird einer der Jungen von den anderen »eingemacht«, dabei ist es schwer auszumachen, wer daran Schuld hat und wer unschuldig ist. Dieses Szenario wird in vier verschiedenen Fassungen gedreht:

[5] Ebd., S. 142.

1) The trashed boy is a Gentile with a Gentile name.
2) The trashed boy is a Gentile with a Jewish name.
3) The trashed boy is a Jew with a Gentile name.
4) The trashed boy is a Jew with a Jewish name.[6]

Jeweils eine der Versionen wird vor unterschiedlichen sozialen Gruppen vorgeführt, denen als Untersuchungsthema die Problematik von Zeugenaussagen angegeben wird. Die anderen Versionen werden vor anderen, sozial vergleichbaren Gruppen vorgeführt, so daß am Ende verglichen werden kann, welche soziale Gruppe (z. B. Studenten, Arbeitslose etc.) auf welche Version wie reagiert. Während der Aufführung werden bereits Reaktionen in der Gruppe und einzelner notiert. Dieselbe Untersuchungsanlage sollte in möglichst vielen Städten und Regionen durchgeführt werden. Gemäß der These von einem kulturellen Antisemitismus, der weder national noch an die Anwesenheit von Juden gebunden ist, »it will be especially interesting to reach those regions where few Jews live and where German propaganda works unfettered, for instance, in some states of the Northwest«.[7]
An dieser experimentellen Idee zu einem Testfilm scheinen deren Urheber noch lange und mit einiger Hartnäckigkeit festgehalten zu haben. Darauf deutet zumindest Marie Jahodas Bemerkung aus dem Jahre 1945 hin bezüglich gewisser Schwierigkeiten mit der Organisation des Projektes:

In Marie Jahoda, die in New York mit Flowerman zusammenarbeitete, sah Horkheimer eine Verbündete, die – wie er sich in einem Brief an sie ausdrückte – »in der Funktion des Liaison-Offiziers« mit sorgenden Händen das zusammenhalten werde, was er ins Leben zu rufen versucht hatte. Jahoda sah sich jedoch bald in Loyalitätskonflikte gestürzt. In einem persönlichen Brief teilte sie Horkheimer mit, sie schätze ihn überaus als Philosophen, kenne keinen, dessen Gedanken zum Antisemitismus-Problem so neu und scharfsinnig seien wie seine. Wenn sie aber demnächst z. B. von John Slawson, dem Vizepräsidenten des AJC, nach ihrer Meinung über Horkheimers Film-Projekt gefragt würde, müßte sie ehrlicherweise bekennen: »the setting up of an actual large scale experiment is not his sphere« (Jahoda-Horkheimer, New York, 21. 11. 45).[8]

Was an dem kurzen Sketch zum Film auffällt, ist, daß keinerlei Hinweis darauf gegeben wird, wie sich »Jew« und »Gentile« un-

[6] Ebd.
[7] Ebd., S. 143.
[8] Rolf Wiggershaus, a. a. O., S. 441.

terscheiden sollen in den Fällen, in denen sie nicht über Namen charakterisiert werden; kurz, es fehlt die Auflösung jenes Problems, das eben das des Antisemitismus auch ist, wie sich Vorstellungen mit Vorstellungen im Sinne von Inszenierungen im filmischen Bild niederschlagen sollen, ohne selbst teilzuhaben an der Bildung eines Vorurteils. Interessant immerhin, daß es lakonisch heißt: »In one, the trashed boy will be played by a Gentile, in the other by a Jew.«[9] Wörtlich genommen hieße das, daß keine Eigenschaften gespielt werden sollen, sondern die Herkunft der Protagonisten entscheidender Faktor sein soll, das aber hieße ein Rückfall in eben jene Naturkategorien, die in der Typologie der Section IV. abgehandelt werden. Ganz offensichtlich war daran gedacht, um des »realistischen« Eindrucks willen keine Schauspieler zu beschäftigen, sondern mit realen Jugendgruppen zu drehen, wo in der Tat die Herkunft der Gruppenmitglieder offengelegt werden könnte. »Realismus« im Film scheint aber doch geheißen zu haben, eine unverstellte, vorgefundene Wirklichkeit aufzunehmen, die sich in ihrer physiognomischen Spur durch die technische Vermittlung hindurch erhalten soll. Die Trennung von Abbildungsverbot und mimetischer Ausdruckskonstruktion, die ich als Paradoxie der filmästhetischen Theoreme der Adornoschen Ästhetik im vorigen Abschnitt aufzuzeigen versucht habe, drückt sich noch in den wenigen Angaben zum geplanten Testfilm durch.

Aber welchen Weg hat der Film, der nie gedreht wurde, durchlaufen, welche Paradoxien kristallisieren sich im Laufe seiner Geschichte noch an ihm ab, die mit dem komplexen Phänomen der Visualisierung zu tun haben?

In einem der Briefe Horkheimers, der zwar nicht im Zusammenhang mit dem Projekt steht, aber doch signifikant erscheint, taucht mit dem Datum vom 27. April 1943 der Verweis auf einen weiteren Film auf, der im Zusammenhang mit der amerikanischen Kriegspropaganda geplant zu sein scheint. Im beigefügten Memorandum, das keine Autoren nennt, wird der Plot entwickelt. Wie bei dem geplanten Testfilm geht es auch hier um eine Diskussion in einer Gruppe, aus der heraus landläufige Meinungen formuliert werden und zu einer Debatte mit offenem Ende führen. Ein Setting, das ganz deutlich die Handschrift eines der legendären politi-

[9] »Research Project on Anti-Semitism«, in: a. a. O., S. 142.

schen Filme der zurückliegenden Weimarer Republik trägt. Slatan Dudow und sein Autor Bert Brecht konstruierten in *Kuhle Wampe* (1932) jene Sequenz in einem öffentlichen Verkehrsmittel, wo die vox populi und die Stimme der Aufklärung in einen öffentlichen Diskurs gebracht werden in eben jenem Sinne einer partizipierenden Aufklärung, die sich des Massenmediums Film bewußt als Transportmittel bediente. Im erwähnten Entwurf geht es um eine Gruppe von Männern, die sich über Hitler, den Nazismus und das, was sie, als »Greuelpropaganda« etikettiert, abwehren wollen, eben die Tatsachen des Massenmords und der Konzentrationslager, unterhalten. Während dieser Unterhaltung entstehen eine Reihe von gängigen Vorurteilsäußerungen der Art, daß, was nicht in die Vorstellung paßt, auch nicht wahr sein kann, oder daß Leute, die so etwas auf sich ziehen, dies auch herausgefordert haben müssen etc.

Wenn sich die Gruppe in diesem Stadium verfranst, sieht das Szenario den Auftritt einiger prominenter amerikanischer Politiker vor (Kongreßabgeordnete etc.), die sich in einer Kommission zusammenfinden, um die Leute darüber aufzuklären, was die volle Wahrheit über den Nazismus ist und was dies für Amerikaner im Falle von Hitlers Sieg bedeuten würde. Dazu bitten sie eine Reihe von Zeugen um Aussagen darüber, was die Nazis getan haben. Wie auch schon die Politiker und Prominenten des öffentlichen Lebens, »these witnesses, again, should be real persons who either were persecuted themselves, or whose relatives suffered persecution«.[10] Der Realitätseindruck, der vom dokumentarischen Film mit der Kraft eines Evidenzbeweises erwartet wird, wird noch ein weiteres Mal autoritär in Dienst genommen:

> It should be left to photographic means to disclose what they must have suffered: by a close-up of gray temples, of the trambling hand an old lady, of wrinkles on the forehead of a boy. These characters should be selected from different walks of life: a young German non-communist worker (»bündische Jugend«) who was in a concentration camp, an elderly, Nordic-looking scholar, an old Jewess, a man who fled from Norway after the occupation, a French officer, an English teacher whose school was bombed, the king of Greece and perhaps also Peter of Jugoslavia. There should be a montage of the evidence they give before the committee and scenes showing the horrors to which they refer.[11]

[10] Horkheimer-Archiv, Frankfurter Universitäts-Bibliothek, II 10.398.
[11] Ebd.

An der Aufzählung verblüfft die unvermittelte Mischung von Konkretion und Vagheit: Alle Zeugen werden sozial stark determiniert, über soziale Herkunft, Beruf oder sozialen Status erläutert – bis auf die erratisch auftauchende »old Jewess«, die denkwürdigerweise lediglich durch das charakterisiert wird, was man in der empirischen Sozialforschung die »unabhängigen Variablen« nennt, Alter und Geschlecht, eben jene Variablen, die nicht sozial determiniert sind, sondern als Naturkategorien behandelt werden. Ohne hier auf die impliziten Probleme dieser sozialwissenschaftlichen Kategorienbildung eingehen zu wollen, der Frage also, ob Alter und Geschlecht nicht doch sozial determinierte Kategorien sind, fällt auf, daß die vorgestellte jüdische Zeugin am unbestimmtesten bleibt. Setzt man sie aber in Beziehung zu den beschriebenen »photographic means«, also der »trambling hand of an old lady«, dann setzt sich ein Bild zusammen, das sich appellativ an Mitleidsregungen richtet. Damit stemmt sich die visuelle Konstruktion, die sich implizit darstellt, gegen die sozialpsychologische Implikation, daß autoritäre Charaktere nur durch autoritative Appelle ansprechbar seien, wie sie sich in der Wahl der anderen Zeugen als normativ aufgeladene Leitfiguren (Wissenschaftler, Lehrer, Offizier, König usw.) abzeichnet.

Die Hoffnung, daß mit dergleichen filmischen und fotografischen Evidenzbeweisen das Märchen von der »Greuelpropaganda« auszuräumen sei, gar zum Handeln erfolgreich aufgefordert würde, begleitet zwar die Konstruktion einer filmischen Schlußapotheose, ist aber bereits damals an den Grenzen eines auftrumpfenden Alltagspositivismus gefährdet durch die Frage »Where are your eyewitnesses?«, einer Frage, die sich offensichtlich an ein anderes schwarzes Loch, einen weiteren blinden Fleck der Darstellungswelt richtet, eben der Massenvernichtung, für die die aufgeführten Entronnenen eben keine Augenzeugen sein können. (Wir werden sehen, daß das Problem der Zeugenschaft, das bereits in der trivialen Synopse dieses kurzen Propagandafilmplans auftaucht, zur zentralen Frage der Darstellbarkeit der Massenvernichtung werden wird, von Siegfried Kracauer bis zu Lanzmanns *Shoah*.)

Im Skript heißt es weiter:

The sceptics shown at the beginning are present making embarrassing remarks. When they interrupt the narrators they should be answered quietly and firmly. The climax is reached when one of the hecklers asks: »Where are your eyewitnesses?« The answer is: »There are none«. Then a cemetery with a fresh *Massengrab* flashes on the screen. We see how the sceptics of the beginning eventually are brought to the conviction: »Those devils must pay«. They are shown, their numbers increasing, finally merging with a symbolic picture of the whole American nation, marching united against the Axis.[12]

Bevor ich wieder auf das eigentliche Projekt des Testfilms zurückkomme, bedarf es doch einer Situierung der beiden bis dato 1943 bekanntgewordenen Filmprojekte der Kritischen Theorie in Hollywood, um sich ein plastischeres Bild von der Situation dort machen zu können. Abgesehen davon, daß persönliche Kontakte zu Fritz Lang und anderen Regisseuren bestanden haben, die in der Zwangsnachbarschaft des Exils intensiviert wurden, bestand auch *in* Hollywood erhebliches Interesse an der Situation in Europa – nicht nur, weil viele Regisseure und Stars europäischer Herkunft waren, sondern auch, weil die ökonomische Bedrohung durch Wirtschaftssperren und anderes als nicht gering angesehen wurde. In diesem Kontext ist es interessant, daß in derselben Nummer der *Zeitschrift für Sozialforschung/Studies in Philosophy and Social Science*, in der der Forschungsplan publiziert worden war, sich ein Aufsatz des damals namhaften Hollywood-Regisseurs William Dieterle befindet zum Thema »Hollywood and the European Crisis«.[13] Aus der puren Existenz eines solchen Artikels in dieser Zeitschrift läßt sich bereits der Verweis darauf entnehmen, daß gar so elfenbeinern getürmt die Kritische Theorie vor Hollywood mitnichten ist. William Dieterle war zwar kein herausragender Regisseur, nimmt aber doch einen sicheren Platz in den meisten Filmgeschichten ein als solider, etwas uninspirierter Handwerker von biederem Zuschnitt. In seiner kurzen historischen Sammlung von amerikanischen Regisseuren der Jahre 1929 bis 1968 charakterisiert Andrew Sarris den seit 1929 erfolgreichen Regisseur auch von seiner sozialen Seite: »But Dieterle was around on the set when many interesting things happened over the years, and it is reasonable to assume that he had something to do with them.«[14]

Dieterle war 1930 aus Deutschland gekommen und hatte in Hollywood relativ rasch Fuß gefaßt.[15] Die Welle von Einwanderern

12 Ebd.

13 William Dieterle, »Hollywood and the European Crisis«, in: *Zeitschrift für Sozialforschung/Studies in Philosophy and Social Science*, a.a.O., S. 96-103.

14 Andrew Sarris, *The American Cinema*, New York 1968, S. 255.

15 Anthony Heilbut, *Kultur ohne Heimat. Deutsche Emigranten in den USA nach 1930*, Reinbeck bei Hamburg 1991.

aus dem Filmbereich war sicher nicht groß genug, um Hollywood als Produktionssystem wirklich zu berühren, aber immerhin war der Kreis durchaus anerkannter Experten und Spezialisten doch einflußreich genug, um einen politischen Anti-Hitler- und Anti-Isolationismus-Kurs einschlagen zu können. Der Regisseur so divergierender Filme wie *Hunchback of Notre Dame* (1939) und *Kismet* (1944) hatte sich mit den Exilierten seiner alten Heimat in einer Koalition gegen den Nazismus zusammengefunden. Daß er jede Menge praktische Hilfe leistete, um andere aus Europa herauszubringen, rückte ihn ins Zentrum der politischen Aktivitäten:

Dieterle, Deutscher und Nicht-Jude, war 1930 in die USA gekommen. Obwohl selbst kein Flüchtling, fühlte er sich eins mit ihnen. Seine Filme waren keine Meisterwerke, doch wie Fred Zinnemann gelang es ihm immer wieder, Unterhaltung und tieferen Sinn zu verbinden. Sein *Juarez* gilt als das erste wohlmeinende Filmportrait der Hispano-Amerikaner. »Wo ist das Gewissen der Welt?« schrie Henry Fonda am Ende von *Blockade*, einem Film über den spanischen Bürgerkrieg; einem Zyniker mochte das sentimental erscheinen, einem Flüchtling niemals.[16]

So wenig sich die Vorstellung vom geschlossenen System Hollywoods halten läßt, so wenig freilich sollten die politischen Zirkel, die sich in ihm gebildet hatten, bereits als Anzeichen einer Transformation zur selbstreferentiellen Differenzierung mißdeutet werden. Die intellektuellen Versuche, sich der politischen Potenz der Massenkultur zur Aufklärung zu versichern, stießen nicht nur auf Gegenliebe, sondern provozierten überdies rasch heftige politische Angriffe:

Im Sommer 1939 griff der Kongreßabgeordnete Martin Dies die Hollywood-Radikalen zum erstenmal massiv an. Er entdeckte kommunistische Propaganda in drei Filmen: in Langs *Fury* und in Dieterles *Juarez* und *Blockade*. Die ersten Angriffe auf die Filmindustrie richteten sich also gegen Emigranten. Hollywood geriet in Panik.[17]

Genau an dieses Moment panischer Stimmung, die sich nicht nur in den Zirkeln des Exils auszubreiten begann, versuchte William Dieterle in seinem Artikel für die Zeitschrift anzusetzen. Dabei gehen die Gedankenspiele bis zu dem Punkt, an dem Hitler den Krieg gewinnen würde:

[16] Ebd., S. 114.
[17] Ebd., S. 115 f.

Faced with its first great crisis since gaining world supremacy during the last war, Hollywood is a melancholy place now that another conflict threatens to strip of its throne. It has begun, to toy with the idea of a Hitler-governed Europe of tomorrow, and its first reaction to a situation, as yet purely theoretical, is one of unmitigated gloom.

»What will happen to the motion picture industry if Hitler wins this war?« That is what all Hollywood is asking, and those who propose to answer agree in a common pessimism.[18]

Dieterles Ausführungen beruhen größtenteils auf einer düsteren Prognose der ökonomischen Auswirkungen für Hollywood – ausgehend von den europäischen Marktanteilen des amerikanischen Films, die bei einem Sieg Hitlers und dessen kultureller Annexion Europas so drastisch reduziert werden würden, daß aus der siebtgrößten Industrie der USA nur noch ein kleines Binnenunternehmen übrigbliebe. Folgt man Dieterles Darstellung der Krise in Hollywood, so wird bereits deutlich, wie divergierend die Meinungen zu diesem Thema waren:

It is a new note for Hollywood, which, if anything, is usually overly optimistic; and as such, it has attracted the suspicions, rather than the sympathies, of the film industry's cynical critics. Several individuals have insisted in uncompromising terminology that the war scare is but a convenient device for the studio heads to use in coercing their labor. By painting the situation as dark as possible, claim these critics, the studio heads hope to convince their dissatisfied workers that they should be happy with what they have and not be trying to get more.

I do not agree with these contentions. Having been closely associated with Hollywood's motion picture industry for the past ten years, I think that I know the difference between its shame and sincerity. And I believe, in this instance, that the film heads are genuinely alarmed over the cataclysmic aspects this war has assumed. When they imply that a Hitler victory would ruin Hollywood, they mean it. They may be mistaken, but not insincere.[19]

Wie auch immer man die damaligen Analysen und Prognosen zur politischen Situation in Europa und den Vereinigten Staaten retrospektiv beurteilen mag, so erhellen sie doch das politische Klima, in dem die Mitarbeiter und Planer des Instituts für Sozialforschung ihre Studie zum Antisemitismus durchsetzen mußten. Da das Geschehen in Europa kaum unter dem Fokus der Massenvernichtung an den Juden gesehen worden war, sondern hauptsächlich als takti-

18 William Dieterle, a.a.O., S. 96.
19 Ebd., S. 97.

sches Problem, wie einer erfolgreichen Mobilisierung des Antisemitismus unter amerikanischen Arbeitern durch die deutsche Propaganda zu begegnen sei, blieben die Analysen meist beschränkt auf die der Propaganda und ihrer bewußtseinsmäßigen Effekte.

Daß sich das Geschehen in Europa in einer Weise verdichtete, die auch die Binnenstruktur des theoretischen Konzeptes nicht unberührt lassen würde und der mit kurzfristigen strategischen Schritten nicht entgegengetreten werden könne, hat Adorno in einem Brief an Horkheimer angedeutet:

> Mir geht es allmählich so, auch unter dem Eindruck der letzten Nachrichten aus Deutschland, daß ich mich von dem Gedanken an das Schicksal der Juden überhaupt nicht mehr losmachen kann. Oftmals kommt es mir vor, als wäre all das, was wir unterm Aspekt des Proletariats zu sehen gewohnt waren, heute in furchtbarer Konzentration auf die Juden übergegangen. Ich frage mich, ob wir nicht, ganz gleich wie es mit dem Projekt wird, die Dinge, die wir eigentlich sagen wollen, im Zusammenhang mit den Juden sagen sollten, die den Gegenpunkt zur Konzentration der Macht darstellen (Adorno-Horkheimer, 5. 8. 40).[20]

Das Projekt war zu diesem Zeitpunkt weit über eine erweiterte Fassung zu Neumanns Studien zum autoritären Staat und Nationalsozialismus hinausgegangen, die Auftragsarbeit war ins Zentrum des Denkens gerutscht. In einer bei Wiggershaus zitierten Notiz Adornos für Horkheimer wird der Umschlag von der Beschäftigung mit dem Antisemitismus zu der mit der Geschichte seiner Opfer und Objekte, die Adorno nun schon ganz im Stil der *Dialektik der Aufklärung* als Geschichte ihres Mythos und ihrer Vorgeschichte auffaßt, deutlich:

> In einem sehr frühen Stadium der Geschichte der Menschheit haben die Juden den Übergang vom Nomadentum zur Seßhaftigkeit entweder verschmäht oder an der nomadischen Form festgehalten oder diesen Übergang nur unzulänglich und scheinhaft, in einer Art von Pseudomorphose vollzogen. Es müßte darauf hin die biblische Geschichte genau analysiert werden. Sie scheint mir reich an Hinweisen darauf. Die wichtigsten sind der Auszug aus Ägypten und dessen Vorgeschichte mit dem Versprechen des Landes, wo Milch und Honig fließt, und die kurze Dauer des jüdischen Königtums und dessen immanente Schwäche (...). Das Überleben des Nomadentums bei den Juden dürfte aber nicht nur die Erklärung für die Beschaffenheit der Juden selber, sondern mehr noch die für den Antisemitismus abgeben. Offenbar war das Aufgeben des Nomadentums eines der schwersten Opfer,

[20] Zit. n. R. Wiggershaus, a. a. O., S. 309.

welches die Geschichte der Menschheit auferlegt hat. Der abendländische Begriff der Arbeit und alles mit ihr verbundenen Triebverzichts dürfte mit dem Seßhaft-Werden genau zusammenfallen. Das Bild der Juden repräsentiert das eines Zustands der Menschheit, der die Arbeit nicht gekannt hat, und alle späteren Angriffe gegen den parasitären, raffenden Charakter der Juden sind bloß Rationalisierungen. Die Juden sind die, welche sich nicht haben »zivilisieren« und dem Primat der Arbeit unterwerfen lassen. Das wird ihnen nicht verziehen und deshalb sind sie der Stein des Anstoßes in der Klassengesellschaft. Sie haben sich, könnte man sagen, nicht oder nur widerwillig aus dem Paradies vertreiben lassen. Noch die Beschreibung, die Moses von dem Land, wo Milch und Honig fließt, gibt, ist die des Paradieses. Dies Festhalten am ältesten Bild des Glücks ist die jüdische Utopie. Es verschlägt dabei nichts, ob der nomadische Zustand in der Tat der des Glücks war. Wahrscheinlich war er es nicht. Aber je mehr die Welt der Seßhaftigkeit, als eine der Arbeit, die Unterdrückung reproduzierte, um so mehr mußte der ältere Zustand als ein Glück erscheinen, das man nicht erlauben, dessen Gedanken man verbieten muß. Dies Verbot ist der Ursprung des Antisemitismus, die Vertreibungen der Juden sind Versuche, die Vertreibung aus dem Paradies seis zu vollenden seis nachzuahmen.[21]

In dieser Passage voller Metaphern und mythologischer Projektionen, von denen der Autor selbst wußte, »es verschlägt dabei nichts, ob der nomadische Zustand in der Tat der des Glücks war. Wahrscheinlich war er es nicht«, entwirft Adorno, interessant genug, ein »Bild der Juden«, dessen projektive Positivität nur die Kehrseite dessen ist, was nicht nur »die Erklärung für die Beschaffenheit der Juden selber sondern mehr noch für den Antisemitismus abgeben« soll. Das Paradies auf Erden, das Moses in Aussicht stellt, ist das Gegenbild zu den Fleischtöpfen der ägyptischen Sklaverei, die bereits durch Arbeit ernährte, während Freiheit und Fülle jenseits der Wüste warten. Daß Adorno noch einmal auf die Exodus-Geschichte rekurriert, zeigt zumindest, wie zentral deren biblische Metaphorik zur Selbstbeschreibung eines durch und durch säkular assimilierten Judentums deutscher Provenienz war, und führt zur Verarbeitung bei Schönberg zurück. Adorno bereichert die »jüdische Utopie« um eine eindrückliche geschichtsphilosophische Variante, die mehr mit Freud als mit der Thora zu tun hat. Er entwikkelt darin nämlich bereits den Gedanken, daß alles Glück aus der Vergangenheit scheint und der Prozeß der Zivilisation Triebverzicht erfordert, der seine eigenen Regressionen mitschleppt. Das Bild, das Adorno von den Juden entwirft, ist ein mythologisches,

[21] Ebd., S. 310f.

aber sein Mythos ist ein Glücksversprechen, dessen Bruch die Zivilisation an denen rächt, die an ihm festhalten. Daß sich in Adornos Denken immer wieder die Paradoxie durchdrückt, im Durchbrechen des Bilderverbots als Verbot sich die Utopie auszumalen, ist zugleich ein Glücksmotiv benannt wie seine panisch-projektive paranoische Verfolgung weiterzudenken; dies bleibt nicht ohne Folgen für die Bilder des geplanten Testfilms.

Die ersten Versuche, den Testfilm zu produzieren, liefen über Leon L. Lewis, der eine gewisse Vermittlerrolle zwischen den regionalen Gruppierungen und dem American Jewish Committee einnahm. Los Angeles hatte damals nicht nur eine große jüdische Gemeinde, es war auch Sitz einer Gruppe von Nazisympathisanten, denen es eines Tages gelungen war, ein antisemitisches Pamphlet auf die Seiten der *Los Angeles Times* zu lancieren. In Reaktion auf die größere Aktivität dieser Gruppe beschlossen die jüdischen Organisationen in Los Angeles ein eigenständiges Komitee zu bilden, das dergleichen Vorfälle beobachten und Gegenstrategien entwickeln sollte. Leon L. Lewis war der Sekretär dieses »Community Committee«, das später Community Relations Committee genannt wurde und dessen Chairman Mendel Silberberg ebenfalls im Executive Committee des American Jewish Committee saß. Silberberg hatte als auf Fälle aus der Unterhaltungsindustrie spezialisierter Rechtsanwalt engen Kontakt zu den Studios. Lewis selber war ein Kriegsinvalide, der zuvor bei B'nai B'rith in Chicago tätig gewesen war und eine Presseagentur unterhielt, die Nachrichten über Nazis und Antisemitismus vertrieb. Das Community Relations Committee hatte den engsten Draht zu den Hollywoodstudios und bildete später selbst das Motion Picture Committee. In einem vom 1. Mai datierten Brief aus dem Jahr 1943 an Lewis verweist Horkheimer auf ein Gespräch mit Dore Schary in dieser Sache. Um die Situation in Hollywood zu dieser Zeit plastisch werden zu lassen und das Ausmaß einschätzen zu können, in dem die Situation in Europa die Politik der Studios und der jüdischen Organisationen Los Angeles' beeinflußte, genügt es, sich vor Augen zu führen, wer die Adressaten waren, an die sich die Kritische Theorie im Exil wandte. War Leon Lewis ein durchaus einflußreicher Mann, so muß man sich Dore Schary als einen mächtigen Mann im Studiosystem denken, der noch eine steile Karriere vor sich hatte. 1932 war Schary von der Ostküste nach Hollywood gekommen, um als Drehbuchautor zu arbeiten, von dort wechselte er in die Produktion über, wo er in hohe Positionen in verschiedenen Studios gelangte. Schary war es auch, der bei RKO für die Produktion von *Crossfire* verantwortlich war. Unter den Studiomächtigen der vierziger und fünfziger Jahre zeichnete sich Schary durch zwei Eigenschaften aus, die ihn zu einer fast »intellektuellen« Figur dort machten: er war unter den assimilierten Juden Hollywoods einer der wenigen, die einen engen Bezug zur Religion hatten, und er war ein engagierter Demokrat:

Schary took a higher, more principled line. He always insisted that he wanted to make movies that mattered, and when he quit MGM's B unit it was because he had been thwarted in making a parable about Hitler and Mussolini in the form of a Western.[22]

Schary war vielleicht so etwas wie der Aron Hollywoods: Er war sowohl gläubig wie vermittelnd und offenbar zutiefst von der Richtigkeit seines Tuns überzeugt. In der Auseinandersetzung um Dmytryks *Crossfire*, den Schary produzierte, wird vieles von dem evident, was man über ihn und seine Tätigkeit als Kronprinz in Louis B. Mayers MGM-Studio erzählte:

»Schary had become the message maker,« recalled producer Pandro Berman. »He was more than most of us determined to make messages on the screen. We were all doing it, but he lived for it. And Mayer was not the message man. That's where the tensions really were.« »I know what the audience wants,« Mayer told a reporter shortly before his resignation, sneering at Schary's liberal realism. »*Andy Hardy*. Sentimentality! What's wrong with it? Love! Good old-fashioned Romance. Is it bad? It entertains. It brings audience to the box office.«[23]

[22] Neal Gabler, *An Empire of Their Own. How The Jews Invented Hollywood*, New York 1988, S. 395. Gablers Studie enthält trotz des reißerischen und eher irreführenden Titels eine Reihe von sozialhistorischen Informationen nicht nur zum jüdischen Milieu in Hollywood, sondern auch zu den dortigen antisemitischen Fraktionen und Tendenzen, die den Titel reichlich korrigieren.

[23] Ebd., S. 412. Dore Schary arbeitete erfolgreich als Autor für MGM, u.a. *Boys Town, Broadway Melody of 1940*, bevor er Ende der vierziger Jahre von RKO, wohin er von dort gewechselt war, in eine Führungsposition zu MGM wechselte. Der Streit mit Louis B. Mayer stammt aus dieser Zeit direkter Konkurrenz bei MGM. 1941 war Schary bei MGM engagiert »to make ›important low-budget pictures‹ – a seeming contradiction in terms, but the company reaped rich profits from the results during the next two years«. (John Douglas Eames, *The MGM Story*, London 1975, S. 172.) Die erste der erfolgreichen Hardy-Serien, auf die Mayer anspielt, war *Judge Hardy's Children* (1938). Später spielten Judy Garland und andere Stars neben Mickey Rooney bis ins Jahr 1944 hinein, als der Erfolg der Serie ausgelaufen war.

Mochte Schary bei den Kritischen Theoretikern in der vermittelnden Rolle des Aron einer Gielenschen Variante gerade noch durchgehen, so war er für Louis B. Mayer ein unnachgiebiger Moses, ein Message-maker, dessen Prophezeiungen niemand hören wollte.

Was nun den Testfilm betrifft, so geht aus der Korrespondenz vom Juli 1943 zwischen Leon Lewis und Dore Schary hervor, daß das von Horkheimer Lewis gegenüber erwähnte, von Schary aus Krankheitsgründen abgesagte zweite Treffen letzteren beschäftigte. Er bittet Lewis, »to take on the burden of telling them«. »Please offer my apologies and my regrets, but there's just nothing I can do about it.«[24] Möglicherweise war Dore Schary gebeten worden, den Film selbst zu machen, denn Lewis erwähnt in einem anderen Brief:

Am enclosing copies of letters from Dore Schary in regard to the Institute experimental project, which are self-explanatory. It occurs to me that Dore would have found someone else in the MGM setup to do the job if the original contact had come through Mr. Mayer instead of directly from me. This suggests that in order to get someone to undertake the job the approach should be made in the first instance by the A. J. C. as such.[25]

Aus dem oben zitierten Brief an David Rosenblum, den Forschungsdirektor des A. J. C. (American Jewish Committee), geht wiederum hervor, daß Lewis immerhin doch so engagiert für den Testfilm kämpfte, daß er offenbar nach dem gescheiterten Versuch mit Dore Schary bei MGM sich an den Präsidenten von Columbia Pictures, Harry Cohn, gewandt hatte:

In view of the understanding reached at the meeting in Harry Cohn's home, I believe the desired result can be achieved if you will drop a note to Mr. Cohn asking him to cooperate in the project, both in relation to the script and the actual making of the film -- and then, if he expresses willingness, I will follow through directly with him on behalf of the A. J. C.[26]

Obwohl auch Columbia Pictures offensichtlich nicht direkt für eine Beteiligung an dem Testfilmprojekt zu gewinnen waren, hatte der Entwurf aus dem Jahre der Veröffentlichung 1941 in der Zwischenzeit Konturen angenommen, die einige der im Entwurf angelegten Aporien aufzulösen schienen. Mit Datum vom 28. Mai 1943

24 Horkheimer-Archiv II 10.3.384, 7. Juli 1943.
25 Ebd., II 10.3.383, 19. Juli 1943.
26 Ebd.

liegt eine Notiz vor, die wohl das Ergebnis einer Konferenz mit Horkheimer und Adorno wiedergibt, ohne daß daraus ersichtlich wird, ob es sich dabei um eine institutsinterne Angelegenheit handelte oder ob Horkheimer und Adorno vor einer anderen Institution zum fraglichen Projekt referiert hatten. Zum Zeitpunkt dieser Notiz war die komplizierte kreuztabellarische Dramaturgie des ersten Entwurfs bereits reduziert auf zwei filmische Versionen, wobei die zweite durch eine Titelvariation die dritte Version enthielt.

Wiederum ist es eine Gruppe von Jungen um sechzehn, die miteinander in Streit gerät und sich auf eines ihrer Mitglieder stürzt. Dabei steht »purely American subject« im Mittelpunkt, sei es ein populäres Gruppenspiel oder eine der üblichen Gruppenaktivitäten wie eine Exkursion, Postkartentausch oder dergleichen. In der ersten Version soll der Protagonist deutlich als jüdisch gekennzeichnet sein (wodurch bleibt offen), und vor allem soll in der Gruppenaggression gegen ihn von den anderen mit expliziten antisemitischen Zuschreibungen operiert werden; in der zweiten Version wird der Protagonist in keiner Weise als Jude identifiziert, genannt wird er nur mit einem Spitznamen (»Curly«) – allerdings soll im Titel des Films der Name des Protagonisten einmal jüdisch charakterisiert werden und einmal nicht. Daraus ergeben sich also drei unterschiedliche Versionen, die danach abgestuft werden, ob der Protagonist und wenn, in welchem Ausmaß, als Jude identifiziert wird. Nach der Vorführung sollten Fragebogen verteilt werden, die zu folgenden Punkten um Antwort baten:

How did the argument start?
Who was guilty?
How did the different characters behave?
Whom did you like best?
Did you feel sympathy for (a) Curly (b) Tubby (c) Big Boy?
Did you understand the religious objections to the beating by Woody?
Would it have been better to talk it over instead of beating up Curly?[27]

Obwohl also zu diesem Zeitpunkt die Operationalisierung des Testfilms schon recht weit vorangeschritten war, schienen die geeigneten Kontakte nicht so recht zünden zu wollen. Erst im März 1945 wurde ein Vertrag mit einem Drehbuchautor vorgelegt, der binnen vier Wochen das fertige Skript abgeben sollte. Der Adresse

[27] Ebd., II 10.3.386, 28. März 1943.

des unter Vertrag zu nehmenden Gilbert Gabriel ist zu entnehmen, daß der potentielle Autor schließlich an der Ostküste im Bundesstaat New York zu finden gewesen war. Auftraggeber und Vertragspartner war das American Jewish Committee, das auch die Rechte am vereinbarten Drehbuch besitzen sollte. Grundlage für Gabriels Arbeit sollte ein im Punkt 2. des Vertrags aufgenommenes verbindliches Treatment sein.

Gegenüber der Vorlage aus den Jahren 1941 und 1943 hat sich das Szenario stark verändert und komplettiert. Der geplante Film trägt nun den Arbeitstitel »The Accident« und ist ganz von der Idee einer geschlossenen Jugendgruppe abgerückt, und zwar in Richtung auf die Querschnittsgruppierung eines öffentlichen sozialen Ortes: Public transportation wird zum Transfer der Meinungs- und Vorurteilskristallisation. Eine Idee, die bereits in den »Querschnittsfilmen« der Weimarer Republik aufgetaucht war und sich, wie bereits erwähnt, in dem Vorschlag zu einem Film im Rahmen der amerikanischen »war propaganda« niedergeschlagen hatte. Der spätere Entwurf zum Testfilm sieht ausdrücklich vor, daß der »film should be interesting as a movie. A dull film would weaken the interest of the audience in the problems involved, thereby reducing the value of the test.«[28] Nur von einem interessanten Film versprach man sich den erwünschten Transfer von Emotionen, die »religiöse« oder »rassische« Vorurteile stimulierten. Das Szenario sah einen Unfall in einer U-Bahn vor, für dessen Verursachung schließlich ein Schuldiger aus der Gruppe der Fahrgäste gefunden werden soll: In einer Welle von Fahrgästen drängelt sich auch ein einbeiniger Süßwarenverkäufer in den Wagen. Dieser soll im Publikum Sympathien und Mitgefühl auf sich ziehen, und er wird später antisemitische Gefühle äußern. Er wird von einem »offensichtlich jüdischen Mann« zur Seite gestoßen, wodurch eine leichte Abneigung im Publikum erzeugt werden soll. Als eine ablenkende Figur, die auf eine eher komische Fährte locken soll, wird des weiteren ein Mann eingeführt, der hinter einer Zeitung verborgen bleibt und den Typus des »Unbeteiligten« verkörpern soll. Ins Zentrum der Aufmerksamkeit rückt schließlich eine Frau mit einem großen Paket, in dem sich ein Staubsauger befindet. Sie betätigt versehentlich die Türöffner, als sie im Gedrängel die Balance verliert. In diesem Moment gibt es aus nicht eindeutigen Gründen

[28] Ebd., IX 150.11 a), ohne Datierung, ohne Paginierung.

einen heftigen Ruck, der sich auf vier Männer auswirkt, die um die geöffnete Tür herumstehen. »One of them is the Jew. The three others are presumably Gentiles.«[29] Ohne daß feststünde warum, wird die Frau aus der Tür gedrängt und scheint zwischen die Waggons gefallen zu sein. Die Frau schreit, die Leute springen von ihren Sitzen auf. Plötzlich geht das Licht aus, und die U-Bahn hält an. Im Schein einer Taschenlampe und einiger Streichholzlichter zeigt die Kamera, daß der auf die Schienen gefallene Staubsauger den Kurzschluß verursacht hat. Inzwischen wird die Frau, die in ihrem Sturz von den Sicherheitsseilen aufgefangen worden war, wieder in den Wagen gehievt und von einem anwesenden Arzt versorgt. Sie befindet sich zwar in einem Schockzustand, ist aber nicht schwer verletzt. An dieser Stelle wird in dem zweispaltig getippten Szenario die funktionale dramaturgische Intention der Handlung erläutert; links werden die Handlungssequenzen beschrieben, rechts die funktionalen Metakommentare dagegen gesetzt. An dieser entscheidenden Stelle nun sieht das Szenario folgende Effekte vor:

We can see immediately that the accident was not dangerous after all. This is done to mitigate the shock effect, so that the racial prejudices will not be overshadowed by other reactions.[30]

Die Sequenzbeschreibung der anderen Spalte fährt dann damit fort, daß nun der Unfall im Wagen zur Entstehung einer Diskussion führt, in deren Verlauf die Umstehenden Meinungen zu allen möglichen Lebensfragen abgeben, was »naturally involves antisemitism«.[31] An dieser Stelle mischt sich der einbeinige Bonbonverkäufer mit seiner Erinnerung ins Gespräch, daß es der Jude war, der ihn zur Seite gestoßen hatte, worauf er schließlich den Juden beschuldigt, den Unfall verursacht zu haben. Die Kommentarspalte übernimmt an der Stelle der beschriebenen Handlung selbst ein Stück Narration, bevor sie wieder funktionalen Begründungen Platz macht. Die Diskussion entwickelt sich in die Richtung eines leichten Übergewichts der antisemitischen Argumente gegenüber den pro-jüdischen, wodurch das Publikum in eine ausbalancierte Stimmung versetzt werden soll, die es ihm ermöglicht, leichter zugunsten von Personen auf der Leinwand zu agieren, als es sich »to-

[29] Ebd., S. 2.
[30] Ebd., S. 3.
[31] Ebd.

ward people in real life« verhalten würde. Konterkariert wird dies noch einmal von dem Mann mit der Zeitung, der unbeschadet weiter versucht, mit Hilfe von Streichhölzern zu lesen. Dieser kurze komische Verzögerungsmoment geht unmittelbar über in »Mass hysteria and a general fight«. Plötzlich geht aber das Licht wieder an, und zwei Polizisten in Begleitung eines U-Bahn-Angestellten bahnen sich einen Weg durch die Menge zu den vier Männern nahe der Tür; sie werden als einzelne von einzelnen Mitgliedern der Menge beschuldigt. Der Mann mit der Zeitung verfällt wieder in seine Lektüre.

Von hier ab sieht das Szenario zwei Varianten vor. In der ersten Variante erklärt die gestürzte Frau, daß sie nicht von dem Juden, sondern von dem »tough guy« gestoßen wurde; bis auf den einbeinigen Mann, den diese Erklärung unbefriedigt läßt, schließt sich die Menge dieser Ansicht an. In der zweiten Variante wird der Jude als Schuldiger angesehen; die Frau verlangt lautstark Schadensersatz, ohne sich für das Problem der Schuld weiter zu interessieren. Die antisemitische Atmosphäre ist stark, und der Einbeinige bleibt der anerkannte Anführer. Danach bekommt der Film wieder einen für beide Varianten gemeinsamen Schluß, in dem die Polizisten die Adressen der vier Männer und der Augenzeugen notieren, während die Kamera über die Menge fährt und dabei in einer Großaufnahme den einbeinigen Mann fixiert. Die letzte Einstellung wird mit einer langsamen Ausblendung beendet, auf die ein Titel folgt: »You, too, have been eye-witnesses of the accident. What is your opinion?«

Im Anschluß an die Vorführung einer der beiden Varianten wird schließlich ein Fragebogen verteilt. Dessen Fragen beziehen sich auf die Ursache des Unfalls und jeden darin verwickelten Charakter. Eine Frage ist die danach, ob der Verdächtigte wirklich für den Schuldigen gehalten wird. Das Ausmaß, in dem die Antworten in der Gruppe, die die erste Variante gesehen hat, fairer gegenüber dem Verdächtigten sind als die, die die zweite Variante gesehen haben, ist der Indikator für die Stärke des Vorurteils.

Ein weiteres Papier mit Datum vom März 1945 enthält ein Hypothesenset, das etwas genauer ausgelegt ist und sich auf spezifischere Gruppen von Versuchspersonen bezieht, z. B. Männer, Frauen, jüdisches Publikum oder nicht etc. In einer der Explikationen zur Grundhypothese heißt es:

The occurence of the accident on the one hand, and the being Jewish of the accused person, on the other hand, are not related either in fact or perceptually (that there is no perceptual relation is established by the control experiment in which the accused person, playing the identical role, is Gentile).[32]

Interessant ist in diesem Zusammenhang die Erwähnung des Problems der »perceptual relation«, dem man durch die Herstellung der Varianten begegnen möchte. Aber auch hier verweist das benannte Problem auf ein anderes, das sich insgesamt durch das Verhältnis der Kritischen Theorie zum Bild zieht, das inhärente Verbot zum positiven Bild. Im Problem der Herstellung von Bildern von Juden kulminiert das Problem. In allen Annotaten zum Testfilm schien es ein verstecktes Problem damit zu geben, daß es keinerlei Hinweise im Drehbuch darauf gibt, wie die jüdischen Charaktere und die nichtjüdischen inszenatorisch voneinander abgehoben werden sollen oder ob genau das gerade vermieden werden soll und die Zuschreibung rein verbal zu organisieren sei, über die Nennung des Namens oder der Religion. Immerhin gibt eine Notiz bezüglich der zu konstruierenden Charaktere in der Menge einen weiteren Hinweis, denn dort heißt es lapidar: »Either the one-legged man or another character must imitate the Jew.«[33] Dies bezieht sich auf die Antisemitismus-Theorie von Adorno und Horkheimer, wie sie in der *Dialektik der Aufklärung* entwickelt worden ist und wo die mimetische Annäherung des Antisemiten an sein Objekt des Hasses sowohl die Mimikry des Jagdimpulses wie die Dimension einer neidvoll besetzten Sphäre des Körperlichen berührt. Im Rahmen der filmischen Repräsentationsproblematik aber wird nun die antisemitische Imitation zur einzigen visuellen Konstruktion eines jüdischen Charakters. Die Probleme, auf die der Testfilm in der Zeit seiner Konzeption stieß – die sich immerhin über mehrere Jahre hinzog –, liegen eher in den Problemen seiner Ästhetik als in denen des sozialwissenschaftlichen Hypothesenrahmens.

Mit Datum vom 4. April 1945 liegen unter dem Namen von Dr. S. Kracauer Dialogvorschläge vor, aus denen hervorgeht, daß der Film unterdessen weiter Gestalt angenommen hat. Teile des im Vorherigen beschriebenen Films tauchen bei Kracauer in Gänze wieder auf, andere sind signifikant verändert, die ältere Vorlage

[32] Ebd., IX 150.10, ohne Paginierung.
[33] Ebd.

wird von Kracauer als »our outline« bezeichnet, ohne daß mir dabei ganz klargeworden ist, ob diese unter, und wenn, unter wie umfangreicher Mitarbeit Kracauers entstanden ist. Die Einführung der Kuhle-Wampe-Situation könnte immerhin darauf verweisen, daß die ursprüngliche Idee von Kracauer, der ja ein bekannter Kritiker und Kenner des sogenannten Querschnittfilms der neuen Sachlichkeit war, stammte oder dieser als einer der wenigen Filmspezialisten im Umkreis der Kritischen Theorie frühzeitig herangezogen worden war. In acht Sequenzen unterteilt Kracauer die Handlung, wobei er in seiner Beschreibung von Situationen und Charakteren sehr viel plastischer wird und auch im Drehbuch Hinweise für die einzelnen Kameraeinstellungen gibt. Außerdem baut er in die Mitte des Films, kurz bevor der Unfall passiert, ein eher burleskes Moment ein: die zentralen Charaktere werden in ihren Tagträumen vorgeführt, in dem, was sie noch vorhaben, der Zeitungsleser etwa im Schaukelstuhl bei der Beendigung des Kreuzworträtsels etc. Aber auch in dem Kracauerschen Szenario fällt auf, daß er den jüdischen Charakter mit verbaler Selbstevidenz einführt: »A Jewish-looking man, obviously in the cloth-and suit business.«[34] Später, mit einem handschriftlich eingezeichneten Pfeil versehen und unterstrichen, findet sich der Satz wieder: »The peddler imitates the Jew.«[35] Außerdem gibt es eine Allianz zwischen einer Krankenschwester, einem Intellektuellen »mit Nickelbrille« und dem »Jewish-looking man«. Ebenfalls integriert ins breite soziale Spektrum der Fahrgäste ist nun auch ein Schwarzer; die Szene ist gekennzeichnet als eine in der New Yorker Subway, kurz vor der Times-Square-Station, an der die filmische Reise endet. De facto muß man sagen, daß auch Kracauer das offensichtliche Problem mit dem Hinweis auf nicht näher erläuterte optische Evidenzen zwar nicht mehr benennt, aber es dadurch auch nicht gerade löst. Um so interessanter liest sich ein Protokoll aus dem Juni 1945 von einer Diskussion zum »Experimental Motion Picture«[36], die sich auf eine weitergehende Fassung bezieht, die offensichtlich zwischen April und Juni fertiggestellt worden ist, deren Autor jedoch nicht ersichtlich ist. Es läßt sich aus einem späteren Memorandum entnehmen:

34 Ebd., IX 150.9, Dr. S. Kracauer, April 4. 1945

35 Ebd., S. 2.

36 Ebd., IX 150.8, »Notes and suggestions re EXPERIMENTAL MOTION PICTURE June 1945«.

The original script which was first prepared in New York by Major Vorhaus and Gilbert Gabriel has been rewritten by Marvin Borowsky with the aid of Dore Schary and Allen Rivkin, a group of top-flight Hollywood script writers. These scriptwriters volunteered to do the job of re-writing as a result of the interest of the Uptown Committee of Los Angeles Jewish Community which includes, among its members, some of the important personalities of the motion picture industry.[37]

Da die Diskussion vom Juni sich in einigen Motiven auf das später genannte, schriftlich ausgearbeitete, vorliegende Drehbuch bezieht, läßt sich immerhin das Ganze soweit rekonstruieren, daß Kracauers Vorschläge vom April offensichtlich teilweise Eingang in die spätere Fassung gefunden haben. Bevor ich auf die in der Diskussion wieder auftauchenden Probleme eingehe, möchte ich kurz das Drehbuch vorstellen, wie es unter dem Titel »Below the Surface« vorliegt.

Für die Gruppendiskussionen waren drei Versionen geplant, in denen jeweils »Jew«, »White Collar« oder »Negro« in den Verdacht geraten, die Dame mit dem Staubsauger gestoßen zu haben, so daß sie aus der versehentlich geöffneten Tür fällt. Der Basisidee vom Unfall in der New Yorker U-Bahn bleibt das Drehbuch zu »Below the Surface« zwar treu, geändert wird aber die Einbettung des fraglichen Geschehens in eine »Human-touch-Story«, eine sich anbahnende Liebesgeschichte zwischen einem jungen Soldaten, »a tall, good-looking kid in uniform pfc.«[38], und einer jungen, hübschen Militärkrankenschwester im Rang eines Kadetten, die von den dramatisierten Ereignissen mal zusammengebracht, mal getrennt werden, am Ende aber vereint verschwinden. Außerdem sind die einzelnen Charaktere sehr viel stärker konturiert und ausgearbeitet worden, die soziale Palette erheblich ergänzt im Sinne der Erweiterung des Querschnitts. Um die Zuschauer stärker in ein filmisches Ereignis zu ziehen, wird eine lange Einführung gegeben, in der die einzelnen Charaktere in ihren privaten Tagträumen vorgestellt werden – ein Einfall, der bereits in Kracauers Notizen auftaucht, in dieser Fassung nun aber nicht mehr visualisiert vorkommt, sondern als innerer Monolog mit Voice-Over. Ein gutes Viertel des Films vergeht mit dieser Art stummer Individuierung einzelner Charaktere, die sich aber auch bereits in Gedanken über die anderen Fahrgäste mokieren oder sie in ihre Tagträume einbauen wie

[37] Ebd., IX 150.3, 4/18/46.
[38] Ebd., IX 150.1a, S. 5.

etwa der Soldat die Krankenschwester. Am Ende wird diese Technik des sich kreuzenden inneren Monologs erneut aufgegriffen, wenn wieder nach den Aufregungen die stumpfe Atmosphäre in den Wagen eingekehrt ist. Das Drehbuch ist auf einem professionell routinierten Level ausgearbeitet mit fertigen Dialogen und Bildauflösungen für die Kamera. Die Routine umfaßt nicht nur die farbenfrohe Ausmalung der unterschiedlichen Charaktere, sie umspannt auch die Suspense-Momente einer sich anbahnenden Liebesgeschichte und einer kriminellen Verwicklung. Mit den aufeinanderfolgenden »establishing shots« markiert das Drehbuch die soziale Topographie in der Urbanität: »An impressive view of lower Manhattan, looking down from an elevation.«[39] Über den Broadway zieht die Kamera auf eine Turmuhr, die sechs Uhr zeigt. Anschließend gibt es eine Montage, die an King Vidors *The Crowd* (1928) erinnert:

Office workers getting up from desks---
looking at watches---
Covering typewriters---
Powdering noses in the washroom mirror---
Slipping on hats and coats---
A factory whistle blows and we see facctory workers down tools---
Pick up lunch pails and coats---
Punch out through the time clock---[40]

Von diesen Innenaufnahmen geht es wieder zurück auf den Broadway, der nun von der heimwärts drängenden Menge bevölkert wird. Über einer Subwaystation wird schließlich ins Innere des U-Bahn-Wagens überblendet, wo einige weitere »establishing shots« folgen:

will give the impression of average Americans at the end of a day's work, tired and slumping, swaying in hard-packed involuntary contiguity, each isolated with his or her own reading matter, his or her own thoughts.[41]

Der Zugewinn an Professionalisierung, der mit der Zielvorstellung eines »attraktiven« Films verbunden ist, führt freilich dazu, daß bereits vom ersten Moment an eine Stimmung erzeugt wird, in der jede Störung zu einer Mißstimmigkeit führen muß. Die Spannung wird in der Schwebe gehalten zwischen einer losen Identifikation

[39] Ebd., S. 1.
[40] Ebd.
[41] Ebd.

mit den Charakteren, ihren kleinen Hoffnungen und alltäglichen Phantasien und dem Wunsch nach Unterbrechung. Die Zuschauer des Films lassen ihre Tagträume träumen, sie schauen wie die Kamera im ersten geplanten Shot auf Lower Manhattan herab, auf die Vielfalt des menschlichen Treibens, zu dessen Richter sie nachher berufen werden. Man kann sich bereits an dieser Stelle darüber streiten, wie weit die Adaption eines sozialwissenschaftlichen Forschungsdesigns an ein filmisches Paradigma der Fixierung des schweifenden Blicks von oben an ein konkretes Geschehen gelingen kann. Illusionsnaturalismus und dokumentarischer Realismus sind nun einmal ganz verschiedene ästhetische Formen. In der Ausfächerung der Charaktere wird allerdings stark darauf geachtet, daß keine dominanten Sympathieträger auftreten, sondern alle in einer Art freischwebender Aufmerksamkeit zur Darstellung gebracht werden. Aus diesem »realistischen« Schema fallen lediglich der Soldat und die Krankenschwester heraus, an die sich sozusagen die Hoffnungen des Publikums auf Abenteuer und Glück heften. Während sonst alle in ihren durchaus auch skurrilen Zügen dominieren – wie die Frau mit dem Staubsauger, die unter einer Schmutzphobie und einem Putzzwang leidet –, wird der Soldat mit dem Charisma eines Stars in Verbindung gebracht, sein Rollencharakter über einen Hollywoodstar erläutert: »In gangly position and melancholy Jimmy Stewart mood, he is looking wistfully across aisle through gap in standees at: Close shot CADET NURSE.«[42] Der sehnsüchtige Blick richtet sich auf die junge Frau, und alles, was jetzt noch passieren kann, ist die »Suspensierung« dieses Blicks auf das Happy-End. Der Erwartungshorizont, vor dem sich nun das Geschehen ausspannt, hat so eine sexuelle Konnotierung erhalten, die offenbar weder beabsichtigt ist noch durchschaut. Vermutlich hätte sie aber, wäre der Film je aus dem Planungsstadium herausgekommen, zu interessanten Ergebnissen geführt, die sehr viel dichter an die emotiven Bindungsstrategien des klassischen Erzählkinos herangekommen wären, auf alle Fälle aber, ob nun beabsichtigt oder nicht, die Tiefensymbolik der Szene dimensioniert. Auffällig ist nämlich in der vorliegenden Konstruktion darüber hinaus, daß die »Frau mit dem Staubsauger«, die den dramaturgischen Anlaß zur vorurteilsgeladenen Schuldprojektion liefert, ganz aus der Analyse ausgespart bleibt.

[42] Ebd., S. 5.

Zwar ist das gesamte Szenario so gehalten, daß die Stärke antisemitischer Reaktionen sich am Widerstand messen lassen sollte, gegen den sie sich durchsetzen, d. h. also, die verunglückte Dame soll explizit nicht von sich aus Mitgefühl auf sich ziehen usw., dennoch ist in der vorliegenden Fassung das interne Problem, das positive Bild eines Juden konstruieren zu müssen, eines Charakters, der positiv als Jude zu erkennen sein soll, nicht einfacher geworden. Was vorher unter dem Term »obviously looking« als Problem sowohl versteckt wie offensichtlich wurde, ist in der nun ausgearbeiteten Fassung von merkwürdiger Eindimensionalität. Eingeführt wird in der Version, in der der jüdische Charakter den Verdacht auf sich zieht, dieser mit der folgenden Beschreibung:

One passenger pushes out, the waiting crowd pushes on. Among these, most prominently, a JEW and a CLUB-FOOTED PEDDLER. The JEW is stocky, prosperous-looking, openfaced but slightly over-bearing.[43]

Die Frau fällt zur selben Zeit aus dem Wagen, als der später beschuldigte Jude den Diebstahl seiner Brieftasche bemerkt und beim hektischen Suchen mit den Armen fuchtelt. Wenn der Polizist schließlich versucht, den Vorfall aufzuklären, sieht das Drehbuch eine denkwürdige Metamorphose vor, die im Anschluß an eine der antisemitischen Mimikry geschuldeten Imitationsakte stattfindet. Zuerst macht eine alte Frau die ausufernden Handbewegungen nach, die der allmählich in Alarmbereitschaft Versetzte damit erklärt, daß er seine Brieftasche gesucht habe. Darauf passiert folgendes:

INTELLECTUAL shows a passing interest, but affects scientific objectivity:

INTELLECTUAL
Ah. So he *did* swing his hands. Point one – – admitted.
JEW
No, only for my vallet! Officer! I – – I didn't haf a t'ing t'do vit it!

Imitating JEW's accent with coarse delight:

TOUGH GUY
Oi – sure – – he didn't haf a t'ing t' – –[44]

Der Akzent, mit dem das Drehbuch den jüdischen Charakter markiert und der der Imitation anheimfällt, ist eindeutig ein jiddischer Akzent, wie ihn die jüdischen New Yorker aus Osteuropa spra-

43 Ebd., S. 7.
44 Ebd., S. 13.

chen. Signifikant ist dies, weil an dieser Stelle auf das Bild eines Juden zurückgegriffen wird, der ethnisch definiert erscheint, eher folkloristisch, ein Milieucharakter aus dem Bekleidungsdistrikt, wo ihn schon ein früherer Entwurf angesiedelt hatte. Daß er erst in den Akzent verfällt, als er sich verfolgt fühlt, vorher nur optisch markiert wird, impliziert selbst schon eine Darstellung des Antisemitismus als einer Zuschreibungsmacht. Daß sich dabei eine Darstellungstendenz von großer Doppeldeutigkeit abgezeichnet hat, ist offensichtlich: hinter dem Bild des westlich assimilierten Juden scheint das des ostjüdischen Einwanderers auf. Eine Transformation, die selbst Gegenstand der antisemitischen Propaganda ist, die immer auf die Metapher der Maske und der Doppelgesichtigkeit abgehoben hat. Darstellungsproblem und Darstellungstendenz fallen darin ineinander. Das komplizierte Verhältnis zum Selbst- und Fremdbild, das sich in innerjüdischer Perspektive ja nicht zum ersten Mal an der Differenz von west- und osteuropäischem Judentum festmacht, ging, wie man weiß, auch durch Hollywood hindurch – bis in die voneinander getrennte Produktion von jiddischem Film und Filmen gegen den Antisemitismus, die auf ganz verschiedene Weise voller Repräsentationsprobleme waren.

In der Diskussion zu dem vorliegenden Drehbuch nun werden nur einige von den offensichtlichen Konstruktionsproblemen benannt. Hauptsächlich kreist die Diskussion um die dramaturgische Problematik der eingebauten Liebesgeschichte, von der man sich nicht so recht Klarheit zu verschaffen wußte in bezug auf die emotiven Rückwirkungen auf die antisemitischen Affekte. Einige störte aber doch, daß die Frau mit dem Staubsauger so wenig Mitgefühl auf sich ziehen sollte, obwohl sie doch immerhin zu Schaden gekommen schien. Diese Art von Einwänden, so könnte man sagen, lagen ganz auf der Ebene einer Beurteilung des Films unabhängig von dem instrumentellen Charakter als Testfilm. Andere beschäftigen sich aber auch mit dem Problem der Darstellungstendenzen in der Konstruktion des jüdischen Charakters, so wird zum einen eingewandt, daß bereits der dramaturgisch begründete Vorfall mit der verlorenen Brieftasche zu sehr die notorische Verbindung zwischen Geld und Juden generiert; zum anderen wird hervorgehoben, daß alle drei Fassungen (Jew, Negro, White Collar) die Charaktere gleich sympathisch oder unsympathisch anlegen sollten. Margaret Mead wies ferner darauf hin, daß »intellectuals should not be caricatured in such a typically Fascist manner«.[45] Daß Adorno und Pollock ganz im Sinne der von ihnen auf der anderen Seite der Selbst- und Fremdbildprojektion vertretenen Gleichheitsaspekte Einwände zu bedenken gaben, nimmt nicht weiter wunder, wenn man die theoretischen Orientierungen berücksichtigt. Pollock spricht sich dafür aus, daß zumindest »a shadow of a doubt« zurückbleiben sollte und die Frau mit dem Staubsauger zumindest ein Hospitalisierungsfall werden müßte. In ähnliche Richtung ging wohl Adornos Argument, von dem das Protokoll zu vermelden hat:

suggests that in the script as it is the guilt of the Jew may be too radically excluded. He, therefore, thinks the victim should answer a little more confusedly to the question whether she was really pushed.[46]

Interessant an den verschiedenen Vorschlägen ist die in ihnen angelegte Tendenz, den Antisemitismus, den man erforschen möchte, entweder zu minimieren, indem vorab der jüdische Charakter neutralisiert wird, oder im Falle Pollocks und Adornos die Gleichbehandlung der Juden quasi zu ertrotzen im Sinne, »selbst wenn er schuldig wäre, hat das nichts damit zu tun, daß er Jude ist, d. h., wenn man ihn als Jude anklagt, dann ist das die typisch antisemitische Reaktion, zwei Dinge miteinander in Verbindung zu bringen, die überhaupt nichts miteinander zu tun haben«. Problematisch im Fall des Drehbuchs ist das Adornosche und Pollocksche Argument freilich dahingehend, daß der Widerstand antisemitischer Reaktionsbereitschaft dadurch zu schnell abgebaut wird und insofern im Sinne des angestrebten Forschungsdesigns zu verzerrten Untersuchungsergebnissen führen würde. An dergleichen Reaktionen zeigt sich überdies, wie unsicher gerade die alteuropäischen Emigranten gegenüber der Lage der Juden in Amerika und dem dort zu erwartenden Antisemitismus waren. Eine Unsicherheit, die freilich in erschreckendem und unerwartetem Maße für die amerikanischen Juden ebenso zutraf und die sich durchaus auch an der Politik der jüdischen Organisationen in bezug auf die Strategien Hollywoods ablesen läßt.

Mit dem vorliegenden Drehbuch und seiner Diskussion war aber nur eine weitere Phase dieses Testfilm-Projektes abgeschlossen, von New York sollte nun wieder der Sprung nach Hollywood

[45] Ebd., IX 150.8, »Notes and suggestions re EXPERIMENTAL MOTION PICTURE June 1945«, S. 2.
[46] Ebd., S. 1.

gemacht werden, um dort den Film inszenieren und produzieren zu lassen. In einem Brief vom 19. Juni 1945 an Horkheimer wird erwähnt, daß Kontakt aufgenommen wurde zu Elia Kazan, der seinerseits wiederum berühmte Hollywoodautoren empfahl (u. a. Dalton Trumbo, Budd Schulberg, Irwin Shaw). Außerdem schloß er sich der Empfehlung des Briefeschreibers an, das Actors Laboratory zu fragen, ob sie den Film nicht im Rahmen einer eigenen Übung besetzen würden.[47] Zehn Tage später wandte sich Horkheimer erneut um Hilfe in Richtung Hollywood, um eines der großen Studios (wie Warner Bros.) zu gewinnen, »as a contribution to our cause«.[48] In der Anlage folgt eine Projektbeschreibung, die mit den ebenso strategischen wie hoffnungsgeladenen Sätzen endet:

Apart from the value of its specific purpose, this picture might open new ways of cooperation between social science and the motion picture industry. Therefore, the services which the industry would render us might prove to be an important step in their own history.[49]

Der Adressat dieses Briefes war der Präsident des American Jewish Committee, Joseph M. Proskauer. Proskauer war ein glühender Republikaner und gehörte zu jenen Juden, die gegen Veröffentlichungen über die Vorgänge in Europa waren, von denen also zu erwarten war, daß sie auch über den Antisemitismus in den USA lieber schwiegen. Die Linie des AJC, das insgesamt gemäßigt war und die Assimilation vertrat, sah aber auch unter Proskauer so aus, daß man den Antisemitismus in den USA dadurch bekämpfen wollte, daß man ihn – wie es in einem Statement des AJC vom Oktober 1943 hieß – »as a miserable anti-democratic and anti-American manifestation« (*Contemporary Jewish Record,* Dez. 43, 657) entlarvte.[50]

Daraus mag immerhin zu erklären sein, warum Horkheimer sich so strategisch absichernd verhält zu einem Zeitpunkt, da man das Projekt längst unter Dach und Fach glauben sollte. Angeheftet liegt ein handschriftliches Antwortschreiben Proskauers bei, in dem er seine Vermittlung bei Jack Warner anbietet. Soweit die Zufallssammlung an Briefen und Dokumenten, wie sie aus Archiven

[47] Ebd., IX 150.16.
[48] Ebd., IX 150.15.
[49] Ebd., Annex.
[50] Rolf Wiggershaus, a. a. O., S. 396.

an die Nachwelt geraten, überhaupt Schlüsse zuläßt, so scheint es eine eigentümliche Aufspaltung zwischen der Fortsetzung des Projektes in New York und seiner erwünschten Zukunft in Hollywood gegeben zu haben. Während in dem einen Brief plötzlich wieder von der Suche nach einem Drehbuchautor in Hollywood die Rede ist, unterzeichnet am 3. Juli in New York kein geringerer als Hans Richter einen Vertrag mit dem Scientific Department des American Jewish Committee über »past activities« in Verbindung mit dem geplanten Filmprojekt und, »should the picture be produced in New York«, »I shall continue to function as an expert consultant«.[51]

Mit Datum vom 7. und 8. Juli liegt ein »Report about the filmscript *BELOW THE SURFACE*« vor, das ebenfalls von Hans Richter unterzeichnet und an Horkheimer gerichtet ist. Hans Richter emigrierte 1941 in die USA, wo er weiterhin einige experimentelle Filme drehen konnte. 1916 war er der Züricher DADA-Gruppe beigetreten, und 1922 gründete er eine »Konstruktivistengruppe« zusammen mit Mies van der Rohe, Lissitzky, Moholy-Nagy u. a. Seiner ganzen Orientierung nach war Richter einer der ganz entschiedenen Vertreter der filmischen Avantgarde und am Hollywoodfilm vor allem als Massenkultur interessiert. Obwohl gelegentlich seine Arbeit am Testfilm in Werkbiographien erwähnt wird, scheint seine Mitarbeit wie auch die von Kracauer weitgehend beratend gewesen zu sein. In seinem Report zum fertiggestellten Drehbuch heißt es, durchaus nicht untypisch:

General impressions: solidly constructed
simple
Hollywoodish
Special merit: use of »inner dialog« combined with real speach
(...)
2) Not sure that the beginning in Documentary style is helpful as an introduction. Such device better for big films and even there a little abused already (Montage of atmosphere). Would prefer to go into medias res directly. (...)
(...)
4) Is it right to let the negro speak with this funny southern accent which we know so well from comedies etc. (...) It might be that the »ole good nigger« smells a little discriminating through associations?
5) (...) Clubfoot unsympathetic. If he says words like: »Us plain decent

[51] Horkheimer-Archiv, IX 150.7.

God loving Christians« it is obviously hypocritic. Many of the people to be tested with this film might normally use such language. Such a »critic« at themselves in the film might confuse them looking at the picture and interrupt the process of selfidentification at a moment when we don't want that. But perhaps it serves here a special reason which I don't know.

(...)

Additional suggestion: the rhythm of the rails, the moving train should influence, bind together or separate the different speaches. Then, when the train suddenly stops, the change of atmosphere will be, emotionally much more felt by the audience.[52]

Was an Richters Ausführungen auffällt, ist, daß er die Zentralität des jüdischen Problems ganz aus den Augen verliert, statt dessen den Schwarzen überzeichnet findet, ansonsten aber vor allem stilistische Vorschläge macht, die den Film in größere Entfernung von der Ästhetik eines Hollywoodfilms rücken würden und näher an die realistische Schule des Weimarer Films. Aus einer anderen Äußerung geht hervor, daß Kracauer schon länger an dem Projekt gearbeitet hatte und von ihm auch der Vorschlag stammt, in einer filmischen Sequenz, die offenbar nach der Diskussion vorgeführt werden sollte, am Ende zu zeigen, wie der Unfall sich wirklich zutrug.

Einige Tage später, vom 13. Juli 1945, datiert ein gänzlich gegenläufiger Vorschlag aus Hollywood in Form eines Memorandums, das an Leon Lewis und Pollock gerichtet ist und von Dore Schary und Allen Rivkin stammt, als »Subject« wird genannt: »New Suggested Treatment for BELOW THE SURFACE«.[53] Darin wird nun ganz auf die Zwecke eines Testfilms abgestellt, der Film soll durch einen Erzähler, der die einzelnen Charaktere vorstellt, eingeführt werden und das filmische Geschehen jeweils an didaktisch relevanten Stellen unterbrochen werden, so daß die Zuschauer sich zwar klar darüber bleiben, daß sie als Teilnehmer eines Experiments den Film sehen, der Film selbst aber diese Situation dramaturgisch durchaus geschickt aufnimmt, so daß Zäsuren im Film und im Kinosaal zusammenfallen:

Suddenly the screen freezes. The narrator is heard again and he advises the audience to register in their memories the position of each of the persons in the subway car. After a twenty or thirty second wait the action starts again as a detective enters from another car. He and the policeman confer in low

52 Ebd., IX 150.6a.
53 Ebd., IX 150.5, S. 1.

terms and the detective announces that all persons in the car are to be taken to the precinct house of questioning.

We dissolve to the precinct house as the sergeant is interrogating the various people who were in the car. This is done with silent action and narrator's voice, and the narrator tells the audience that they must assume they were in the car also, and they will be given questionnaires to tell exactly what happened.

Now the screen goes dark and the house lights come up. After the time set by the psychologists for the written examination, the house lights go out and the film is projected again. This time the narrator explains that the film will now show the audience, in slow motion, exactly what happened. Then the film portrays how the woman with the vacuum cleaner fell out of the car, that no one pushed her, that is was a complete accident. He asks the audience now to fill out the second questionnaire stating whether they were wrong or right in their deductions, acknowledging what mistakes they made and why they made them. He thanks the audience for participating in this test.[54]

Die Vorstellung, die in diesem Entwurf von Dore Schary steckt, ist von dem ursprünglichen Plan Lichtjahre entfernt. Nicht nur hat der »message-maker« von MGM keinerlei offen diskutierte Repräsentationsprobleme, er hat eine genaue Vorstellung von dem, was er will, vor Augen: Selbstaufklärung des Publikums. Was im sozialwissenschaftlichen Setting noch als eine offene Hypothese gedeutet werden muß, scheint für Schary von unhinterfragbarer Evidenz gewesen zu sein: der Antisemitismus im amerikanischen Kinosaal. Man könnte sagen, daß Scharys Entwurf eine Art Flucht nach vorne antritt, statt den Antisemitismus mit Hilfe eines Films sich an den Forschungsobjekten herauskristallisieren zu lassen, benutzt er den Film in vielerlei Hinsicht als Evidenzbeweis, an dessen Autorität das Publikum nicht zu zweifeln habe. Im Gegensatz zu den Individuierungsstrategien der Kracauerschen Tagträume und der Gabrielschen inneren Monologe tritt im Schary/Rivkinschen Entwurf ein Erzähler ins Zentrum, der mit der Zuschreibungsmacht einer körperlos bleibenden Stimme aus dem Off die Charaktere der Handlung vorstellt. Das wirft die Frage danach auf, wer zu wem und warum spricht, eben jene alte Frage der Kommunikationsforschung, die als spezifisches Problem der Adressierung auftaucht. Das Publikum, das hier sozusagen als Subjekt angeredet wird von einer Stimme, die eher Autorität als Intersubjektivität

[54] Ebd., S. 2.

repräsentiert, die Stimme eines Kommentators, Deuters und Spielmachers, wird in eine merkwürdige Symbiose verwoben mit dem Geschehen auf der Leinwand und dem im Kinosaal. Das Publikum soll sich identifizieren mit dem anonymen Publikum des U-Bahn-Wagens, soll sich als Teil der Menge fühlen und wie diese agieren – das ganze Setting der Befragung läuft ab wie ein Teil des Spielfilms. Film- und Realzeit im Saal werden so koordiniert, daß das Publikum an keiner Stelle den Eindruck haben muß, daß es nur zum Schein einen Film vorgeführt bekommt, daß mit der Befragung schließlich ganz andere Ziele verknüpft werden. Am Ende wird das Publikum über sich selbst aufgeklärt: ein weiterer Film wird gezeigt, aus dem eindeutig hervorgeht, daß die Frau gefallen ist und nicht gestoßen wurde. Nun ist es am Publikum zu begründen, warum es wen verdächtigt hat, es wird zur Revidierung seiner ersten Äußerungen aufgefordert. In der empirischen Sozialforschung hat man dergleichen Techniken, durch Befragungen die Befragten selbst aufzuklären, Aktionsforschung genannt, auch sie hatte eine gewisse Tradition im empirischen Umkreis der Kritischen Theorie der vierziger Jahre.

Im Entwurf von Schary/Rivkin ist für Zweifel an der Identifikationsstrategie des narrativen Illusionskinos nur auf Umwegen Platz: daß das Publikum antisemitisch disponiert ist, wird als selbstverständlich vorausgesetzt, daß es sich durch einen Film darin bestärkt und bestätigt fühlt, darf man nicht ausschließen – also muß der Film als identifikationsstiftende Autorität den Evidenzbeweis liefern, daß das Publikum unrecht hat. Das Publikum, das nach Louis B. Mayer immer recht hatte, wird in diesem Setting entzaubert, der Film als ein Stück wirklicher Macht gesehen. Nicht nur als eine Macht der Wirklichkeit, wie es die kulturkritische Position im »Kulturindustrie«-Kapitel der *Dialektik der Aufklärung* nahelegt, oder als eine machtvoll errettete Wirklichkeit, wie sie Kracauer in der technisch reproduzierten Welt des Films sah, sondern als eine Macht, die Wahrheit konstituieren kann. Diese allerdings liegt am Ende nicht im Bild, sondern im Wort; die Stimme aus dem Off, der allmächtige Erzähler ist die Autorität, die der projektionsfreudigen Vielstimmigkeit der Bilder ein Ende setzt und die sprachlich beglaubigte Wahrheit einführt, »that no one pushed her«. Am Ende greift Schary auf Moses' Stimme zurück, um Arons Bild zu legitimieren.

Eine weitere Version von *Below the Surface* bezieht sich offenbar auf die vorhergehende Fassung. In ihr ist die »Negro-Version« unter dem Namen »Johnson« ausgearbeitet. Strukturell unterscheidet sich das Drehbuch durch eine enorme Verbreiterung der Liebesgeschichte, die sehr viel mehr Platz am Anfang einnimmt. Der Soldat wird als »private Henry Brown« vorgestellt, der an den Schlachten im Pazifik teilgenommen hatte, was durch Rückblenden mit Archivmaterial aus den Schlachten illustriert wird. Die Plazierung macht aus dem Soldaten einen Kriegsheimkehrer in Zivil, auch aus der Militärkrankenschwester wird »a secretary, perhaps, finished with her Saturday morning work«.[55] Aus den Pazifikschlachten, die der Erzähler aufzählt, geht zumindest hervor, daß das Drehbuch frühestens von Mitte 1945 stammen kann. Bekannt war mittlerweile, daß die immer noch arbeitslosen jungen Kriegsheimkehrer für antisemitische Strömungen sich besonders anfällig zeigten, und so wäre es durchaus plausibel, eine starke Identitätsfigur in diesem Bereich aufzubauen.

Knapp ein Jahr später taucht unter dem Datum vom 18. April 1946 erneut ein Memorandum auf, das noch einmal in verschiedenen Abschnitten das Projekt darstellt, offenbar auf der Grundlage des drei Versionen umfassenden Skripts *Below the Surface*. Die Anregung, nach der Projektion einen Zeitlupenfilm zu zeigen, aus dem hervorgeht, daß der Unfall auf keinen Schuldigen zurückführbar ist, ist Bestandteil. Dieser Plan, ursprünglich in Kracauers Entwurf enthalten, dann bei Schary/Rivkin didaktisch gewendet, wird im Memorandum von 1946 ganz eindeutig auch für »educational purpose as well«[56] empfohlen und weitergehend noch für »investigating group dynamics and methods of group therapy«.[57] Im übrigen verspricht man sich durch die Einbettung des projektiven Geschehens in eine klassische Liebesgeschichte ein Ablenkungsmanöver, das die Zuschauer davon wegbringen soll, die Testsituation zu antizipieren und die antiminoritäre Reaktion um so beiläufiger hervorrufen zu können. Die beiden Tendenzen haben sich also bis zur letzten Nachricht über diesen nie gedrehten Film durchgehalten, nun artig in verschiedene Paragraphen eines Memorandums verpackt: Einmal ist in dem Film die Projektionsfläche illusionistisch mißdeuteter Bilder zu sehen, und andererseits

[55] Ebd., IX 150.1b, S. 2.
[56] Ebd., IX 150.3, S. 1.
[57] Ebd., S. 2.

sind ihm die Wirkungsmacht und Wahrheitsansprüche des Wortes zuzusprechen, weil er nicht abbildet, sondern die chaotische Mannigfaltigkeit der physischen Welt lediglich in einen Sinnzusammenhang stellt. Aus letzterem folgt das Problem Kracauers, der Film eher als eine Art optischen Reflex auffaßt denn als bloßes Abbild; darüber hinaus macht es aber auch das Repräsentationsproblem in bezug auf die Beschaffenheit der Referenzobjekte deutlich. Lassen sich Juden nur als antisemitische Projektion darstellen, gibt es eine positive und darin bildmächtige Antwort auf die Frage »Was oder wer ist jüdisch?«, und warum perhorresziert diese Frage die jüdischen Gruppierungen in und um Hollywood in den vierziger Jahren nur zur Beteuerung: »I didn't haf a t'ing t'do vit it!«

Keineswegs soll durch die Analyse und retrospektive Narrativisierung des Testfilmprojekts eine Behauptung des Typs aufgestellt werden, daß die jüdischen oder sich jüdisch definierenden Protagonisten der Kritischen Theorie ein besonders problematisches oder unreflektiertes Verhältnis zu ihrer eigenen Herkunft gehabt hätten oder besondere Schwierigkeiten, sich selbst in ein reflektiertes Verhältnis zur jüdischen Identität zu setzen. Wie Charlotte Salomon und Arnold Schönberg teilten die Kritischen Theoretiker (deren biographisches und sozialisatorisches Eingebettetsein in einen jüdisch geprägten Lebensentwurf, der im übrigen keineswegs einheitlich, sondern ausgesprochen divergent war) mit den überaus erfolgreich assimilierten Juden Hollywoods den prekären Status der Minorität, und aus diesem folgt, teilt man die Prämissen, die Sander L. Gilman in seiner eindrucksvollen Studie zu *Jewish Self-Hatred. Anti-Semitism and the Hidden Language of the Jews*, ein spezifisches Verwobensein von Selbst- und Fremdzuschreibungen:

The image projected onto the world of the Other by outsiders is simply an extension of that projected onto them by the group that defined them as Other. The mechanism by which this is achieved is extraordinarily simple. Every stereotype is Janus-faced. It has a positive and a negative element, neither of which bears any resemblance to the complexity or diversity of the world as it is. The positive element is taken by the outsiders as their new definition. This is the quality ascribed to them as the potential members of the group in power. The antitheses to this, the quality ascribed to them as the Other, is then transferred to the new Other found within the group that those in power have designated as Other (...)

Self-hatred arises when the mirages of stereotypes are confused with realities within the world, when the desire for acceptance forces the acknowledgment of own's difference.[58]

Gilman folgt einem Konzept des double-bind, wie es in der existentialistischen Psychiatrie und der Kommunikationstheorie prominent entwickelt worden ist. Eine Doppelbindung ist die Herstellung einer paradoxalen Handlungsaufforderung, die in der Realität nicht erfüllt werden kann, wie z. B. »Alle diese Kugeln sehen genau gleich aus, nun such Dir die schönste aus!« oder »Alle Menschen sind gleich, deswegen sollen die Juden wie die anderen werden«. Als ein solches Dilemma ließe sich auch der Testfilm beschreiben, der gleichzeitig vom Gleichheitsparadigma ausgeht, aber – um den Antisemiten beschreiben zu können – dessen konkreten Anderen vorführen muß, womit er das Gleichheitsparadigma verletzt und zur positiven Visualisierung gezwungen wird. Dabei ist es unerheblich, ob die Stigmatisierung nun durch den »anderen« Namen, die »andere« Physiognomie oder den »anderen« Akzent erfolgt. Derjenige, der von der Mehrheit als anderer angesehen wird, taucht nun als der »andere«, der nicht-assimilierte, osteuropäische Jude wieder auf. Die Verknüpfung von negativen und positiven Zuschreibungen mit dem assimilierten, westeuropäischen und dem kulturell sich auch über eine Sprache definierenden, osteuropäischen Judentum ist eine zentrale Dimension der Binnendifferenzierung von Selbst- und Fremdbild in der eigenen Minorität. Während in Hollywood die Probleme der Selbstrepräsentation mit dem Problem des Antisemitismus verbunden wurden, wurden zur gleichen Zeit in New York jiddische Filme gedreht, die an ein kulturell homogenes Publikum adressiert waren und dennoch in Verdacht gerieten, antisemitische Stereotypen zu verbreiten und zu verstärken. Das Dilemma, daß in der Nacht, in der alle Katzen grau sind, keine Filme gedreht werden können, führte zu vier möglichen Auswegen, von denen leicht ersichtlich ist, daß sie keine sind, auch wenn sie dafür gehalten werden: 1. Damit Juden als gleich anerkannt werden, müssen sie offenbar besser sein als die anderen, die sich für etwas Besseres halten, deshalb sollen nur »gute« Eigenschaften mit dem Stigma des Jüdischen belegt werden; 2. damit Juden als gleich anerkannt werden,

[58] Sander L. Gilman, *Jewish Self-Hatred. Anti-Semitism and the Hidden Language of the Jews*, Baltimore 1986, S. 6.

muß man ihre Gleichheit betonen, deshalb sollen alle Eigenschaften auch bei allen jüdisch stigmatisierten Charakteren auftreten; 3. damit die Juden als gleich anerkannt werden, dürfen sie als andere gar nicht erst in Erscheinung treten, deshalb sollen sie gar nicht dargestellt werden; 4. die Juden haben das gleiche Recht auf Anerkennung ihrer Sprache und Kultur wie andere Einwanderergruppen auch, deshalb sollen diese selbstbewußt praktiziert werden.

»A single shot« – mitten ins Herz der Antisemiten: Eine Debatte zu Edward Dmytryks Film *Crossfire* (1947)

Die Dilemmata, die sich bereits in den Vorschlägen zum Testfilm abgezeichnet hatten, stellen sich 1947 in sehr ähnlicher Ausprägung erneut ein: Gegenstand der Auseinandersetzung ist nun ein Film, den Dore Schary bei RKO produziert und Edward Dmytryk inszeniert hat, *Crossfire*. Vorausgeschickt werden muß zum besseren Verständnis dieser Auseinandersetzung der Hinweis darauf, daß es zu den impliziten Regeln Hollywoods gehörte, sich mit wenigen, stark debattierten Ausnahmen der dritten soeben aufgeführten Option anzuschließen, wozu auch die Strategie gehörte, Namen von Schauspielern und in den Filmcredits auftauchenden Mitarbeitern zu ändern, wenn sie als jüdisch angesehen wurden. Ein Teil von Hollywoods Künstlernamen ist weniger der Phantasiearbeit findiger Produzenten zu verdanken als vielmehr der allgegenwärtigen Angst vor antisemitischer Reaktion. Als sich herausstellte und dem American Jewish Committee zu Ohren kam, daß Dore Schary dabei war, diese Regel zu durchbrechen, indem er einen Film produzierte, der den Roman *The Brick Foxhole* von Richard Brooks adaptierte und aus dem homophobischen Mörder einen antisemitischen machen wollte, schlugen die Wogen zwischen New York und Hollywood höher als an die pazifischen Strände Kaliforniens. Zwar wurde gelegentlich das Argument vorgetragen, daß *Crossfire* vor allem als Indiz dafür zu nehmen sei, daß in den Vierzigern die Homosexualität ein so unüberwindliches Tabu gewesen sei, daß es leichter schien, den Stoff des Erfolgsromans durch die Verschiebung vom homosexuellen auf das jüdische Opfer für den Film zu retten. Ziel sei aber vorrangig die filmische Adaption des Romans gewesen und die Debatte um den Antisemitismus erst eine sekundäre Folge der dramaturgischen Umstellung. Die Homophobie der Zeit hat zwar sicherlich Schwierigkeiten bereitet, Brooks' Buch, so wie es war, auf die Leinwand zu bringen, aber die Verschiebung auf ein jüdisches Opfer des blinden Hasses war ganz eindeutig eine hollywoodinterne Tabuverletzung, die Dore Schary – an dessen Engagement gegen den Antisemitismus kein Zweifel besteht – wohl kaum aus rein strategischen Gründen vorgenommen hatte. Immerhin hatte offenbar ein Vertreter des American Jewish Committee zwischenzeitlich Schary davon zu überzeugen versucht, daß auf alle Fälle die Präsentation eines Juden als Opfer vermieden werden müsse, und den Vorschlag gemacht, ihn durch einen Schwarzen zu ersetzen.

An der Debatte zu *Crossfire*, zu dem Max Horkheimer um ein Gutachten gebeten worden war, das, obwohl ungedruckt geblieben, einigen Einfluß auf die Debatte hatte, läßt sich das Drama der Repräsentation sehr genau belegen. Bevor ich auf den Film selbst eingehe, möchte ich anhand einiger der brieflichen oder publizierten zeitgenössischen Stellungnahmen zu diesem Film belegen, wie sich die weiter oben aufgeführten vier als möglich erachteten Auswege aus dem Dilemma der Repräsentation im einzelnen argumentativ umgesetzt haben.

Wie verunsichert die jüdischen Organisationen und die Vertreter in Hollywood waren, belegt ein Brief, in dem Leon Lewis vom American Jewish Committee von den ersten Verwirrungen Mitteilung macht, die die Nachricht von Dore Scharys Filmprojekt ausgelöst hatte:

April 4, 1947

Dore Schary phoned this afternoon stating as follows: That when M. B. S. (vermutlich meint er Mendel Silberberg – G. K.) came to him and asked for a copy of the script of »Crossfire«, he explained that he did not have a finished script and would not have it until the picture was completed, because, »as each of these scenes involving Anti-Semitism came up, the producer and writer huddled with me and we worked out each detail as we went along.« »However«, he continued, »Mendel told me that he wanted to cooperate with Rothschild as much as possible and asked that I send him a copy of the script in its present form, on the understanding that he would tell Mendel his reaction, which Mendel in turn would report to me.« »Instead of this,« Dore continued, »Rothschild went ahead and wrote a letter to Eric Johnston, expressing doubts over a series of pictures dealing with the subject of Anti-Semitism and referring specifically to ›Crossfire‹ as one which he was most concerned about.«

Dore said that he learned of the matter for the first time only when Breen phoned him yesterday about a letter he had received from Eric Johnston, enclosing a copy of Rothschild's letter to Johnston. He was quite indignant at the procedure and said that he was going to write Rothschild a hot letter about what he called, »a breach of faith.« I told him that his was the first information that I had had from any source, that he had sent a copy of the script to Rothschild, or that there had been any kind of conversation between him and M. B. S. about it and that although I did know that there was the intention do discuss the whole situation with the Johnston office with a view to establishing a closer liason with the producers on pictures affecting the status of the Jew in America, that I had received no information from the New York office of what had been done and no copies of any communications sent.[59]

Das heiß umkämpfte Skript, um das sich der Verdacht auf Vertrauensbruch und der Wunsch nach »closer liason« gleichermaßen hochrankten, befindet sich schließlich ebenfalls in Horkheimers Unterlagen, ohne daß rekonstruierbar wäre, wann es ihm zugänglich geworden ist, die technische Reproduzierbarkeit hat auch hier die Aura des Geheimnisses zerstört, die am Anfang die Produktion von *Crossfire* zu umgeben scheint – zumindest in der Wahrnehmung derjenigen, denen ihre Existenz bis dato nicht in den Blickwinkel geraten war. Die danach einsetzenden Kämpfe um diesen Film werden sich noch lange hinziehen, zwei Jahre später wird die Debatte noch einmal aufgenommen, als es um den Export nach Europa geht. Daß bereits im Frühjahr 1947 Risse zwischen den jüdischen Organisationen und ihren Vertretern entlang den Gruppierungen von Emigranten und Amerikanern auftauchen, nimmt nicht weiter wunder.

Nach dem ersten Debakel, während dem Dore Schary offenbar zu der Überzeugung gelangt war, daß das American Jewish Committee dem filmischen Projekt insgesamt kritisch bis feindselig gegenüberstand, wurde rasch eine Preview organisiert – allerdings für die Anti-Defamation-League, die sich enthusiastisch zeigte. Von dieser Vorführung der Rohschnitt-Fassung und ihrer Fortsetzung berichtet Lewis in einem Brief vom 17. April:

Dore had a showing of the picture in its rough cut version the other day for a few people from the Anti-Defamation League at the request of Dick Gutstadt. Fred Herzberg was present and told me that Coleman and the others representing ADL were very pleased with the picture and thought it would be most effective in combating anti-Semitism. No one, he admitted, had

[59] YIVO, New York, Archiv des American Jewish Committee Sigl. AJC G-S 10 Box 7, »A-S'm/47-51/Mass Media/Films – »Crossfire«.

raised any question about the deeper psychological implications in the film, and that apparently no such thought ever entered their minds. I doubt whether it did his either. Dore's next step was to invite a group to see the picture last night, inviting some twenty-five people, (Jews and non-Jews) who were asked to express their views. Among those invited were Walter Hillborn, Ben Scheinman, Rabbi Magnin and Max Horkheimer.[60]

Horkheimer schien, milde gesagt, »not amused« gewesen zu sein, und Lewis berichtet im weiteren Verlauf des Briefes, »he is convinced that the picture is a real danger«. Eine Ansicht, der er in der folgenden Diskussion nur deswegen nicht zum Ausdruck verhalf, »because he did not know the people who were present and did not want to hurt Dore if it could be avoided«. Nach seiner Auffassung in der Diskussion befragt, habe er betont, daß es sich um ein mutiges Werk handele und der Antisemit durchaus richtig wiedergegeben sei, trotzdem habe er bereits darauf verwiesen, »that it contained a message to the unconscious which is not so clear as the message to the conscious«. Immerhin war man so engagiert in der Sache, daß man sie weiterverfolgen wollte:

I am meeting with Max later today to go over the script while the picture is fresh in his mind, to see what changes if any have been made, and to prepare a memorandum for submission to Schary, and as a report to you.[61]

Die Beunruhigung, die von der bloßen Tatsache ausging, daß der Antisemitismus, über den sich keiner Illusionen machte, offensiv unter Preisgabe der eigenen Dilemmata von Selbstrepräsentanz angegangen werden sollte, muß groß gewesen sein. Daß sich gegen die implizite Politik des American Jewish Committee eine neue Fraktion zu bilden schien, die sich der Anti-Defamation-League versichern wollte und von Dore Schary über Mendel Silberberg zurück ins American Jewish Committee gebracht wurde, kündigt sich im sorgenvollen Ton an, mit dem Lewis auf die bevorstehende Vorstandssitzung eingeht:

Mendel, though not a member of the Executive Committee, told Walter he wanted to be present. I am sure he will back up Dore to the limit. I will give him credit for complete sincerity in believing in the rightness of the picture as a strong weapon against Anti-Semitism, but I also believe he would close his mind subconsciously to any doubts that may arise because of the tremendous issues involved, – – both personal and financial.[62]

60 Ebd.
61 Ebd.
62 Ebd.

Aus der letzten Bemerkung geht hervor, daß sich an der Frage von *Crossfires* Tauglichkeit, den Antisemitismus zu bekämpfen, Entscheidungen kristallisierten, die von hohem persönlichem Risiko getragen werden sollten; für die politische und soziale Existenz der jüdischen Organisationen und ihrer assoziierten Vertreter war es keineswegs unerheblich, ob die Unterstützung der Filmindustrie eingezogen würde oder nicht.

Am 18. April schreibt Horkheimer an Schary, »I have been doing a lot of thinking and let the picture penetrate«.[63] Als Ergebnis seiner Überlegungen schickt er ihm eine vierseitige Analyse des Films »Notes on *Crossfire*«.[64] Darin gibt er zuerst eine ausführliche und chronologisch strukturierte Zusammenfassung des Plots: Eine Gruppe von Soldaten wird in einen Mordfall verwikkelt, für den es kein Motiv zu geben scheint; nach einem Barbesuch und der Bekanntschaft mit einigen der Soldaten wird der jüdische Zivilist Samuels erschlagen in seinem Apartment gefunden. Als Motiv stellt sich schließlich der antisemitische Haß eines der Soldaten heraus, der schließlich von einem anderen in eine Falle gelockt und auf der Straße erschossen wird. Horkheimers Kritik an *Crossfire* zielt nicht auf dessen wohlmeinenden, manifesten politischen Inhalt, sondern darauf, daß seine unbewußten Appelle sich an Instinkte richten, die dem propagierten rationalen Kern der Botschaft kaum zugewandt seien:

Man könnte die unbewußte Botschaft dieses Films durchaus so lesen, daß es viele Menschen gibt, die Juden nicht mögen, und daß der Judenhaß ein sehr natürliches Motiv ist, einen Menschen zu töten. Wir wissen, daß alle Mordfälle Reiz auf eine bestimmte Gruppe von Jugendlichen ausüben, aber in diesem Fall haben wir es mit etwas Neuartigem zu tun. Der Film ist eine Pionierleistung. Fast zum ersten Mal wird auf der Leinwand dargestellt, daß es etwas Erregendes hat, einen Juden umzubringen. Die Assoziation zwischen den Vorstellungen »Jude« und »Töten« wird noch durch die Tatsache verstärkt, daß der Mörder gut aussieht, daß er militärisch wirkt und daß er tatsächlich Berufssoldat ist. Das Publikum wird von Anfang an verführt, sich mit ihm zu identifizieren. In vieler Hinsicht und für viele Menschen wird der wahre Held des Films der Mörder und nicht der Detektiv sein. Diese Tendenz wird noch dadurch betont, daß der Mörder am Ende weder gesteht noch vor Gericht kommt. Man erschießt ihn, nachdem er den zahlenmäßig überlegenen Polizisten in die Falle gegangen ist. Er hat

63 MHA, a.a.O., II 13.208.

64 Max Horkheimer, »Anmerkungen zu *Crossfire*«, in: Max Horkheimer, *Gesammelte Schriften,* Bd. 12, Frankfurt a. M. 1985, S. 213-219.

tatsächlich seinen Freund umgebracht, und das könnte aus der Sicht der heroischen Triebe des jugendlichen Publikums als unentschuldbar gelten. Aber es wird durch die Tatsache aufgewogen, daß sich der Freund sehr feige und mies verhalten hat. Überdies verstärkt die Tatsache, daß sich die anderen Soldaten schließlich auf die Seite des Detektivs schlagen, die instinktiven Sympathien für die Mörder. Viele Jugendliche würden gerne sehen, daß sich die Soldaten gegen den Schnüffler zusammentun, auch wenn einer von ihnen vielleicht schuldig wäre.[65]

Horkheimers Argument, daß die unbewußte Identifizierung die mit der Macht ist, mit dem Mörder als dem eiskalten Vollstrecker eigener Überwältigungsimpulse und nicht mit dem nachdenklich und weich gezeichneten jüdischen Opfer, das ohnehin rasch von der Bildfläche verschwindet, verführt Schary in seinem Antwortbrief zu einer rhetorischen Retourkutsche, die freilich nicht uninteressant ist. Während Horkheimer, durchaus sensibel für die *Film-noir*-Ästhetik des Films (die in der Tat ja auf die Erschütterung der konventionellen moralischen Parteinahmen aus war und in der Regel kriminelle Täter in ein vielschichtiges Licht tauchte, das nicht von den grellen Blitzen der Strafgerichte überstrahlt wurde, sondern gerade eine empathische Portraitierung der Gestrauchelten eingeführt hatte), gibt Schary zu bedenken, daß alle Repräsentation doppeldeutig ist, in einem Gedankenexperiment, das zwar Horkheimers Punkt verfehlt, dafür aber überzeugend das eigene Dilemma reflektiert:

I don't think we can argue this out by letter, but the one point I want to make in answer to your overall fear is this: if you are right in your contention, then one could pose this thesis: if the murderer played in our picture exactly as he is was a Jew, and if he had killed a Protestant, would you contend then that we had made a good picture for the Jew, because we would have created a sympathetic character that the audience would have accepted, and because of that would they like the Jews because their sympathies would have been with the killer?

According to your own argument, this picture would not be damaging to the Jews if the killer were a Jew, because you argue that sympathy is with him and with his motives. Do you believe we would be making a contribution in fighting anti-semitism if the killer were a Jew?

(...) I believe, too, that we will receive criticism, but I expect that. I believe that any controversial subject will have a minority point of view. I think it is normal and natural that anything which sets mens' minds thinking creates an antagonism. (...) Our anti-Nazi films destroyed the bund,

[65] Ebd., S. 218.

Abb. 12 *Crossfire (Im Kreuzfeuer)*, USA 1947

but didn't do away with Gerald L. K. Smith. I don't believe there is any psychological panacea to anti-semitism that will not leave in its wake, mental flotsam and debris.[66]

Obwohl sich Scharys Brief gleichzeitig scharf im Ton und defensiv ausnimmt, zeichnet ihn eine merkwürdige Entschlossenheit aus, die antagonistischen Folgen eines jeden Handelns billigend in Kauf zu nehmen, die fast die eingeschwärzte Weltsicht eines Gnostikers verraten; eine Perspektive, der sich im Hinblick auf die Kulturindustrie Hollywoods gemeinhin eher die Kritischen Theoretiker verdächtig gemacht hatten. Was Schary resignativ als Weltläufte beschreibt, in denen man zum Handeln aufgefordert ist unter der Prämisse seines Scheiterns, versucht Horkheimer in seinem Antwortschreiben wiederum Scharys Gedankenexperiment als »reduction ad absurdum« zu widerlegen: »Unfortunately such reversals which sound plausible in the vacuum of abstract logic, do not hold good in reality.«[67] Dort nun freilich hat Schary die antagonistischen Tendenzen angesiedelt, und Horkheimer scheint dies eher zu bestärken, wenn er darauf hinweist, daß es gerade die empirischen Kontingenzen der Subjekte selbst sind, die es so schwermachen, aus der Beschaffenheit eines Films auf die Handlungsimperative des Publikums zu schließen: »When we calculate the effects of mass media on the public mind we must be aware that identification with characters on the screen is determined not only by their appearence, words and actions but also by the spectator's education, group-affiliations and all kinds of bias, stereotypes and prejudices.«[68] Am Ende aber macht Horkheimer einen Vorschlag, den er einpackt in die Erwähnung einer Bedrohung, die er nicht benennt, aber doch beschwört, und eben darin zeigt sich, daß er Schary tatsächlich ernst genommen hat in seinem Bestreben, den Antisemitismus zu bekämpfen: »This subjective element – it seems to me – becomes particularly critical when a film such as CROSSFIRE is shown in certain foreign countries«[69], um dann zum interessierenden Punkt überzugehen:

I fully realize that my remarks will not change your stand. However you may feel that this whole problem deserves further investigation even if it were only for the benefit of future productions dealing with similar prob-

[66] YIVO, a. a. O.
[67] Ebd.
[68] Ebd.
[69] Ebd.

lems. There are certain practical methods of testing CROSSFIRE on the lines of modern group psychology which could throw a better light on the subject.

Sincerely yours,
Max Horkheimer.[70]

In der Folge entsteht nämlich eine heftige Auseinandersetzung um *Crossfire* als Testfilm. Die Anti-Defamation-League, die sich euphorisch zu Hollywoods Versuch, den Antisemitismus mit den Mitteln der Unterhaltung zu bekämpfen, verhält, plant nun ebenfalls, eine experimentelle Untersuchung der Publikumsreaktionen zu organisieren. Ein Versuch, der sogleich die heftige Abwehr von seiten des American Jewish Committee nach sich zieht. Am 13. Mai schreibt der konsternierte John Slawson an Trager von der Anti-Defamation-League:

I am told by Sandy Flowerman that you indicated to him that you were arranging to have the picture »tested.« Now, you know very well that the AJC maintains a Scientific Department and has equipped itself with a testing service utilizing the best opinion testers in America as consultants, having as its chief consultant on problems of testing, Paul Lazarsfeld. A substantial portion of the staff of this department is concerned exclusively with the continued evaluation of pro-tolerance materials in the form of films, radio programs and print.[71]

Daß Schary angesichts des zu erwartenden kritischen Spektrums an Stimmen aus dem American Jewish Committee die Anti-Defamation-League als konkurrierendes Meinungsbarometer nutzen wollte, ist kaum zu verdenken; daß Slawson beschwörend darum bittet, »agency imperialism« zu vermeiden, und eine gemeinsame Untersuchung empfiehlt, auch nicht. Nach der ersten Diskussionswelle nach der Preview des Rohschnitts organisierte das American Jewish Committee am 19. Juni in New York unter der Leitung und auf Initiative des Psychiaters David M. Levy eine weitere Preview mit Diskussion. Eingeladen waren außer den bereits involvierten Vertretern der jüdischen Organisationen Experten aus der Psychiatrie, der Psychoanalyse, der Massenkommunikationsforschung und der Erziehungswissenschaft, unter ihnen Herta Herzog, Marie Jahoda, Ernst Kris, Siegfried Kracauer, Leo Löwenthal, Paul Lazarsfeld, Margaret Mead, Robert K. Merton. Im Anschluß an diese Diskussion wurden zwei Protokolle verfaßt,

[70] Ebd.
[71] Ebd.

von denen sich das eine im Horkheimer-Archiv befindet und nicht namentlich gekennzeichnet ist, das andere war offenbar als offizielles Statement des American Jewish Committee von Slawson an Schary geschickt worden und stammt vom Moderator David M. Levy. Es spricht für die Objektivität beider Protokollanten, daß sich zwischen den beiden Darstellungen keine tendenziösen Differenzen finden lassen. Beide gehen von einer generellen Begrüßung des Unternehmens aus, finden dann aber doch vielerlei kritische Anmerkungen zur Dramaturgie und Personenzeichnung. Viele der Argumente sind im Kern identisch mit denen, die Horkheimer in seiner Stellungnahme vorgelegt hatte. Und zwar sowohl, was die Identifikationsstrategien anbetrifft, wie auch, was die Zeichnung des Mörders und des Opfers betrifft. Dem kann man wohl entnehmen, daß Horkheimers ebenso verblüffende wie hellsichtige Einschätzung der doppelzüngigen Wirkung einer solchen Konstellation die Debatte stark vorgeprägt hat, auch bei denen, die sein Argument nicht teilen. Daß die positivistische Perspektive einer reinen Affirmation der im Film manifest geäußerten und valorisierten normativen Einstellungen nicht ausreichen würde, um die ganze Skala an Reaktionsdispositionen zu erfassen, blieb offenbar unbestritten. Dennoch herrschte wohl doch die Meinung vor, daß die Effekte nicht durchschlagend wären:

> While only a »straw in the wind,« the film is a step in the right direction and should not be discouraged because of theoretical objections. However, we cannot expect too much from a »single-shot« propaganda message. Anti-Semitism is a deep seated phenomenon. We cannot look for easy shifts in attitudes of anti-Semitism. While not dangerous it is doubtful whether more pictures like *Crossfire* will help or hinder the cause of tolerance.[72]

Levys Protokoll hält ebenfalls fest, daß man offenbar mehrheitlich der Ansicht war, daß Tiefeneinstellungen wie der Antisemitismus nicht durch einen einzigen Film berührt werden könnten. Antisemiten würden sich in ihm eher bestärkt fühlen, während neutrale oder unentschiedene Personen positiv beeinflußt werden könnten und tolerante unterstützt. Auf alle Fälle waren sich aber alle darin einig, daß sich *Crossfire* hervorragend als Testfilm eignen würde und Anstrengungen unternommen werden sollten, Testkopien für Untersuchungen zu bekommen. Eine Tendenz, die weiterverfolgt wurde, wie aus einem Brief hervorgeht, in dem nach solchen Ko-

72 MHA XI 21.3, 5.6.

pien explizit gefragt wird.[73] Unter den anwesenden Experten bei der Diskussion wurde bereits ein Fragebogen verteilt, der jeweils getrennt nach der eigenen und der durchschnittlich zu erwartenden Meinung fragt.

Da der Film insgesamt von der Darstellung einer Gruppe von einzelnen getragen wird, gehen viele der Argumente auf die Stellung der einzelnen Charaktere zum Gesamten des Films ein. In diesem Kontext spielt die Frage nach der Charakteristik des jüdischen Charakters natürlich eine besondere Rolle. Levys Zusammenfassung der Diskussion zu diesem Punkt zeigt, wie sehr auch hier die Einschätzungen schwanken zwischen dem Wunsch nach einem positiven Bild, das sozusagen jeden von der Unsinnigkeit des Antisemitismus durch Überbietung überzeugen würde, der resignativen Einsicht, daß egal, ob der Jude nun stark, schwach oder neutral dargestellt würde, er jedesmal in ein anderes Stereotyp eingepaßt würde. Daß die Repräsentationsdilemmata schließlich dazu geführt haben, den Juden sozusagen nur noch als Stichwortlieferanten für den Mörder einzusetzen und dann wortwörtlich als Leiche in den Keller der antisemitischen Projektion zu verbannen, führt bei den Diskutanten zu einem, wenn man so will, verstärkten Bedürfnis, gerade dieser Figur zu einem etwas extensiveren Leben auf der Leinwand zu verhelfen:

The Jew

Discussion in regard to the Jew was especially on the theme of art vs. propaganda. As part of a mystery-plot structure, he was the corpse, quickly disposed of, so as not to interfere with the quick unfolding of the main theme. This resulted in a vague and fleeting characterization. It was criticized in various ways, chiefly as a depiction of the Jew in a bad light. He was the know-it-all who told the GI what was ailing him -- a characterization that fell into the stereotype of the superior position the Jew has played throughout history. He was a cowardly guy who wouldn't fight. There was no evidence in the film that he put up any struggle. He was a rich guy who had lots of liquor and a fine room. He had a girl friend who was obviously a Christian. Those are the points, it was thought, that people with anti-Semitic feelings would make.

The characterization of the Jew was actually that of a sweet, sympathetic, inoffensive fellow -- the last person on earth to evoke murderous rage. Hence he represented the complete unreason of anti-Semitism.

To confirm that reaction and offset the possibility of adverse reactions, a number of changes in the script would be necessary. The Jew should have a

[73] Ebd., II 10.353.

Abb. 13 Robert Ryan, Sam Levene

longer role. The audience should have more time to get acquainted with him. He should have a limp or some evidence of a wound. His war record should carry greater stress. In his talk at the bar (though the marked difference of his age and that of the GI's cannot be changed) he might talk about his own feeling during the war, when explaining the soldier's difficulty on returning to civilian life where not cutlet for hate through killing exists. In this manner also the suspicion later expressed that he is one of those guys who keeps cut of the fight and gets the big money jobs, can be squelched at the start. There is no reason why the audience should carry that suspicion, for the slight dramatic gain, until the time comes when the army record is revealed. The points about the room (which isn't so gorgeous), or the liquor, or the girl, appear unimportant. The Jew might be described, or he might describe himself, as having a job of some minor nature, probably that of a clerk, some inside job because of his war injury.[74]

Der Bericht von Levy ging Schary mit Datum vom 8. Juli zu, und er schloß mit der Aufforderung, fürderhin die problematischen Züge und die zweifellos schwierigen Fragen, die mit einem solchen

[74] YIVO, a. a. O.

Film aufgeworfen würden, insofern es sich dabei um »excellent entertainment though a risky adventure in propaganda« handele, zum Gegenstand einer Studie zu machen, die dem nachgehen könne. Die wohlgesetzte Rede war zu diesem Zeitpunkt freilich schon auf Sand gesetzt. Während sich nämlich das American Jewish Committee Forschungsstrategien überlegte, hatte die Anti-Defamation-League bereits eine Studie durchgeführt, die ganz offensichtlich zu propagandistischen Zwecken geplant war – ein Projekt zur Unterstützung und Durchsetzung des Films und nicht unbedingt zu seiner sozialwissenschaftlichen Erforschung. Mit Datum vom 15. Juli wird bereits davon berichtet, daß der Film, dessen Premiere in New York am 22. Juli sein sollte, einer Reihe von Pretests unterzogen worden war:

In view of the fact that several people raised questions about this picture at various previews, questions involving the potential reaction of the audience who would see the film, we decided, with the cooperation of the producer, to pre-test this film. The most serious criticism voiced against the film was that the audience would in fact identify themselves with the villain and not with either one of the two heroes. It was this question, among others, that we wished to test.[75]

In einer typischen Kleinstadt des Mittleren Westens, einer bedeutenden Stadt in den Rocky-Mountain-States mit vorwiegend protestantischer Bevölkerung und in einer überwiegend katholischen Stadt in New England waren Erwachsene und High-School-Kinder untersucht worden. Nicht überraschend im Rahmen der zweckgerichteten Strategie, innerhalb deren sich der Brief an die regionalen Niederlassungen der Anti-Defamation-League wandte, waren die Ergebnisse, die nur in einem Empfehlungsschreiben für den Film zusammengefaßt werden konnten:

There was an overwhelming endorsement of this kind of film, in the first place. There was an overwhelming majority who identified themselves with the heroes and against the villain. There was an overwhelming majority who held that the villain got his just deserts. There was an overwhelming expectancy that the picture would be a very good success. It is very probable that Dr. Raths and Mr. Trager will publish the results of their findings. However, it is possible also that we will send on copies of the results to you when they have cleared all the hurdles.

We think that »Crossfire« will be an exciting film. We think it may be helpful, although no one picture can do the whole job for us. We also think

[75] Ebd.

it will be instructive to learn more about reaction of audiences to this picture in particular, and to this type of picture in general. We urge you to watch for it when it comes to your community.[76]

Wenig später folgt ein Memorandum mit einer Zusammenfassung der Untersuchungsergebnisse, die von Louis E. Raths, der die Untersuchung durchgeführt hatte, gezeichnet ist. Raths, der auch bei der Diskussion in New York anwesend war, hatte die Untersuchung in Absprache mit Schary durchgeführt. Im Begleitschreiben zu dem Untersuchungsbericht wird darum gebeten, die Ergebnisse vertraulich zu behandeln. Die Konflikte mit der Forschergruppe aus dem American Jewish Committee über die Wirkung von *Crossfire* müssen weitreichender Natur gewesen sein, und es scheint nicht ganz unbedeutend, daß mitunter in den Korrespondenzen etwas allzu deutlich zwischen »vereinzelten, kritischen Stimmen« und der »überwältigenden Mehrheit der Amerikaner« changiert wird. Bei der öffentlichen Verbreitung der Studie, die Schary offenbar anstrebte, gab es schließlich Einspruch.

Marie Jahoda und Chein hatten eine Unterredung mit Louis Raths über die Qualität der Studie, während der ihr Urheber sich äußerst defensiv und entschuldigend verhielt; offenbar hatte keiner Illusionen darüber, daß die Untersuchung doch eher propagandistische Zwecke erfüllte, als daß sie die Probleme sozialwissenschaftlicher Rezeptionsforschung im Auge behalten hätte. Daß dergleichen Auftragsstudien für Reklamezwecke der Wissenschaft schaden könnten, weil sie sie überflüssig machen würden, weil Auftraggeber den Eindruck haben könnten, die Ergebnisse und nicht die Studie in Auftrag geben zu können, war wohl die Hintergrundbefürchtung, zu deren Besänftigung man auch vor implizi ten Drohungen nicht zurückschreckte: »It was made clear to Dr. Raths that various pressures would be likely to be placed on CCi and AJC to take some public stand on the study and that, in this case, they would have to criticize its methodology in order to safeguard the more time consuming and expensive studies.«[77]

Waren die bisherigen Streitigkeiten um *Crossfire* noch zwischen den Repräsentanten verschiedener Organisationen ausgetragen worden, die sich über ihre Ziele einig waren, aber nicht über die Strategien zu ihrer Durchsetzung, so eskalierte und explodierte der

[76] Ebd.
[77] Ebd.

Konflikt in dem Moment, wo er in die Öffentlichkeit trat. Elliott E. Cohen, Herausgeber des *Commentary*, einer Zeitschrift des American Jewish Committee, veröffentlichte im August 1947 (Vol. 4, Nr. 2) einen »Letter to the Movie-Makers. The Film Drama as a Social Force«, in dem er die Argumente aus Horkheimers Memorandum und die Diskussionsrunde der Experten im Juni sich zu eigen macht. Horkheimer reagiert darauf äußerst konsterniert, nicht etwa, weil Cohen seine Position vertritt, sondern daß er sie statt seiner vertritt. In einem Brief an Leo Löwenthal erwähnt Horkheimer, daß es seine Idee gewesen sei, die Auseinandersetzung um *Crossfire* im *Commentary* zu führen, und als dies geschieht, fühlt er sich erneut bestätigt in der Auffassung, daß man lediglich an der Verwertung seiner Gedanken interessiert sei, ohne ihm selbst die gewünschte Öffentlichkeit einzuräumen.[78]

Cohens offener Brief stützt in der Tat viele seiner ausführlichen kritischen Argumente gegen die allzu naive Annahme, daß *Crossfire* ein taugliches Mittel zur Bekämpfung des Antisemitismus sei, auf die Diskussion, auf die er sich auch immer wieder bezieht. Was Cohens Stellungnahme zum politischen Skandal aufwertete, war vermutlich nicht nur die kritische Position gegenüber dem Filmprojekt, sondern seine implizite Ablehnung der Hollywoodästhetik und des Kinos als sozialer Institution:

As it happens, the movies, since the day they began, have never accepted any responsibility to anything except the box-office.

Now, in 1947, film-makers for the first time are minded to make their medium a conscious social force, to lend their art to the purposes of enlightenment and progress. (Hopefully, without loss of profits, too – after all, novels of social significance are on the best-seller list.)

However, in order to accomplish his new high-minded aims, the movie-maker needs more than noble aspirations and a few resoundingly written messages; he needs a developed, mature art form, and it is just this that is lacking. For Hollywood, as far as art is concerned, is still in the nickelodeon business – at 60 c per head-loges, 80 c.

As a matter of fact, the movies today are further away from being art then they ever were; certainly, they are less an art than in the days of the silent film.

So we are back where we came in – but, we must say, in less than 90 minutes. You want to fight anti-Semitism, gentlemen – and more power to you – and you have in your hands the most powerful medium yet devised for the communication of art and enlightenment to a mass audience. Yet

[78] MHA II 10.378.

your ability to use it for the social ends you desire is still primitive. You have forgotten that, in a democratic society, if art is to influence people, it must, before anything else, be art. (Need we say that by art we do not mean the »arty,« but artistic means properly disposed for artistic ends, in terms of the particular work one has in hand?)[79]

Dergleichen kulturkritische Stellungnahmen – Kunst, Massenunterhaltung und humanistische Werte – bekommen leicht, wie in Cohens Brief, einen offen konservativen Beigeschmack. Von dieser Position wie der einer affirmativen Feier Hollywoods war nun die Kritische Theorie gleich weit entfernt, und die Verbitterung Horkheimers, seine eigenen Argumente in einem verzerrenden Rahmen wiederzufinden, wird um so verständlicher. Cohen vertritt noch in seiner Kritik an der kruden Ästhetik *Crossfires* ein so radikalisiertes Gleichheitsparadigma, daß er davon reden kann, daß der adressierte Andere der Institution Kino nur durch Einfühlung in die eigene Person erreicht werden kann, »You cannot free your brother's spirit« ... Dennoch ist nicht von der Hand zu weisen, daß Cohen einen Antagonismus der Debatte berührt hat, der sich bereits in der Vieldeutigkeit des Begriffs der »propaganda« andeutet. Im amerikanischen Kontext bezeichnet der Begriff sowohl politische wie verkaufsstrategische Maßnahmen, sie wird betrieben vom Marktschreier ebenso wie vom Präsidentenberater oder Werbemanager oder einem politischen Agitator. Im Deutschen haftet dem Begriff der Propaganda dagegen etwas eindeutig Negatives an, Propaganda macht man eigentlich immer nur für die falsche Sache, die nicht von sich aus zu überzeugen weiß oder die sich als politisch synonym mit den nationalsozialistischen Manipulationsästhetiken im Goebbelsschen »Reichspropaganda-Ministerium« setzt. Cohen spricht deswegen von einem antagonistischen Verhältnis von Kunst und Manipulation, während der Term der Propaganda bei Adorno/Horkheimer in der *Dialektik der Aufklärung* semantisch äußerst anspielungsreich verwandt wird. Einmal setzt er durch die Übernahme des amerikanischen Begriffs ein Bedeutungsspiel frei, das im Deutschen anderen Assoziationsregeln folgt, aber fast mit der Kraft einer Namensnennung nun doch die Assoziationskette festlegt vom politischen Propagandabegriff zu dem der Kulturindustrie, so wird aus der Selbstreklame Holly-

79 Elliott Cohen, »Letter to the Movie-Makers. The Film Drama as a Social Force«, in: *Commentary*, August 1947, Vol. 4, Nr. 2, S. 110ff.

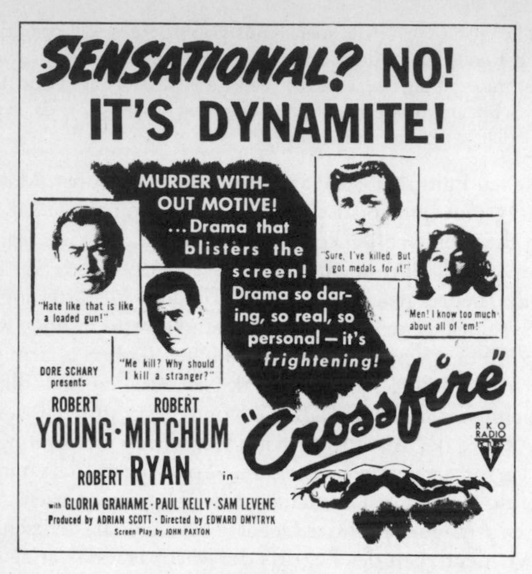

Abb. 14

woods ein Zentrum der politischen Manipulation faschistoider Prägung. In diesem Kontext muß das bloße Ansinnen, das Bild eines Juden propagieren zu helfen, Erschrecken auslösen. Und in diesem Kontext wird noch einmal die grundlegende Ambivalenz der Kritischen Theorie gegenüber dem Kino Hollywoods deutlich.

Mit einem »Letter from a Movie-Maker« antwortete Dore Schary im September, Vol. 4, Nr. 3, auf Elliott Cohens Angriff, indem er deutlich unterschied zwischen dem Teil des Publikums, das sich durch einen solchen Film in seinen toleranten Einstellungen bestärkt fühlen würde, worin der Film eine durchaus positive Wirkung haben könnte, und dem Teil des Publikums, das antisemitisch eingestellt sei und dem alles recht sein würde, die eigenen Vorurteile zu mobilisieren – wozu der Film nicht unbedingt tauge, schon gar nicht als der berühmte Wassertropfen, der das Faß am Ende zum Überlaufen bringen könne. In einer bemerkenswerten Passage erzählt Schary, der sich selbst als Person mit praktischen Erfahrungen vorstellt, »I was punched and beaten many times because I was a Jew«, über seine Kindheit in Newark, New Jersey, und geht so auf die Repräsentationsprobleme mit dem jüdischen Opfer ein. Und nachdem er bereits deutlich gemacht hat, »no one picture, nor one book, nor one group of professionals, has succeeded or can succeed in achieving that Nirvana« (»des Antisemitismus«), führt er aus, was dies für die Leinwandprojektion einer jüdischen Figur heißt:

Now to the Jew and his characterization. In my years of study and practical experience in the field of anti-Semitism, there is no characterization that overcomes the fear you express, because the Jew is labeled as something reprehensible by the anti-Semite, no matter what he happens to be.

If the Jew fights (Barney Ross, Benny Leonard, and a host of others have fought well and expertly), he is a dirty fighter, yellow in the clinch, and very tricky in an Oriental way.

If the Jew is poor, they all are Communists. If the Jew is rich, they all are dirty bankers. If the Jew is happily married, they're clannish, selfish, and, anyway, they have Gentile mistresses. If the Jew is single or divorced, they all are libertines or homosexuals. If the Jew was in the Army, he was goldbricking – if he wasn't, he's a slacker. If he was an officer, he bought his commission – if a private, he avoided doing his job. If the Jew is communicative, he's a buttinsky. If he's uncommunicative, he's stuck up and thinks he's smarter than anybody else. If he works for a boss, he's a cheat and plotting to take away the business. If he is a boss, he's a miser and a crook.

These opinions are like everything else about anti-Semitism: absurd. It is equally absurd and surprising that you give them credence in your open letter. No matter what the Jew had been in *Crossfire*, the anti-Semite would have read something evil into his character.[80]

Die antagonistische Struktur des Antisemiten erschafft in jedem Bild ein Gegenbild, deswegen kann es aus der Perspektive des Antisemiten kein positives Bild des Juden geben – aber aus der Perspektive, daß positive Bilder, die selbst deskriptiv gemeint sind, ständig hervorgebracht werden, gibt es das Problem, daß sich die Addition von Eigenschaften der Normalität selbst wieder aufladen zu einem Über-Bild, das sich selbst ad absurdum führt. Die Auseinandersetzung zwischen den Pro- und Kontra-Positionen zu *Crossfire* hat in ihren Untertönen ganz zweifellos nicht nur im Sinne Sander Gilmans einen versteckten Disput darüber im Gepäck, wer ein »guter« und wer ein »schlechter« Jude ist, sondern auch einen anderen Disput, wer ein »guter« und wer ein »schlech-

80 Dore Schary, »Letter from a Movie-Maker«, in: *Commentary*, September 1947, Vol. 4, Nr. 3, S. 344ff.

ter« Amerikaner ist oder wer überhaupt legitimiert ist, über Amerikaner zu sprechen. In den Briefwechseln tauchen am Rande Bemerkungen auf, die die Kritiker an *Crossfire* des Negativismus verdächtigen, der sich mit dem prinzipiell gutartigen amerikanischen Publikum nicht vertrüge. Von seiten des *American Jewish Committee* werden interne Vorschläge gemacht, die auf das Problem der Repräsentation eingehen: daß es gefährlich sein könnte, immer wieder den Opferstatus zu betonen, weil dadurch eine Art von self-fullfilling prophecy angelegt würde, daß der Appell zur Toleranz und die Verdammung von Intoleranz äußerst beschränkte Strategien wären, weil sie nichts ändern an der emotiven Einstellung den Juden gegenüber, und daß es darum schließlich besser sei, positive Gegenbilder zu entwickeln, in denen Identifikation mit jüdischen Menschen leicht gemacht werde, so wie ja auch die Katholiken in Filmen ihre Sache als Ideal anbieten.

Den Hintergrund für diese ausführlichen Überlegungen bildete die Tatsache, daß *Crossfire* kein Einzelfall war, sondern in der Tat Teil einer ganzen Reihe von Filmen, die sich mit dem Antisemitismus beschäftigten und darin nicht weniger Probleme zu konfrontieren hatten als *Crossfire*. So wird etwa in *Gentleman's Agreement* das Identifikationsproblem dadurch gelöst, daß der Protagonist fälschlicherweise für jüdisch gehalten wird. (Eine Perspektive, die Joseph Losey in *Mr. Klein* wieder aufgreift.) Zu den Verteidigern Elliott Cohens in der Debatte gehörte Bruno Bettelheim, der in einem Brief nachdrücklich darauf verweist, daß die eskapistischen Züge des Hollywoodkinos jeder Art wirklicher Sozialkritik im Wege stünden, wofür er insbesondere die populistischen Filme von Capra anführt. Bettelheims Argument entfaltet freilich einen eigenen Antagonismus, wenn er auf die Konstruktion der jüdischen Figur zu sprechen kommt:

Contrary to Mr. Schary's assertions that more could not have been done, the picture does a disservice to the cause of tolerance by showing that Jews are different. To attribute an attitude of »knowing all the answers« to the Jewish veteran gives effective support to the anti-Semitic contention that Jews are brighter than most people, a slogan which many Jews have unfortunately made their own in a spirit of chauvinism. Compared with the clever Jew, three of the four Gentile veterans are pictured as baffled (read: innocent); when actually, the insecurity and frustration common to our times (and not only among veterans,) is hardly a racial affair.

3. Depicting the personality of the Jew as it was done in *Crossfire* defi-

Abb. 15 Robert Ryan, Robert Mitchum, Robert Young

nitely avoids education's most potent weapon, namely, identification with the hero. One does not identify with a person only because he has been treated unjustly. We identify only with persons whose behavior is attractive and essentially recognizable to us. Only then can we consider him with sympathy as being »just like us« (or what we would like to be).[81]

Wenn Bettelheims Argumente ernst zu nehmen sind, dann kann das nur heißen, daß Intelligenz und Klugheit keine Eigenschaften sind, die zur Identifikation einladen, und eben nicht als attraktiv angesehen werden, nichts, »what *we* would like to be« – weswegen nur die unmögliche Identifikation mit dem Juden als Opfer übrigbleibt, sicherlich ebenfalls nichts, »what *we* would like to be«.

[81] YIVO, a. a. O., Brief vom 29. Oktober 1947 von Bruno Bettelheim.

Crossfire. Das Drama der Täuschung

In der Filmgeschichte nimmt Edward Dmytryks Film eine durchaus prominente Stellung ein. Nicht nur weil er in den politischen Kontext eingebunden war, sondern auch als einer derjenigen Filme, die zum Korpus des »film noir« gehören und als solche Erfolg beim Publikum hatten. In der Tat haben die Kritiker am politischen Konzept von *Crossfire* zu Recht darauf verwiesen, daß der Film den Mord und sein Motiv ganz der Binnenlogik des Genres unterwirft, das mit den Überschreitungen von Legalität, Moral und Sicherheit spielt. Die Dramaturgie des Films läuft auf eine Konstruktion hinaus, in der das antisemitische Motiv Teil der detektivischen Aufklärung ist, also teilhaben soll an der Erzeugung von Spannung. Der Bildaufbau des Films durchkreuzt freilich diesen Ansatz auf merkwürdige Weise. Die Handlung setzt mit einer Sequenz ein, die den Mord durch einen optischen Trick so darstellt, daß wir den Mörder nicht sehen können. Wir sehen lediglich Schuhe und Hosenbeine zweier GIs, wobei klar wird, daß der eine von den beiden den Zivilisten zusammengeschlagen hat. Dabei wird eine Lampe umgestoßen, deren Schirm zuvor als optische Sichtblende die obere Bildhälfte abgeteilt hat, so daß die Personen nicht identifiziert werden können. Wenn die Lampe zu Boden gerissen wird, bleibt die Leinwand einen Moment dunkel, bevor die nächste Einstellung eine Hand zeigt, die die Lampe anknipst und in ihrer Bewegung innehält, als Licht auf die Szene fällt. Diese Einstellung, die zeigt, wie der eine GI den anderen eilig aus dem Zimmer zerrt, endet mit einer Fahrt der Kamera zurück auf den am Boden liegenden Zivilisten und verweilt bei ihm. Diese Kameraeinstellung ist der Beginn der nächsten, in der Detektive bereits die Leiche untersuchen. Die etwas plumpe Einführung – mit der uns zwar der Tötungsvorgang gezeigt wird, aber der Mörder verhüllt bleibt – weckt Spannung auf das, was nicht zu sehen war, auf den Täter, nicht aber unbedingt auf das Motiv zur tödlichen Schlägerei. In gewisser Weise genügt bereits der Umstand einer tödlich endenden Schlägerei als Motiv, denn Schlägereien zwischen betrunkenen Männern brauchen möglicherweise gar keine starken externen Motive, oft genug ist Totschlag im Affekt eine ungeplante Nebenfolge diffuser Situationen.

Daß Dmytryk den Film damit beginnt, die Zuschauer als Augenzeugen der Tötung zu situieren, bleibt nicht ohne Folgen. Da der Zuschauer bereits vermeintlich darüber informiert ist, was geschah und wie es geschah, richtet sich die Neugier hauptsächlich nur noch auf die Aufdeckung der Identität des Mörders, nicht unbedingt auf sein Motiv, warum er überhaupt die Schlägerei angefangen hat. Dadurch entsteht ein durchgängiges Ungleichgewicht der verschiedenen intentionalen Stränge des Films, seinem detektivischen und seinem politischen Aufklärungsinteresse. Deren Zusammenführung im »didaktischen« Mittelteil setzt detektivisches und politisches Aufklärungsinteresse in eins, im zentralen Monolog des Aufklärers geht es um die Plausibilisierung von Antisemitismus als Motiv für Totschlag im Affekt. Dabei findet eine Verschiebung statt: Nun rückt als Spannungsmotiv nicht mehr die Aufklärung (welcher Art auch immer) in den Vordergrund, sondern die Verfolgung, das Fallenstellen, schließlich das Töten dessen, der nun klar als Täter identifiziert worden ist. Antisemitismus erscheint so letztlich als eher schwaches Motiv, das eher zufällig zu einer Kette von Toten führt, denn der zweite, nun vorsätzlich verübte Mord an dem Augenzeugen ist reiner Instrumentalität geschuldet wie auch der Ausbruchsversuch des Gestellten, der schließlich zu seiner Erschießung führt. Die spannendsten Momente des Films bleiben so losgelöst vom aufklärerischen Motiv, der gesamte Film würde genauso funktionieren, wenn das Motiv sozialer Neid auf den Zivilisten oder eine vermeintliche Kränkung des Angetrunkenen gewesen wäre.

Crossfire ist konzentrisch um zwei zentrale Rückblenden aufgebaut, die eine aus der Perspektive von Montgomery, dem Täter, die andere aus der von Mitchell, der zu Unrecht verdächtigt wird. Für beide Rückblenden gilt, daß sie in sich gemischt sind aus Ich-Erzählungen und subjektiven Einstellungen und aus Sequenzen, die subjektlose Erzählung der Vergangenheit sind, deren Wiederbelebung und nicht deren Nacherzählung. Dadurch wird die Vorgeschichte des Mordes in eine elliptische Erzählform gebracht, die abbricht am Vorwissen der Sequenzen, die wir bereits zu Beginn gesehen haben, aus denen wir zumindest wissen können, daß zwei GIs zum Zeitpunkt der Tat in Samuels Apartment waren. Dadurch gerät Montgomerys in Rückblende erzählte Version ins Zwielicht, da er suggeriert, daß der zurückgekehrte Mitchell als letzter im Apartment war, während er und der zweite im Bunde, Floyd, auf dem Weg zum Hotel waren. Die Frage stellt sich trotzdem, ob tatsächlich das kognitive Vorwissen der halbverhüllenden Eingangssequenzen ausreicht, um der Suggestion der von der Ich-Erzählung getrennten inszenierten Teile aus Montgomerys Rückblende entzogen zu werden, oder ob nicht vielmehr die Spannung des Films aus der optischen Irritation resultiert, daß wir den beiden sich widersprechenden Narrationen gleichermaßen vertrauen. Dadurch gerät die formale Struktur von *Crossfire* in den Windschatten der Probleme, die sich aus dem ergeben, was man eine »falsche« Rückblende nennt, eine Technik, die sich des Illusionseindrucks des Films bedient, um gezielt in die Irre zu führen, den Zuschauer zu desorientieren in seinem eigenen visuellen Koordinatensystem. *Crossfire* gerät in diese Falle, wenn die breit angelegte Rückblende aus Montgomerys Perspektive streckenweise als Spielhandlung abläuft, deren Perspektivismus unklar bleibt. Die Übergänge zwischen diesen Teilen bilden meist Großaufnahmen vom Erzähler, dessen Stimme noch eine Weile über den rückgeblendeten Einstellungen zu hören ist, bis die Zuschauer ganz in den Bann einer vor ihnen ablaufenden Handlung geschlagen werden.

Aber abgesehen von den wahrnehmungspsychologischen Problemen, vor die eine solche filmische Form stellt, kann man kaum umhin anzuerkennen, daß die dadurch entstandene Desorientierung des Zuschauers gerade die Qualität des Films ausmacht; gerade in diesen irritierenden formalen Konstrukten macht Dmytryk die diffuse Situation lebendig, in der sich die GIs, die von den Kriegsschauplätzen des Zweiten Weltkriegs zurückgekommen waren und sich den komplizierten sozialen Konflikten im eigenen Land konfrontiert sahen, befanden.

Die Probleme, die sich in der historischen Debatte um *Crossfire* aufgeworfen haben, scheinen vom filmischen Text selber nicht auflösbar zu sein; Kritiker und Befürworter des Films haben plausible Argumente aufzuweisen, die keineswegs losgelöst von der formalen Struktur des Films sind. Wie komplex und unvorhersehbar konkrete Rezeptionssituationen sich in der Wahrnehmung filmischer Konstruktionen darstellen können, hatte ich Gelegenheit in drei verschiedenen Diskussionen zu *Crossfire* festzustellen. In drei von mir veranstalteten Universitätsseminaren in New York, Hamburg und Berlin wurde der Film im Rahmen des Verhältnisses der Kritischen Theorie zur Massenkultur diskutiert, wobei die historische Debatte des politischen Programms von *Crossfire* zuvor behandelt worden war; in allen drei Diskussionen monierten die Studenten nicht nur die allzu auffällig didaktische Monologisierung des Antisemitismus-Problems, den Prediger-Tonfall, vor allem äußerten sie sich unbefriedigt über den Schluß: daß der Mörder hinterrücks aus dem Fenster erschossen wird, erschien ihnen eine unerträgliche Brutalität und Ungerechtigkeit. Der Antisemit erschien ihnen als ein resozialisierungsfähiger Delinquent, der am Ende selber zum Opfer gesellschaftlicher Verhältnisse wurde. Eine solche Reaktion weist auf eine Kontextverschiebung der Rezeption hin: Geschult, den »film noir« als historisches Genre zu sehen, in dem die Subjektivität und empathische Erschließung dilemmatischer Situationen »kriminalisierter« Krimineller die rigiden Gut/Böse-Schemata aufdröselt, waren sie sofort geneigt, in eine der Fallen des Films zu gehen: Entweder Antisemitismus war ein Tötungsmotiv wie andere Motive auch, dann war der antisemitische Mörder und Totschläger ein ganz »normaler« Fall; oder Antisemitismus war ein »besonderes« Motiv, dann ist es ungenügend beleuchtet und entwickelt; in diesem Fall endet der Film abrupt an der Stelle, wo er eigentlich beginnen müßte. Daß es außerdem verschiedene Gewichtungen in der Problemdefinition gab, ist nicht weiter verwunderlich: Die deutschen Diskutanten bezogen sich vorwiegend auf die Motive, wie mit einem Antisemiten umgegangen wird, während die New Yorker Gruppe sich auch Gedanken über die Darstellung des jüdischen Charakters machte und darüber, welche Wirkungen der Film für und auf ein jüdisches Publikum haben könnte. Die Binnenlogik des Films, den Tod eines Juden an den Anfang zu stellen, wurde als problematische Instrumentalisierung gesehen, die ein Erschrecken über die Auswirkung des tödlichen Antisemitismus gar nicht erst aufkommen lasse, andrerseits war das Problem, daß der Antisemitismus keine empirischen Juden braucht, weil er ohnehin ganz auf deren Projektion gründet, in seiner filmästhetischen Konsequenz durchaus bewußt: Die ganze erste Rückblende ist gefangen in dem Dilemma, die jüdische Figur aus der Perspektive des Antisemiten einzuführen und damit den Vorsprung der visuellen Typage zu erhalten. Wie wenig die Falle einer subjektiven Rückblende an dieser Stelle des Films vorgesehen wurde, zeigt, daß trotz heftiger Diskussionen filmanalytische Reflexionen doch eher naiv zur Entstehungszeit des Films gehandhabt wurden. Obwohl mittlerweile *Crossfire* als Film kodifiziert in den Korpus des »film noir« eingegangen ist und seine filmischen Qualitäten stärker in den Vordergrund getreten sind, bleiben fast alle rezeptionspsychologischen und politischen Probleme der Repräsentation auch nach fast einem halben Jahrhundert noch aktuell und ungelöst.

Dmytryk selber war sich der Probleme seines erfolgreichen Films weit weniger bewußt, als seine Post-festum-Äußerungen ahnen lassen, zumindest gibt es von ihm sehr unterschiedliche Äußerungen über den Film, aus denen hervorgeht, daß er zwischen den politischen Ansprüchen und den ästhetischen des »film noir« wenig vermittelte:

Crossfire war sicher nicht der beste Film aller Zeiten, aber doch ein sehr, sehr guter, der einen wichtigen Präzedenzfall darstellte und vermutlich mehr Preise gewann als irgendein anderer Film in der Geschichte der RKO. Vielleicht war es auch das bestgeplante Filmprojekt aller Zeiten. *Crossfire* war ein Meilenstein in meiner Karriere. (...) Keiner von uns – weder Scott (Produzent – G. K.) noch Paxton (Drehbuchautor – G. K.) oder ich – war Jude. Uns wurde klar, daß dies von Vorteil sein könnte, da niemand uns des Eigennutzes oder religiöser Voreingenommenheit bezichtigen konnte, aber es war auch ein Nachteil. Wir mußten eine Menge lernen über Antisemitismus und darüber, mit welchen Methoden man Fanatismus bekämpft. (...) Als der Film in die Kinos gelangte, kam er bei den Kritikern und beim Publikum sehr gut an. Er war ein Hit, und er wurde nicht mißverstanden. Ein Meinungsforschungsinstitut befragte Zuschauer vor und nach dem Sehen des Films. Die Antisemitismus-Quote war um 14 Prozent gesunken. Natürlich würden die guten Vorsätze wie bei Büßern in der Kirche vermutlich bald wieder verschwinden, aber vielleicht blieb ja ein kleiner Erfolg zurück. Für diejenigen von uns, die noch daran glaubten, daß das Übermitteln von Botschaften nicht nur der Post überlassen werden sollte, ein wahrer Triumph.[82]

[82] Interview mit Dmytryk in: Robert Fischer (Hg.), *Edward Dmytryk. Film Director.* Filmwerkstatt Essen 1990, S. 79. Dmytryk hatte sich bereits zuvor engagiert in der War Propaganda Hollywoods als Regisseur von *Hitler's Children* (1943). Die politische Biographie Dmytryks gestaltete sich äußerst prekär: Im Jahr des Erfolges von *Crossfire* wurde er als einer der »Hollywood ten« vor den Ausschuß McCarthys für unamerikanische Umtriebe bestellt, wo er die Aussage verweigerte. Einen Monat später entläßt ihn die RKO aus dem Sieben-Jahres-Vertrag. Danach arbeitet Dmytryk in England. 1950 gerät er erneut in die Mühlen der politischen Justiz, wegen Mißachtung des Kongresses wird er zu sechs Monaten Haft verurteilt, zu deren Verbüßung er auch antritt. Noch im Gefängnis unterschreibt er zweieinhalb Monate später eine distanzierende Erklärung von der Kommunistischen Partei, weitere zwei Monate später wird er aufgrund der Erklärung vorzeitig entlassen. Als er im Frühjahr 1951 noch freiwillig vor dem Ausschuß für unamerikanische Umtriebe gegen andere aussagt, wird er von den »Hollywood ten«, zu denen er schon seit seiner Erklärung 1950 nicht mehr gehörte, als Verräter betrachtet. Dmytryk selber hat seine Konversion immer als tatsächliche Einsicht in die verfehlte Politik der Kommunisten verteidigt und darauf verwiesen, daß er keinen Namen preisgegeben habe, von dem er nicht wußte, daß er

Abb. 16

Abgesehen von den politisch apologetischen Erfolgsmeldungen war sich Dmytryk natürlich im klaren darüber, daß *Crossfire* sein ästhetisches Gelingen ganz aus der Ästhetik des »film noir« bezieht:

bereits bekannt war. Da es mir im Rahmen meiner rezeptionsgeschichtlichen Fragestellung nicht um die Rekonstruktion von Dmytryk als »Auteur« geht, lasse ich die Fragen, die sich aus Dmytryks anderen Filmen ergeben, aus.

Demgegenüber steht die Art, wie das Licht im »film noir« und fast allen A-Pictures gesetzt wird. Tatsächlich wird in den Produzentenkreisen der Begriff für die Ausleuchtungsart (...) benutzt, um die A- und B-Kategorien der Produktion zu definieren. Klarheit ist da oft ein Feind. Schatten werden zu Mitspielern. Jede dunkle Ecke birgt eine Drohung, jedes halb ausgeleuchtete Gesicht enthält ein Geheimnis, eine Facette des Charakters, die das Drehbuch nicht vorgesehen hat.[83]

In bezug auf *Crossfire* legt Dmytryk die Clair-Obscure-Technik des »film noir« folgendermaßen anschließend in einer Fotolegende aus:

Manchmal führen Regelverletzungen zur Schaffung neuer Kategorien von Filmen. In dieser Szene von *Crossfire* schafft das Unterlicht die beunruhigende Stimmung, wie sie für den film noir charakteristisch ist.[84]

Daß Dmytryk selber die Doppelstrategie gewählt hatte, um das finanzielle Risiko eines politischen Films auszupolstern, schreibt er freimütig; daß die »neue Kategorie Film« in einer schlichten Übertragung eines inhaltlichen Motivs in eine kodifizierte filmische Form bestand, kommt nicht mehr in den Blickwinkel eines möglichen Problems.

83 Edward Dmytryk, *Cinema. Concept and Practice*, Boston 1988, S. 82, 83. (Übersetzung von mir.)

84 Die Legende steht im Original unterhalb der Abb. 16.

II. Film und Faktizität
Zur filmischen Repräsentation der Judenvernichtung

In seiner eindrucksvollen Studie *Beschreiben des Holocaust*, in der James E. Young »Darstellung und Folgen der Interpretation« untersucht, kommt er in der Formulierung des Problems der Augenzeugenberichte zu einem Schluß, der sich mit vielen Problemen filmischer Narrative und Repräsentationsformen deckt:

Das Unmögliche, womit sie nunmehr konfrontiert sind, besteht darin, irgendwie zeigen zu müssen, daß ihre Worte materielle Fragmente von Erfahrungen sind, daß die gegenwärtige Existenz ihrer literarischen Darstellung ein kausaler Beweis dafür ist, daß ihre Themen auch in der historischen Zeit existent waren.[1]

Young findet die Aufgabe unmöglich, durch die Gegenwart von Erzählungen einen kausalen Beweis für die historische Existenz ihrer Gegenstände zu geben. Was Young als spezifisches Dilemma der Augenzeugen-Literatur beschreibt, ist freilich ein umfassenderes Problem der Philosophie kausalen Schließens. Ein Problem, das besonders gerne am Beispiel der Fotografie und des Films diskutiert wird, da beide Medien ein privilegiertes Verhältnis zu empirischen Referenzobjekten zu haben scheinen. Dies hat immer wieder dazu geführt, fotografiertes Material auf seine Tauglichkeit hin zu überprüfen, ob es beispielsweise als Beweismaterial im juristischen Sinne verwendet werden darf oder nicht. Interessant genug, werden manche, aber nicht alle fotografierten Materialien vor Gericht zugelassen, und zwar scheint das Kriterium das der Glaubwürdigkeit ihrer Hersteller bzw. Anwender zu sein: was aus den Radarfallen der Polizei stammt, wird akzeptiert, ein fotografisch erbrachtes Alibi gilt nicht. Der Hintergrund scheint einzig die Unterstellung, daß die Polizei nicht manipulierend in das Material eingreift, während die Behauptung, »dieses Foto zeigt mich zur Tatzeit in einem Waldstück bei soundso«, allerlei Zweifel offenlassen könnte. Ob also kausale Schlüsse von einem fotografischen Abbild auf das Vorhandensein eines raum-zeitlichen Referenzobjektes zur Geltung gebracht werden, hängt offenbar mit Kriterien zusammen, die sich aus den diskursiven Kontexten und nicht aus dem ontologischen Status einer Abbildung begründen. Max Black

[1] James E. Young, *Beschreiben des Holocaust. Darstellung und Folgen der Interpretation.* Aus dem Amerikanischen von Christa Schuenke, Frankfurt a. M. 1992, S. 47.

hat die Problematik einer kausalen Beziehung für die Fotografie diskutiert:

Die Bezugnahme auf eine Kausalgeschichte. Die erste zu berücksichtigende Antwort versucht, die zugeschriebene Abbildungsrelation mittels einer bestimmten kausalen Abfolge zwischen einer »Originalszene« (das, worauf die Kamera ursprünglich gerichtet war) und der Fotografie als Endpunkt dieser Abfolge zu analysieren. (...)

Nach diesem Konzept könnte *P* als eine *Spur* aufgefaßt werden, und die Interpretation von *P* ist Sache eines Rückschlusses auf eine frühere Stelle innerhalb einer bestimmten Kausalabfolge.[2]

Den Begriff der »Spur« bezieht Black zurück auf die Auffassung Gombrichs: »Es wird von Nutzen sein, wenn wir Bilder als Spuren natürlicher oder künstlicher Art betrachten. Schließlich ist eine Fotografie ja nichts anderes als eine natürliche Spur, eine Reihe von Abdrücken, (...) die auf der Filmemulsion von den unterschiedlich verteilten Lichtwellen zurückgelassen wurden (...).«[3] Dabei aber läßt Black es nicht bewenden, gegen die Kausalbeschreibung einer Fotografie, *P* ist ein Bild von *S*, weil zum Zeitpunkt *X* eine Reihe von technischen Faktoren wirksam geworden sind, die einen kausalen Zusammenhang zwischen *P* und *S* ätiologisch hergestellt haben, wendet Black eine Reihe von Argumenten ein. Sein erstes ist ein Zweifel an der *logischen* Sicherstellung zwischen *P* und *S*. Die Verbindung zwischen *P* und *S* ist nach Black keine logische, sondern eine semantische, d.h., wir schließen von *S'*, dem Sujet der Fotografie *P*, auf das Referenzobjekt *S*. Die »semantische Information«, die *S'* über *S* enthalten mag und die wir versuchen aus *P* zu lesen, ist aber nicht unabhängig von den »Intentionen des Herstellers«, die ganz offenbar ebenso beteiligt sind wie die technischen Faktoren der Belichtung und Entwicklung. Das Wissen über die Herkunft, ihre technische Bedingung und Abhängigkeit von Gegenständen der physischen Wirklichkeit, ebenso wie die Bezugnahme auf ihre Intentionalität als Darstellung, ist Voraussetzung dafür, daß wir fotografische Abbildungen verstehen können und interpretatorisch wieder in Bezug setzen zu ihrem Sujet, ihren Gegenstand sowohl im Sinne von *S'* wie von *S*.

Dieser kurze Exkurs dient dazu, ein gängiges Argument über die Darstellbarkeit historischer Ereignisse und Gegenstände in Film

[2] Max Black, »Wie stellen Bilder dar?«, in: Ernst H. Gombrich, Julian Hochberg, Max Black, *Kunst, Wahrnehmung, Wirklichkeit,* Frankfurt a. M. 1977, S. 121.
[3] Ernst H. Gombrich, zit. n. Max Black, a. a. O., S. 148.

und Fotografie zu entkräften. Soweit es das Problem der Darstellbarkeit eines spezifischen und singulären historischen Ereignisses wie der Massenvernichtung der europäischen Juden in diesem Jahrhundert betrifft, so ist diese unter analytischen Aspekten ebenso darstellbar in Form von *S'* wie undarstellbar als unvermittelte Anschauung von *S*. Bezogen auf ihre Darstellbarkeit muß man geradezu sagen, hat die Massenvernichtung keinerlei einzigartige Bedingungen formaler Art – alle Probleme, die aus ihrer Darstellung hervorgehen und in einzelnen Darstellungen liegen, sind Probleme, die in der Art und Weise der Darstellung liegen, in ihrer Intentionalität. Das Ereignis der Massenvernichtung ist weder im visuellen noch im sprachlichen Beschreibungssystem so zu fassen, daß ein Lexikon entstehen würde, an dem die Extension des Ereignisses und ein Beschreibungssystem deckungsgleich zusammenfallen könnten. Darstellungen, gleich welcher Art (ob revisionistisch-historiographische oder unzureichend fokusierte ästhetische), die als unangemessen erscheinen, sind vorrangig die, die intentional gegen das verstoßen, was wir bereits an Wissen über die historischen Ereignisse haben; auf dem Hintergrund eines als unzureichend erfahrenen Wissens- und Verstehenspotentials freilich erscheinen alle Darstellungen als unangemessen. Die globale Metapher von der Undarstellbarkeit der Massenvernichtung ist primär eine Aussage über die Ereignisstruktur selber, nicht über die spezifischen Probleme von Darstellung.

Im folgenden werden an drei divergierenden Objekten verschiedene Dimensionen innerhalb von Darstellungen und auf Darstellung als Problem ins Auge gefaßt, die zwischen visuellen Beschreibungs- und Ausdruckssystemen und der Evozierung von Realereignissen auftauchen. Dabei werden Problem-Inversionen sichtbar: Siegfried Kracauer, dessen späte Filmtheorie ontologisch begründet wird und auf einem starken kausalen Zusammenhang im Sinne von Blacks Definition ausgerichtet erscheint, zieht sich im Punkte der visuellen Darstellung der Massenvernichtung auf ein rein intentionales Argument zurück, wie ich zu zeigen versuchen werde; an einigen Fotografien, die im Auftrag der Leitung des Gettos Lodz gemacht worden sind, schlägt die intendierte visuelle Täuschung über die wirklichen Verhältnisse im Getto in einen Eindruck des »Gestellten« um, der auf dem Kontextwissen körpersprachlicher Ausdrucksgebärden eine gegen die Intention gerichtete Lektüre der Fotos bewirkt, die gerade ein Mißlingen der Intention ihrer Hersteller zugunsten einer auf vorfindliche, ununterdrückbare »Spuren« basierenden Lektüre bedingt; in Claude Lanzmanns Film *Shoah* wird die Narration der Augenzeugen vom visuellen Kontext in eine Richtung determiniert, die schließlich als ein Modell der Vergegenwärtigung von Vergangenheit zum Tragen kommt, die sich das Aufheben der Erinnerung an Vergangenheit als aktuelles Gedächtnis vornimmt und damit dem Problem der Darstellbarkeit vergangener Ereignisse durch eine gegenläufige Temporalisierung entgegentritt.

Athenes blanker Schild
Siegfried Kracauers Reflexe auf die Vernichtung

Zur Kritischen Theorie hat Siegfried Kracauer ein distanziertes und auf Distanz gehaltenes Verhältnis gehabt. Daß er einer der wenigen aus dem engeren Kreis der Frankfurter Schule war, die sich leidenschaftlich mit dem optischen Medium von Film und Fotografie beschäftigt haben, mag einer der Gründe gewesen sein, warum er im Kontext des im vorigen Kapitel ausführlich dargestellten Testfilm-Projekts immer wieder namentlich auftaucht. Kracauers Weg ins New Yorker Exil, der über Frankreich lief, entfernte ihn zwar vom Medium seiner Filmkritiken, aber nicht vom Film. Die Wende von der Beschäftigung mit Film und Kino ganz zur Geschichtsphilosophie und Historiographie hängt vielleicht mit einigen der Probleme zusammen, die sich aus seiner spezifischen filmästhetischen Theorie ergeben haben. Im folgenden möchte ich daher diesen Übergang von Europa in die USA, von der Filmtheorie zur Historiographie, wie er sie sich vorgestellt hat, festhalten.

Was Siegfried Kracauer in einem Brief an Walter Benjamin von seinem Roman schreibt, daß er »noch nirgends angenommen«[1], paßt nicht schlecht auf die allgemeinere Situation, in der sich Kracauer nicht erst im Pariser Exil befindet. Im selben Brief vom 24. Februar 1935, der mit der spöttisch-bitteren, paradoxen Beschreibung, »wir sind jetzt glücklich am absoluten Ende unserer Mittel angelangt«, nichts Gutes zu berichten weiß, umreißt Kracauer ziemlich klar die Perspektiven für die Zukunft:

> Man wird sich radikal umstellen müssen: auf die angelsächsischen Länder und Frankreich. Ich sehe gut die damit verknüpften Schwierigkeiten, aber ich weiß keinen anderen Ausweg. (An sich fiele mir sogar eine solche Umstellung leichter als manchem andern, da ich von jeher dem, was deutsche Mentalität heißen darf, fremd, ja feindlich gegenüber gestanden habe.)[2]

Kracauer hat sie immer gut gesehen: die Nischen der Exterritorialität, von denen aus die Dingwelten und die Lebenswelt in einer Ferne aufscheinen, die ihnen jenen auratischen Glanz verleihen,

[1] Walter Benjamin, *Briefe an Siegfried Kracauer.* Mit vier Briefen von Siegfried Kracauer an Walter Benjamin, hg. vom Theodor W. Adorno-Archiv, Marbacher Schriften 27, Marbach 1987, S. 82.

[2] Ebd.

den ihre Schäbigkeit bei näherem Kontakt verblassen läßt. In seinem letzten, postum edierten Buch *Geschichte – Vor den letzten Dingen* schreibt er bezogen auf den Hang zur sprachlichen Verkitschung bei Ranke in durchaus wehmütigem Ton:

(Aber niemand von uns ist immun gegen magischen, wenn auch nichtigen Glanz. Ich erinnere mich daran, daß ich in meiner Jugend, wie tatsächlich meine ganze Generation, völlig im Bannkreis von Thomas Manns *Tonio Kröger* mit seiner elegischen, wenn nicht komischen Sehnsucht nach dem Blonden und Blauäugigen stand.)[3]

In einer Fußnote zu dieser in Klammern gesetzten biographischen Notiz zitiert Kracauer sich selber mit einer Exegese zu Thomas Manns Sehnsucht nach Bürgerlichkeit, die man sich »blond und blauäugig« gedacht haben mag.

Kracauer selbst hat die »Wonnen der Gewöhnlichkeit« festgefügter, bürgerlicher Existenzweisen nie kennengelernt, den ungeliebten »Brotberuf« des Architekten hat er zwar erlernt, aber nie ergriffen, als er mit 52 Jahren in New York ankommt, hat er nie so etwas wie eine »Lebensstellung« eingenommen, seine legendäre Tätigkeit bei der »Frankfurter Zeitung« hatte sich als fragil erwiesen. So hatte er sich radikal umzustellen auf ein neues Land, eine neue Sprache, aber nicht unbedingt auf eine neue Existenzform. Kracauer gehörte zu einem »gleichsam (...) neu heraufkommenden Intellektuellentypus«[4], der sich in die Akademia nicht einreihen konnte und mochte, und der in der damaligen Phänomenologie von Simmel bis Scheler eine Form des Denkens fand, das sich zwischen Empirismus und Idealismus, zwischen Scylla und Charibdis der damaligen Philosophie, einen Weg bahnte, der zumindest in der Hinwendung zu den »konkreten Dingen« einen materialistisch-konkreten Zug versprach. Es ist also keineswegs zufällig, daß es gerade Kracauer war, der sich für die aufkommende Massenkultur zu interessieren begann, der die frühe Soziologie der Angestellten in seine Beobachtungen einschloß, einen philosophischen Essay über den Detektivroman verfaßte und eine geradezu hellsichtige Abhandlung über »Die Gruppe als Ideenträger« schrieb, Fotografie, Reise und Tanz als die Phänomene des modernen, urbanen Lebens aufwies.

[3] Siegfried Kracauer, *Geschichte – Vor den letzten Dingen*, Frankfurt a. M. 1971, S. 199.

[4] Theodor W. Adorno, »Der wunderliche Realist«, in: ders., *Noten zur Literatur III*, Frankfurt a. M. 1965, S. 88.

Aber bei genauerer Lektüre der Schriften von Siegfried Kracauer erweitert sich die eingangs zitierte Disparität zwischen dem sehr »gut« »sehen« und der Sehnsucht nach »magischem, wenn auch nichtigem Glanz« zum durchaus dauerhaften Zwiespalt, der Risse im ganzen Geflecht der Kracauerschen Schriften verursacht. Kracauer hatte bekanntlich nichts übrig für die dialektischen Varianten der Philosophie. Die Idee begrifflicher Vermittlung war ihm suspekt. In einer Kritik an Adornos *Negativer Dialektik* spricht er von einer

> entfesselten Dialektik, die Ontologie gänzlich eliminiert. Sein Verwerfen jeder ontologischen Stipulation zugunsten einer unbegrenzten Dialektik, die alle konkreten Dinge und Wesenheiten durchdringt, scheint unlösbar von einer gewissen Willkür, einer Abwesenheit von Inhalt und Richtung in diesen Reihen materialer Bewertungen. Der Begriff der Utopie ist daher von ihm notwendig auf rein formale Art als ein Grenzbegriff benutzt, der am Ende unweigerlich wie ein *deus ex machina* auftaucht. Doch ist utopisches Denken nur dann sinnvoll, wenn es die Form einer Vision oder Intuition mit einem wie immer bestimmten Inhalt annimmt. Folglich ist es mit der radikalen Immanenz des dialektischen Prozesses nicht getan; einige ontologische Fixierungen sind erforderlich, ihn mit Bedeutsamkeit und Richtung zu durchtränken.[5]

Weder in seiner Kritik an Adorno noch an anderen Stellen seiner geschichtsphilosophischen Rettung der Historiographie *gegen* die Geschichtsphilosophie geht Kracauer auf konkrete Geschichte ein. Die Massenvernichtung, die Adornos Denken über Auschwitz lenkt, ist gänzlich Anathema. Einmal geht Kracauer in einer Fußnote auf die Existenz von Konzentrationslagern ein. In einer Fußnote, die allerdings auf einen Aufsatz des Historikers Herbert Butterfield aus dem Jahre 1931, also vor der Massenvernichtung, verweist:

> Butterfield (...) spielt auf diese Möglichkeit an, wenn er sagt, daß der (technische) Historiker die Sache der Moralität unterstützen könne, indem er bis ins konkrete Detail und auf objektive Weise ein gewaltiges Massaker, die Folgen religiöser Verfolgung oder die Vorgänge in einem Konzentrationslager beschreibt. Im übrigen entspringt Butterfields Idee von technischer Geschichte einer verwickelten Mischung theologischer und szientifischer Begriffe.[6]

[5] Siegfried Kracauer, *Geschichte – Vor den letzten Dingen,* a.a.O., S. 229.
[6] Ebd., S. 264.

Das theologische Motiv greift er selber in einer eigentümlich doppeldeutigen Weise noch einmal auf, die mir nicht zufällig zu sein scheint, weil sie sich auf zentrale Motive bei Kracauer selbst bezieht: Rettung durch die Verdinglichung hindurch; Pendeln zwischen phänomenologischem Konkretismus und Theologie, deren Zusammenfall in der *Theorie des Films*[7] ontologisch verhüllt ist. In der genannten Textpassage macht Kracauer eine für ihn durchaus typische paradoxe Distanzierung zum Theologischen auf:

So scheint es, daß die Frage nach der Sinngebung von »technischer Geschichte« nicht zu beantworten ist. Es gibt nur ein einziges Argument zu ihren Gunsten, das ich für schlüssig halte. Es ist jedoch ein theologisches Argument. Ihm zufolge ist die »vollständige Ansammlung der kleinsten Fakten« aus dem Grund erforderlich, daß nichts verloren gehen soll. Es ist, als verrieten die faktisch orientierten Darstellungen Mitleid mit den Toten. Dies vindiziert die Gestalt des *Sammlers*.[8]

Kracauer verwendet das Motiv der Rettung durch Erinnerung, die anamnetische Solidarität mit den Toten in einem Rahmen, in dem Menschen und Fakten Dinge gleichermaßen sind. Es scheint so, als sei überhaupt erst die in Bildern versteinerte Welt eine, die als menschliches Antlitz entzifferbar und erfahrbar wäre. Die *Theorie des Films* baut ganz auf, wie Untertitel und letztes Kapitel überschrieben sind, »Die Errettung der physischen Wirklichkeit«. In diesem Kapitel geht Kracauer auch auf die KZ-Bilder ein. Unter der Zwischenüberschrift »Das Haupt der Medusa« beginnt Kracauer mit der Erzählung des Mythos, wie »wir« ihn »in der Schule (...) gelernt« haben. Athenes Rat an Perseus, das schreckliche Haupt der Medusa nicht direkt anzusehen, sondern seiner nur im Spiegel des blanken Schildes gewahr zu werden, deutet er in dem Sinne, »daß wir wirkliche Greuel nicht sehen und auch nicht sehen können, weil die Angst, die sie erregen, uns lähmt und blind macht: und daß wir nur dann erfahren werden, wie sie aussehen, wenn wir Bilder von ihnen betrachten, die ihre wahre Erscheinung reproduzieren«.[9]

Das Kino fungiert so als Spiegel einer Natur, die schaurig wie das Haupt der Medusa ist, auf dem sich Ereignisse abspielen, die »uns versteinern würden, träfen wir sie im wirklichen Leben an. Die

[7] Siegfried Kracauer, *Theorie des Films*. Die Errettung der äußeren Wirklichkeit, Frankfurt a. M. 1964.

[8] Ders., *Geschichte – Vor den letzten Dingen*, a. a. O., S. 159.

[9] Ders., *Theorie des Films*, a. a. O., S. 395.

Filmleinwand ist Athenes blanker Schild.«[10] Aber bei dieser kathartischen Funktion der »Reflexion« als Selbstvergewisserung bleibt nach Kracauer der Mythos nicht stehen. Athene, die mit ihrem Rat Perseus in die Lage versetzt, das Haupt der Medusa zu köpfen, benutzte den eroberten Kopf, um ihre Feinde abzuschrecken. »Perseus, dem Betrachter des Spiegelbildes, gelang es nicht, das Gespenst für immer zu bannen.«[11] Für Kracauer folgt aus dieser Unauflösbarkeit der Schreckbilder, daß sie Selbstzweck seien, nicht die vordergründige, appellative Funktion, die auf konkretes Handeln verweist, sondern die Aufhebung ins Gedächtnis ist ihr heimliches Telos:

Und als Bilder, die um ihrer selbst willen erscheinen, locken sie den Zuschauer, sie in sich aufzunehmen, um seinem Gedächtnis das wahre Angesicht von Dingen einzuprägen, die zu furchtbar sind, als daß sie in der Realität wirklich gesehen werden könnten. Wenn wir die Reihen der Kalbsköpfe (in Franjus berühmtem Dokumentarfilm über das Pariser Schlachthaus, G. K.) oder die Haufen gemarterter menschlicher Körper in Filmen über Nazi-Konzentrationslager erblicken – und das heißt: erfahren –, erlösen wir das Grauenhafte aus seiner Unsichtbarkeit hinter den Schleiern von Panik und Fantasie.[12]

Wahrscheinlich ist die Beschreibung, die Kracauer von der Situation des Wahrnehmenkönnens der »Haufen gemarterter menschlicher Körper« gibt, gar nicht so falsch. Sie entsprechen den Bildern und Erfahrungen vor den ersten KZ-Filmen: Nach der Befreiung werden Deutsche durch ein Lager geführt, vor den Leichenbergen wenden sie sich mit heftigsten Bewegungen ab, im Kino vor der Leinwand bleiben sie sitzen. Dennoch ist deutlich, daß sich Kracauers Argument nicht im Aufklärerischen beschränkt, sondern daß seine theoretische Argumentation an eine innere Grenze stößt.

Die innere Grenze ist der Primat des Optischen vor dem Begrifflichen, der Anschauung vor der Vermittlung: »Erblicken (...) heißt erfahren.« Der Film erzählt von der sichtbaren Welt, die er erfahrbar macht im Sinne von Benjamins Hypostasierung des Films als Aufdecker des »Optisch-Unbewußten«.[13] Für Kracauer,

10 Ebd.
11 Ebd.
12 Ebd., S. 396.
13 Walter Benjamin, *Das Kunstwerk im Zeitalter seiner technischen Reproduzierbarkeit,* Frankfurt a. M. 1968. Benjamin schreibt es den Fähigkeiten der »Kamera mit ihren Hilfsmitteln« zu, daß sich im Film Sichtweisen der optischen Welt enthüllen, die dem Auge normalerweise verborgen bleiben müssen: »Vom Optisch-Unbewußten

zumindest bis einschließlich seiner *Theorie des Films*, gibt es den Primat des Optischen, der sich erst im Geschichtsbuch erweitert in die Errettung der Dingwelt durch ihre historiographische Benennung und Narrativisierung. So gelangt Kracauer am Ende tatsächlich dahin, wo ihn Adorno schon immer wähnte: in die Welt der Dinge als die einzig wirkliche, die es zu erretten gilt; das Optische ist das Medium, nicht die Sache selbst.[14]

erfahren wir erst durch sie, wie von dem Triebhaft-Unbewußten durch die Psychoanalyse« (S. 42). – Benjamin umreißt auch bereits die Idee, daß prinzipiell jeder Mensch ein Recht darauf habe, im Bild reproduziert zu werden, sich selbst darzustellen und zu repräsentieren: »Jeder heutige Mensch kann einen Anspruch vorbringen, gefilmt zu werden« (S. 33). Zwar verwendet Benjamin dieses Motiv noch ganz im Sinne sozialer Partizipation, aber im Kontext seiner Vorstellung vom »Optisch-Unbewußten« bekommt auch der filmische Einfluß der bisher sozial Unsichtbaren jenen rettenden Zug profaner Erleuchtung in der Enthüllung des Ungesehenen. Kracauer, der sich mit Benjamin anfreundete und sich immer wieder bemühte, dessen Aufsätze in der »Frankfurter Zeitung« unterzubringen, hat in seinem Benjamin-Essay im *Ornament der Masse* die theologischen Intentionen emphatisch vorgestellt, von denen er sich selbst am Ende nicht ganz so weit befindet. Daß sich noch etwas »im Rücken der Dinge zwischen Himmel und Hölle abspielt«, wie er zu Benjamins Buch übers barocke Trauerspiel schreibt, ist eine Vorstellung, die in seine spätere Konstruktion des »Vorraums« der Geschichte nicht schlecht zu passen scheint. (»Zu den Schriften Walter Benjamins«, in: *Das Ornament der Masse*, Frankfurt a. M. 1963, S. 253.)

14 Theodor W. Adorno zeichnet das Porträt des Jugendfreundes Kracauer in seinen Reaktionen auf die Kindheit, in der das Verhältnis zu den Dingen ja ein durchaus belebteres ist als das später funktionale Verhältnis des Erwachsenen zu aus toter Materie Geformtem: »Die Fixierung an die Kindheit als eine ans Spiel hat bei ihm die Gestalt von einer an die Gutartigkeit der Dinge; vermutlich ist der Vorrang des Optischen bei ihm gar nicht das erste, sondern die Folge dieses Verhältnisses zur Dingwelt« (ebd., S. 107).

Wie wenig freilich beide Bereiche voneinander abgetrennt existieren: Das Optische, das Zeigen und Vorführen der Dinge ersetzt lediglich die taktile Berührung der Dinge durch die Herstellung des Blickkontaktes. Benjamin hat das in seiner Surrealismusanalogie zum Film recht genau gesehen. Bei ihm allerdings wird der ganze Film zu einem animistischen Ding, das den Zuschauer angreift: »(...) wurde das Kunstwerk bei den Dadaisten zu einem Geschoß. Es stieß dem Betrachter zu. Es gewann eine taktile Qualität. Damit hat es die Nachfrage nach dem Film begünstigt, dessen ablenkendes Element ebenfalls in erster Linie ein taktiles ist, nämlich auf dem Wechsel der Schauplätze und Einstellungen beruht, welche stoßweise auf den Beschauer eindringen« (Walter Benjamin, a. a. O., S. 44). Neuere psychoanalytische Ansätze in der Filmtheorie greifen auf ähnliche Erfahrungsstrukturen zurück, die sich aus der passiven Haltung der Zuschauer und der Hyperaktivität auf der Leinwand, die der Zuschauer zu greifen sucht, ergeben als eine sadomasochistische Symbiose, ein »Fort-da«-Spiel im Sinne von Freuds Theorie vom Übergangsobjekt, mit dem das Kleinkind seine Trennungsängste spielerisch zu überwinden lernt, indem es sich selbst zum Agenten eines Prozesses von permanentem Verschwinden und Wiederauftauchen macht.

Wenn »erblicken« »erfahren« heißt, dann wäre die Massenvernichtung nur erfahrbar, soweit sie visualisierbar wäre. Visualisierbar ist nur, was konkreten Charakters ist, was der Welt physischer Dinge zugehört. In Kracauers ontologischer Unterfütterung des Optischen, des Bildes als »Errettung der physischen Wirklichkeit«, liegt in der Tat ein geradezu maßloses Vertrauen, daß im Transfer ins Bild sich verflüchtigt, was gegen Errettung immun ist. Der Kracauerschen Lektüre des Mythos vom Haupt der Medusa ist Perseus der eigentliche Held, nicht weil er schließlich die Medusa um ihr Haupt gebracht hat, sondern weil er den Mut hatte, sie in seinem Schild anzusehen. Leicht könnte man in solcher Lesart eine häretische Antwort auf das Bilderverbot selber entnehmen: Die Bilder, die sich von J'hwe zu machen verboten sind, enthalten für den, der gleichwohl den Mut hat, sie zu betrachten, doch ein Stück rettenden Glanzes.

Wie weit Kracauer da zu gehen bereit war, läßt sich nicht einmal so sehr den ausgefeilten und darum auch verrätselteren frühen Prosatexten und Essays entnehmen als vielmehr einer gutachterlichen Auftragsarbeit, in der die philosophischen Gedanken nackter und schutzloser sich zu Wort melden. In der Studie über »Propaganda und der Nazikriegsfilm«, die er 1942 mit Hilfe eines Rockefeller-Stipendiums am Museum of Modern Art im Rahmen von Forschungsprogrammen zur Unterstützung der psychologischen Kriegführung durchführte, untersucht Kracauer an exemplarischen Beispielen den Aufbau der Nazi-Wochenschauen und Kriegsberichterstattung sowie die propagandistische Funktion inszenierter Kriegsfilme. Selbst wenn man natürlich davon ausgehen muß, daß die Kenntnis der NS-Filme noch nicht umfassend sein konnte, so fällt doch auf, daß Kracauer ein starkes theoretisches Argument anführt, mit dem er die geringe Präsenz von antisemitischer Propaganda erklären möchte:

> Bis auf die obengenannte polnische Kriegsepisode beschränken sich diese Schmähungen auf ein paar Andeutungen, die ohne die Unterstützung des visuellen Elements in der Masse des Kommentars untergehen. Während die Nazis weiterhin ihren rassistischen Antisemitismus praktizierten, druckten und im Radio verbreiteten, spielte er nur eine geringe Rolle in den Kriegsfilmen, da sie anscheinend zögerten, ihn bildlich zu verbreiten. Auf der Leinwand waren antisemitische Umtriebe beinahe so tabu wie zum

Beispiel Konzentrationslager oder Sterilisationen. All das kann geschehen und in Wort und Schrift propagiert werden, aber es widersetzt sich hartnäckig bildlicher Darstellung. Das Bild scheint das letzte Refugium verletzter Menschenwürde zu sein.[15]

Daß es etwas in den Bildern selbst geben müsse, das eine Art heiliger Scheu vor seinem Mißbrauch verbreite, ist eine Annahme, die leider für die Nazis nicht zutraf. Weder umgingen sie die Darstellung der antisemitischen Propaganda-Entwürfe, noch schreckten sie davor zurück, in den Vernichtungslagern selber Filme von ihren Greueltaten anfertigen zu lassen. In Kracauer haben sich die divergierenden Tendenzen einer scharfsinnigen Ideologiekritik aus den Nischen der Exterritorialität heraus und des unbezähmbaren Wunsches nach der »Suggestivkraft des von der Kamera eingeheimsten Rohmaterials«[16] nie einseitig versöhnen lassen. Obwohl Kracauer außer in den kurzen Passagen zum Haupt der Medusa nicht die Frage stellt, ob der optische Primat in den über alles menschlich Erfahrbare im Sinne der Anschaulichkeit hinausgeschossenen Ereignissen der Vernichtungslager nicht endgültig als phänomenologischer Kurzschluß explodiert ist, wird in seinen Schriften aus der Emigration doch deutlich, daß ihn eine gewisse Zweifelsucht umtreibt. Die Bilder, zu denen er als Kritiker oft sehr dezidierte Positionen bezog, werden nun zu vieldeutigen Zeitzeugen, als könnten sie im nachhinein noch Mitteilungen enthalten, die, mit unsichtbarer Tinte geschrieben, erst dem Blick des Erfahrenen sich enthüllen.

So schreibt Kracauer 1930 über Josef von Sternbergs Film *Der blaue Engel* in der *Neuen Rundschau*:

Nicht daß der Roman Heinrich Manns hier mißbraucht wird, ist entscheidend; sondern daß dieses Vorkriegsbuch überhaupt zur Unterlage gewählt worden ist. Welches Interesse hat die Filmproduzenten, denen ja auch Manns »Untertan« zur Verfügung gestanden hätte, gerade auf die dunkle Psyche Professor Unrats und seine Beziehungen zur Sängerin Lola hingelenkt? Eben dieses, daß der Vorwurf des aktuellen Interesses enträt, daß er mithin gar kein echter Vorwurf ist. Mag die Auslese der in der Öffentlichkeit dargebotenen Stoffe und Gestaltungen bewußt oder unbewußt vor sich gehen, jedenfalls zielt sie, wie »Der blaue Engel« exemplarisch be-

[15] Siegfried Kracauer, »Propaganda und der Nazikriegsfilm«, wieder abgedruckt als »Anhang 1« in: Ders., *Von Caligari zu Hitler.* Eine psychologische Geschichte des deutschen Films, *Schriften*, Bd. 2, Frankfurt a. M. 1979, S. 358.
[16] Ders., *Theorie des Films*, a. a. O., S. 391.

zeugt, darauf ab, die Wirklichkeit vergessen zu machen, sie zu verhüllen. Das persönliche Schicksal Unrats ist nicht Selbstzweck, vielmehr: es ist nur ein Mittel zum Zweck der Wirklichkeitsflucht und gleicht darin der Malerei auf einem Theatervorhang, die das eigentliche Theaterstück vortäuschen soll.[17]

Interessant ist die zeitgenössische Kritik Kracauers am *Blauen Engel*, weil sie bereits vom Roman weglenkt auf eine eigenständige Sicht des Films und etliche ästhetische Eigenheiten bereits erkennt, die später für das Sternbergsche Werk von entscheidender Bedeutung werden sollten. Kracauer verweist nicht nur auf die gelungene Verwendung des Tons, auf die Perfektion des Films – er war auch früher Beobachter der Tendenz Sternbergs zur Flucht aus der Wirklichkeit, sowohl der sozialen wie der psychischen. Sondern Kracauer betont zu Recht auch gerade das Theatralische, Künstliche des Films, das Vakuum, aus dem er die Wirklichkeit abpumpt: »Weder Unrat noch Lola haben Luft genug, um zu atmen.«[18]

16 Jahre später, im amerikanischen Exil[19], greift Kracauer erneut auf den *Blauen Engel* zurück. In der »psychologischen Geschichte des deutschen Films« *Von Caligari zu Hitler* verschärft er den zeitdiagnostischen Ton zu einem a posteriori entworfenen Menetekel:

[17] Ders., *Der Blaue Engel,* in: *Die Neue Rundschau,* 1930, abgedruckt in: Ders., *Schriften,* Bd. 2, a.a.O., S. 418-419. Der zweite Band der von Karsten Witte herausgegebenen Schriften umfaßt außer der vollständigen Neuübersetzung von *Von Caligari zu Hitler* auch einen »Anhang 2: Filmkritiken 1924 bis 1939«, der auch die Kritik zum *Blauen Engel* enthält. Nicht nur in diesem hier exemplarisch zitierten Fall bietet der Anhang interessante philologische Vergleichsmöglichkeiten über die unterschiedliche Beurteilung und Einschätzung von Filmen vor und nach der Emigration. Die Erfahrungen des Nationalsozialismus und der Emigration bieten dabei gleichsam die Hintergrundsfolie für eine gesellschaftskritisch angesetzte Filmrezeptionsanalyse.

[18] Ebd., S. 419.

[19] Es hat sich in der Emigrationsforschung eingebürgert, terminologisch zwischen Emigration und Exil zu unterscheiden, um eine starke Differenz zwischen den ins Exil Gezwungenen und den aus eigenen Stücken Emigrierten markieren zu können. Kracauer entsprach wohl zeit seines Lebens dem Typus des Exilierten. Hätte man ihn gerufen, er wäre wohl doch auch wieder nach Deutschland zurückgekehrt: »Ich glaube, er wäre gerne zurück, wenn man ihn gerufen hätte. Und eigentlich hätte ihm die Frankfurter Allgemeine etwas anbieten sollen.« (Richard Plant, zitiert bei Jörg Bundschuh, »Als dauere die Gegenwart eine Ewigkeit«, in: *Text + Kritik*, Heft 68, München 1980, S. 10.) – Auch Adorno spricht in seinem kurzen Nachruf, daß »versäumt ward, ihn nach Deutschland zurückzuholen«. Theodor W. Adorno, »Nach Kracauers Tod«, in: Ders., *Gesammelte Schriften,* Bd. 20.1, Frankfurt a. M. 1986, S. 195.

Es ist, als ob der Film eine Warnung enthielte, denn diese Personen nehmen im Film vorweg, was ein paar Jahre später im wirklichen Leben passieren sollte. Diese Jungen sind geborene Hitlerjungen, und die Hahnschrei-Nummer ist nur ein bescheidener Beitrag zu einer Reihe ähnlicher, wenngleich raffinierter ausgeklügelter »Nummern«, die in den Konzentrationslagern der Nazis zum Zuge kamen.

Zwei Figuren halten sich abseits von diesen Geschehnissen: der Clown der Künstlergruppe – eine stumme Gestalt –, der seinen zeitweiligen Kollegen ständig beobachtet, und der Pedell, der beim Tod des Professors zugegen ist und entfernt an den Nachtwächter aus »Der letzte Mann« erinnert. Auch er spricht nicht. Diese beiden sind Zeugen, nehmen aber nicht teil. Was immer sie bewegt, sie mischen sich nicht ein. Ihre schweigende Resignation wirft schon ihre Schatten auf die Passivität vieler Leute unter totalitärer Herrschaft.[20]

Für Kracauer wird nun der *Blaue Engel* zu einem Produkt einer sehr spezifischen Konstellation: des Übergangs nämlich von der Weimarer Republik zum Nationalsozialismus. Unterzieht er in der ersten Kritik die »Wirklichkeitsflucht« einer moralischen Kritik, so wird sie in der zweiten differenziert. Nicht nur begründet Kracauer nun genauer die ästhetische Qualität des Films, er bescheinigt ihm auch eine gewisse, wenn auch undurchschaute Hellsichtigkeit in der Porträtierung eines Charakters, den Kracauer als die typische Figur des kleinbürgerlichen Rebellen festlegt, der am Ende gebrochen und reumütig dahin zurückkehrt, von wo er einmal im rebellischen Gestus aufgebrochen war: Ausbruch und endgültige Unterwerfung unter die Macht. Kracauer gibt dem Film und insbesondere der Darstellung Emil Jannings' eine sozialpsychologische Deutung, die er in seiner ersten Kritik wohl zurückgewiesen hätte. Ob sie im Film wirklich nachzuvollziehen oder eine Projektion Kracauers unter dem unmittelbaren Erfahrungsdruck der erlebten Wirklichkeit der nationalsozialistischen Vernichtung und Herrschaft ist, ist eine rezeptionsgeschichtlich offene Frage.[21] Sternberg zeigte sich verwundert über Kracauers Deutung seines Films als Vorahnung faschistischen Terrors und der KZ-Folter.

Kracauers Festhalten am Primat des Optischen, die Rettung der

[20] Siegfried Kracauer, *Von Caligari zu Hitler*, a. a. O., S. 229.

[21] Zur Einschätzung von Kracauers Kritiken zum *Blauen Engel* in bezug auf die filmästhetischen Eigenheiten Sternbergs vgl.: Gertrud Koch, »Zwischen den Welten – von Sternbergs *Der Blaue Engel* (1930)«; in: Dies., *»Was ich erbeute, sind Bilder«* – Zum Diskurs der Geschlechter im Film, Frankfurt a. M. 1989.

Wirklichkeit durch ihr Bild, stößt da an ihre Grenze, wo sich das, was im Bild gerettet werden und anamnetische Solidarität mit den Toten erst ermöglichen soll, jeder bildlichen Vorstellung entzieht. Der Konkretismus der Anschaulichkeit, der sich ans existierende Ding heften muß, sperrt sich von innen her gegen das, was die *Massen*vernichtung ausmachte. So stellt sich eine grauenvolle Hierarchie her von den Leichenbergen derer, die noch so lange überlebten, bis ihre toten Körper in Bildern eingefangen wurden, bis zu denen, die im buchstäblichen Sinn sich in Feuer und Rauch aufgelöst haben, ohne eine visuelle Erinnerungsspur rettend nach sich gezogen zu haben. So scheint es nicht zufällig, daß Kracauer eine der zentralen Fragen der Ästhetik nach Auschwitz nur nebenbei, auf Umwegen, stellt. Kracauer versuchte sich selbst im Primat des Optischen treu zu bleiben, während de facto kein Stein mehr auf dem anderen lag. Auch das konnte Kracauerscher Eigensinn sein.

Im Vorraum

Nach der *Theorie des Films* ist *Geschichte – Vor den letzten Dingen* das nächste und letzte Buch, das Kracauer verfaßt hat. Für ihn ist die Differenz zwischen beiden Bereichen gering. Nicht nur sieht er in der Verteidigung der Historiographie gegen die Wahrheitsansprüche der Philosophie auf der einen Seite und der exakten Wissenschaften auf der anderen einen ähnlichen Vorgang wie in der Verteidigung des Films, der aus der Sicht des Phänomenologen sich von der formalen Kunst ebenso fern zu halten hat wie von der bloßen Instrumentalisierung auf äußere Zwecke hin. Historiographie und Fotografie haben für Kracauer einen privilegierten Zugang zum Konkreten. Was die Errettung der Dingwelt im Bild ist, ist die Aufhebung der Dinge in den Sammlungen und Geschichten, die der Historiograph anlegt und schreibt.

Dieser Prozeß der rettenden Benennung vollzieht sich durch Verdinglichung, durch die Reproduktion der Aufnahmeapparatur für die Bilder. Will der Historiker zu den historischen Phänomenen gelangen, so muß er sich ihrer versteinerten Oberfläche mimetisch anverwandeln. Nicht durch subsumtionslogische Operationen auf die »Universalgeschichte« hin kann er die fremden, vergangenen Lebenswelten verstehen, sondern nur durch Versteinerung, »Selbstvertilgung«. Der Historiograph ist ein aus der Jetztzeit Exilierter, der sich in einem fremden Reich als stummer Beobachter aufhält. Dieses Bild des Historiographen ist gebildet nach dem des Exilierten:

Ich denke an den Exilierten, der als Erwachsener aus seinem Land vertrieben wurde oder es freiwillig verließ. (...) Das Verquere ist, daß er niemals ganz der Gemeinschaft angehören wird, der er nun so gut wie angehört. (...) Wo lebt er dann? Im fast vollkommenen Vakuum der Exterritorialität, dem wahren Niemandsland. (...) Die wahre Existenzweise des Exilierten ist die des Fremden. (...) Es gibt viele Historiker, die viel von ihrer Größe der Tatsache verdanken, daß sie Ausgebürgerte waren. (...)

Nur in diesem Zustand der Selbstvertilgung oder Heimatlosigkeit kann der Historiker mit dem ihn betreffenden Material kommunizieren. (...) Als Fremder in der von Quellen evozierten Welt sieht er sich vor die Aufgabe gestellt – die Pflicht des Exils –, ihre Oberflächenerscheinungen zu durchdringen, um zu lernen, jene Welt von innen her zu verstehen.[22]

Unschwer läßt sich in diesem Bild des Historiographen das Selbstporträt des Autors herauslesen, wie es aus unzähligen Motiven seiner frühen, sprachlich in vielen Schichten schimmernden Essays noch in Erinnerung geblieben ist. Daß aus der Position des »Wartenden« heraus, des »Passanten«, der ein »Vagabundierender« ist, jene Metamorphose der Versteinerung einsetzt, die Kracauer als »aktive Passivität«[23] beschreibt, sich auch der Historiograph bildet, ist nicht verwunderlich.

In der merkwürdig zwischen angestrengter Ideologievermeidung und Sehnsucht nach Sinn schwankenden Stimmung des Geschichtsbuches tauchen nun Motive auf, die zwar schon in den Essays zum »Ornament der Masse« aufblitzen, aber nun einen anderen, konkreteren historischen Sinn um sich sammeln. Die Sehnsucht, sich selbst der Welt der stummen Dinge zu assimilieren, ihr teilnehmender Chronist zu sein, blitzt bereits in der Schlußpassage, im »Abschied von der Lindenpassage« auf:

Was wir geerbt hatten und ungebrochen unser eigen nannten – im Durchgang war es wie in einem Schauhaus ausgestellt und zeigte die erloschene Fratze. Wir selber begegneten uns als Gestorbene in dieser Passage wieder.

[22] Siegfried Kracauer, *Geschichte – Vor den letzten Dingen*, a. a. O., S. 102f.
[23] Ebd., S. 103.

Aber wir entrissen ihr auch das uns heute und immer Gehörige, das dort verkannt und entstellt funkelte.[24]

Die Unmöglichkeit, Geschichte als logischen Ablauf chronologisch ablaufender Zeit zu rekonstruieren, die sich unter ein allgemeines Prinzip subsumieren ließe, setzt das Bild einer diskontinuierlichen, von Brüchen und Verwerfungen charakterisierten Welt frei, deren Chronist nur ein Überlebender sein könnte, der die Katarakte der Zeit durchschritten hat. An dieser Stelle nun greift Kracauer auf eine »legendarische« Figur zurück, die bereits dem Kapitel ihren Titel gegeben hat: »Ahasver oder das Rätsel der Zeit.« In dessen Figur sieht Kracauer die verlorene Einheit negativ aufgehoben. Er suggeriert uns in einer merkwürdigen Beschreibung die Figur des Überlebenden als diejenige dessen, der zum Nicht-Sterben verdammt ist, eine Figur, die uns von heute aus so deutlich an Symptome der Überlebensschuld erinnert, daß das einzig Rätselhafte in Kracauers Beschreibung das Aussparen dieser Konnotation bleibt:

Es will mir scheinen, daß der einzig verläßliche Gewährsmann in dieser Sache, die so schwierig zu ermitteln ist, eine legendarische Figur ist – Ahasver, der Ewige Jude. Er wüßte über die Entwicklungen und Übergänge in der Tat aus erster Hand Bescheid, denn er allein in der gesamten Geschichte hatte unfreiwillig Gelegenheit, den Prozeß des Werdens und Vergehens an sich zu erfahren. (Wie unaussprechlich schrecklich er aussehen muß! Gewiß, sein Gesicht litt nicht durch Altern, aber ich denke es mir zusammengesetzt aus vielen Gesichtern, deren jedes einen der Zeiträume spiegelt, die er durchzog und die alle ewig neue Muster ergeben, während er ruhelos und vergeblich auf seiner Wanderung versucht, aus den Zeiten, die ihn formten, jene Zeit zu rekonstruieren, die er zu inkarnieren verdammt ist.)[25]

Im weiteren Verlauf dieses Kapitels geht Kracauer noch einmal auf die Zeitkonstruktion in Marcel Prousts Roman ein, dessen Perspektive er wiederum amalgamiert mit der des Fotografen, der durch die Verdinglichung im Bild eine ästhetische Rettung sucht. Für Kracauer zeigt das Proustsche Unternehmen seine Klippen freilich in dem Umstand, daß sich die Geschichte des geschilderten Lebens erst von ihrem Ende her erzählen läßt, seine Fragmentierungen als Erinnerung von Erfahrungen auftauchten:

[24] Ders., »Abschied von der Lindenpassage«, in: Ders., *Das Ornament der Masse*, a.a.O., S. 332.
[25] Ders., *Geschichte – Vor den letzten Dingen*, a.a.O., S. 181f.

Und die Versöhnung, die er zwischen den anstehenden antithetischen Sätzen zuwegebringt – sein Verneinen des Zeitflusses und dessen (verspätete) Bejahung – hängt von seinem Rückzug in die Dimension der Kunst ab. Nichts dieser Art trifft aber auf die Geschichte zu. Weder hat Geschichte ein Ende, noch unterliegt sie ästhetischer Rettung.[26]

So gibt Kracauer an dieser Stelle seinem älteren, rationalistischen Impuls nach, wenn er die strenge Trennung zwischen Kunst und Geschichte aufmacht, die er im fotografischen Blick Prousts auf die Dinge schon fast vor unseren Augen zum Verschwinden gebracht hatte – aber nur, um den Rettungsgedanken auf einer höheren Ebene wieder auftauchen zu lassen. Das Ahasver-Kapitel beendet er mit drei Sätzen, die voller paradoxer Bedeutungen sind. Er schreibt:

Die Antinomie im Innersten der Zeit ist unauflösbar. Die Wahrheit ist vielleicht, daß sie erst gegen Ende *der* Zeit zu lösen ist. Prousts persönliche Lösung ist gewissermaßen ein Vorschein oder tatsächlich die Bedeutung dieses undenkbaren Endes – der imaginäre Augenblick, in dem Ahasver, ehe er sich auflöst, das erste Mal imstande sein mag, auf seine Wanderungen durch die Zeiträume zurückzusehen.[27]

Die Antinomie ist »unauflösbar«, die Wahrheit »vielleicht«, denn sie bezieht sich auf das Ende der Zeit, das »undenkbar« ist. Wenn das Ende der Geschichte kommt, wird Ahasver, der Chronist und Überlebende, sich auflösen, denn dann werden die Toten wieder auf die Erde zurückkehren. So wird am Ende Ahasver zu einer Stellvertreter-Figur, das schreckliche Gesicht, das aus den vielen Gesichtern der Toten zusammengesetzt ist. Der Sprung aus der Zeit, der undenkbare, wäre die Rettung. Kracauer freilich beläßt dies alles im Imaginären.

Nicht anders als in seinem Essay über »Die Wartenden«, in dem er aus dem Zerfall der alten Glaubensinhalte und der daraus entstehenden Leere und Sehnsucht einen skeptischen Rückzug aus der falschen Alternative zwischen dem »prinzipiellen Skeptiker« und dem »messianischen Enthusiasten« antritt:

Doch ist jeder Hinweis hier gewiß alles andere eher denn eine Weisung für den Weg. Muß noch hinzugefügt werden, daß das Sichbereiten nur Vorbereitung des Nichterzwingbaren: der Wandlung und der Hingabe ist? An welchem Punkt diese Wandlung nun eintritt und ob sie überhaupt eintritt,

26 Ebd., S. 187f.
27 Ebd., S. 189.

das steht nicht in Frage und darf auch die Sich-Mühenden nicht kümmern.[28]

Im Geschichtsbuch konstruiert Kracauer in seiner eigentümlichen Art mit dem Materialismus des gelernten Architekten, der auf Statik auch bei luftigen Bauten achtet, gleich einen Raum mit, der die Wartenden wie eine Bahnhofshalle aufnehmen soll. Der Historiker, schreibt er, »läßt sich in einem Bereich nieder, der etwas von einem Vorraum hat. (Und in diesem ›Vorraum‹ atmen wir, bewegen wir uns und leben.)«[29] Der »Vorraum« ist also unsere Lebenswelt, aus der heraus sich die Perspektive der Narrativisierung entfaltet, aus der konkreten Geschichte heraus. Nicht anders als in der *Theorie des Films* bleibt Kracauer auch in seinem letzten Buch seiner eigentümlichen Position zwischen Phänomenologie und Metaphysik treu. Der Primat des Optischen ist nur aufgegeben, um die Dinge in eine andere mediale Ebene zu bringen.

Die Wiederkehr des Absenten

In seinem großartigen Entwurf zu einer »qualitativen Inhaltsanalyse« hat Kracauer die Idee entwickelt, daß der vorherrschenden, unzureichenden positivistischen Vorgehensweise ein Instrument entgegenzuhalten wäre, das Kategorien nicht nur auf ihr Vorhandensein, sondern auch auf ihre singuläre Stellung oder ihre Abwesenheit hin zu untersuchen erlaube. Folgt man der methodischen Empfehlung ihres Hervorbringers, so ergibt sich, daß Kracauers Schriften sich nur singulär auf die Erfahrungen der Massenvernichtung einlassen, daß sich daraus aber nicht folgern läßt, die vereinzelt auftretenden Bemerkungen und Überlegungen seien als Quantité négligeable zu behandeln.

Die Überlegungen zur Massenvernichtung stoßen an die Binnengrenzen von Kracauers Konzept vom optischen Primat, der Anschaulichkeit. Sie kehren wieder als Flucht ins Imaginäre, in hilflose Paradoxien, als die der Gedanke an so etwas wie Versöhnung mit den Toten nur gedacht werden kann. Aber auch durch die merkwürdig mimetische Angleichung an die Toten scheint Kracauer den Schrecken zu vergegenwärtigen. Der Mut des Perseus,

[28] Ders., Die Wartenden, in: *Das Ornament der Masse*, a.a.O., S. 118f.

[29] Ders., *Geschichte – Vor den letzten Dingen*, a.a.O., S. 222.

dem Haupt der Medusa nicht zu entfliehen, sondern es anzusehen, hat ihm wohl nicht gefehlt. Aber das Schild der Athene, auf das er das Bild des Grauens wirft, ist das mythischer Versöhnung. Daß Kracauer im Alter den metaphysischen und ontologischen Tendenzen seines Denkens stärker gefolgt ist als in den skeptisch bis optimistischen Schriften aus der Weimarer Zeit, mag auch darin einen Grund haben.

Kracauer, »noch nirgends angenommen«, landet im Exil wie der Ismael in Melvilles *Moby Dick*: »Von diesem Sarg getragen, schwamm ich fast einen ganzen Tag und eine Nacht auf einer sanften, ihr Totenlied singenden See dahin. Ohne mich zu belästigen, glitten die Haie an mir vorüber, als hätten sie verriegelte Mäuler. Mit verschlossenen Schnäbeln kreisten die gierigen Raubvögel über mir. Am zweiten Tag kam ein Segelschiff näher und näher und nahm mich endlich auf. Es war die hin und her kreuzende ›Rachel‹, die auf der Suche nach ihren verschollenen Kindern nur noch eine Waise fand.«

Die ästhetische Transformation der Vorstellung vom Unvorstellbaren. Claude Lanzmanns Film *Shoah*

> Wenn mir zum Beispiel plötzlich die Vorstellung eines Toten erscheint, den ich liebte, so bedarf es keiner »Reduktion«, um einen unangenehmen Schock im Innern zu spüren: dieser Schock ist ein Teil der Vorstellung, er ist die unmittelbare Konsequenz der Tatsache, daß diese Vorstellung ihr Objekt als ein Nichts an Sein gibt.[1]
>
> Jean-Paul Sartre, *Das Imaginäre*

Vergegenwärtigt man sich die Debatten, die seit einigen Jahrzehnten mit mehr oder weniger Intensität um die Frage einer Ästhetik nach Auschwitz kreisen, so zerfallen sie im Lichte der Rekonstruktion in eine moralische und eine materiale Frage: die moralische ist die, ob, nachdem in Auschwitz jede Hoffnung auf die Tragfähigkeit des humanen Fundaments der Zivilisation zuschanden ging, die Utopie des schönen Scheins der Kunst nicht endgültig zur falschen Metaphysik sich verflüchtigt hat, generell, ob Kunst überhaupt noch möglich sei; die zweite, materiale, macht sich an der Frage fest, wie und ob Auschwitz der ästhetischen Repräsentation und Imagination eingeschrieben werden kann und ist. In den »Meditationen zur Metaphysik«, mit denen Th. W. Adorno seine *Negative Dialektik* endet, gibt der Autor denen eine bündige Antwort, die aus seinem früheren Aperçu, nach Auschwitz ließe sich kein Gedicht mehr schreiben, ein moralisch-normatives Tabu errichten wollten:

> Das perennierende Leiden hat soviel Recht auf Ausdruck wie der Gemarterte zu brüllen; darum mag falsch gewesen sein, nach Auschwitz ließe kein Gedicht mehr sich schreiben.[2]

Allerdings, so fährt Adorno fort, stellt sich nach Auschwitz die Frage nach dem Weiterleben nicht nur der Kunst, sondern des von der Überlebensschuld Gezeichneten: »Sein Weiterleben bedarf schon der Kälte, des Grundprinzips der bürgerlichen Subjektivi-

1 Jean-Paul Sartre, *Das Imaginäre*, Reinbek 1971, S. 56.
2 Theodor W. Adorno, *Negative Dialektik*, Frankfurt a. M. 1966, S. 353.

tät, ohne das Auschwitz nicht möglich gewesen wäre: drastische Schuld des Verschonten.«[3] Die moralische Frage läßt sich nicht als ästhetische einkreisen, es läßt sich aber festhalten, wo Ästhetik in schlechte Metaphysik übergeht: dort nämlich, wo die ästhetische Imagination der Vernichtung dieser metaphysischen Sinn abpreßt. Diese Tendenz taucht schon früh in den ersten literarischen Zeugnissen der Massenvernichtung auf als theologische oder ins Metaphysische vorangetriebene existentialistische Deutung. Aber auch unabhängig von der konkreten, ästhetischen Struktur einzelner Werke wird der metaphysische Rettungsanker ausgeworfen, wo immer die Vernichtung thematisiert ist. Von zentraler Bedeutung erscheint dabei, daß die ersten literarischen Werke in ihrer Mehrheit von Autoren geschrieben wurden, die selbst der Vernichtungsmaschinerie entronnen oder entgangen waren. In ihren Werken drückt sich so einerseits in der Tat das Brüllen Gemarterter aus, aber eben auch die Gefühle »drastischer Schuld der Verschonten«. Das zieht die manische Suche nach »Unschuld« und Verklärung nach sich, sei es in einem theologischen Sinn oder im moralischen. Die manische Suche danach, noch in der von Menschen veranstalteten Hölle sich der moralischen Substanz des Menschlichen zu versichern, als könne dadurch die Perspektive des Überlebens doch noch in einen sinnhaften, dem universalen Gefühl der Schuld entzogenen Zusammenhang gebracht werden, hat nicht nachgelassen. So konnte noch Sami Nair in *Les Temps Modernes* in einem Essay zu Claude Lanzmanns Film *Shoah* sich dazu hinreißen lassen, auf die metaphysische Metaphorik auszuweichen, wenn er schreibt, daß Lanzmann

> (...) die Überlebenden aus den »jüdischen Arbeitskommandos«, derer sich die Nazis zur Ermordung ihrer (der jüdischen) Brüder und Schwestern bedienten (...), rehabilitiert und hier zu Heiligen verklärt, indem er ihre innere *Unschuld* zeigt (...).[4]

Was die Argumentation von Sami Nair so fatal erscheinen läßt, ist ihre implizite Annahme eines *inneren* moralischen Entscheidungsspielraums, in dessen Rahmen jemand schuldig oder unschuldig werden konnte. In der Tat basiert die moralische Dimension des menschlichen Handelns auf der Fähigkeit zur Unterscheidung und der Entscheidung, das zu tun, was man für das Richtige hält. Wo

[3] Ebd.

[4] Sami Nair, *Les Temps Modernes*, Nr. 470, Paris 1985.

freilich die Möglichkeit zur Entscheidung in einem so extremen Maße zerstört wird wie im terroristischen Areal eines KZs, nimmt sich die Feier der minimalisierten Bewußtseinsprozesse als eine metaphysische Größe aus. Selbst wenn man diesen »inneren« Spielraum, wie das Bruno Bettelheim getan hat, für relevant ansieht, so scheint er doch nicht auszureichen, um ihn zum Maßstab zu machen, nach dem man die Opfer der KZs *moralisch* rehabilitieren und dann folglich auch diskreditieren könnte. Das soll nicht heißen, daß es nicht unterschiedliches Verhalten gegeben hat, nur: aus dem »inneren« Widerstandspotential einzelner läßt sich keine moralische Verpflichtung für alle ableiten, sich in Situationen, die jedes menschliche Maß an Freiheit vernichten, moralisch zu verhalten. Ganz zweifellos kommt Nair zu dieser impliziten Vorstellung von einer intakten »inneren« Freiheit über die Prämissen eines einseitig dezisionistisch ausgelegten Existentialismus, der im fatalen Paradigma Sartres, daß auch unter der Folter noch die Freiheit der Wahl bestehe, angelegt ist und die Debatten begleitete.

Im ästhetischen Bereich hat dieses in den Debatten der fünfziger Jahre einflußreiche Paradigma zu jener affirmativen Verklärung noch des Schreckens geführt, die, wie Adorno in einer nicht immer dem Text angemessenen Abrechnung mit Sartres Begriff der engagierten Literatur drastisch anmerkt,

> absichtlich oder nicht, durchblicken läßt, selbst in den sogenannten extremen Situationen, und gerade in ihnen, blühe das Menschliche; zuweilen wird daraus eine trübe Metaphysik, welche das zur Grenzsituation zurechtgestutzte Grauen womöglich insofern bejaht, als die Eigentlichkeit des Menschen dort erscheine.[5]

Allerdings, möchte ich vorausschicken, scheint mir, daß Nairs Anmerkung zwar den Ton der fünfziger Jahre und des Grenzsituationstopos trifft, aber nicht die ästhetische Konstruktion von Lanzmanns Film. Dieser setzt nämlich weder am verengten Situationskontext an noch gar an der theologischen Variante der affirmativ-sinnstiftenden literarischen Verarbeitung der Vernichtungslager, wie sie noch auf höchstem ästhetischen Niveau die Lyrik Nelly Sachs' durchzieht. Im übrigen lassen sich die verschiedenen Deutungsmuster, die den Darstellungen der Vernichtungslager eingeschrieben sind, nicht nach Genres oder literarischen Formen

[5] Theodor W. Adorno, »Engagement«, in: *Noten zur Literatur III*, Frankfurt a. M. 1965, S. 127.

trennen. Weder ist die reine autobiographische, dokumentarische Literatur frei von den Zwängen der Sinnsuche, noch verfallen ästhetisch durchgeformte Werke wie das Paul Celans etwa notwendig qua ästhetischer Stilisierung in affirmative Überhöhung. In seiner differenzierten Studie über *Versions of Survival*, die sowohl die literarischen wie die dokumentarischen und psychologischen Zeugnisse über die Vernichtung einbezieht, kommt Lawrence L. Langer zum Schluß:

> We need to measure the various versions of survival by their fidelity to the ethical (and physical) complexities of the deathcamp experience, not by their success in repairing the ruptured connection between human will and human fate until it is restored to its pre-Auschwitz condition. If our age of atrocity has taught us anything, it has taught us that the certainty of that connection will never be as firm.[6]

Authentizität als Kriterium schließt in der Tat viele Formen und Genres ein. Unverkennbar aber ist auch seine Option auf eine Ästhetik der Moderne, die nicht Botschaft, sondern Ausdruck meint. Lassen sich die affirmativen Züge metaphysischer und/oder theologischer Sinnstiftung von Deutungsmustern der Vernichtung mit vor-moderner Ästhetik in Verbindung bringen, so liegen auf der anderen Seite die ungelösten Aporien der autonomen Kunst auf der Waagschale. Diese bezieht ihre Stärke aus dem Imaginationstheorem, daraus, daß Kunst Vorstellung, nicht Darstellung, Ausdruck, nicht Abbildung sei. Der Imagination kommt eine eigene Autonomie zu, sie kann entwerfen, das gesellschaftliche Sein vernichten, zum radikal anderen transzendieren, noch das sprachlose, verborgene Natursubstrat im stummen Körper wieder aufscheinen lassen. Nun scheint auf den ersten Blick die autonome Freiheit der Imagination, die sich von keinem Sinnkonzept in Fesseln schlagen läßt, weit weniger vorbelastet, den Anspruch auf Ausdruck der Geschundenen und Gemarterten nicht in Affirmation zu ersticken.

Die Autonomie der Kunst aber ist selbst nicht unbegrenzt. In gewisser Weise findet sie ihre Grenzen in dem, was die menschliche Imagination umfaßt. Mit Konsequenz stellt darum Langer dem ersten Kapitel seines Buches ein Zitat aus Samuel Becketts *Endspiel* voran:

6 Lawrence L. Langer, *Versions of Survival*, New York 1982, S. 216.

I use you words taught me. If they don't mean anything any more, teach me others. Or let me be silent.[7]

Das Verstummen, sich Verrätseln moderner Kunst ist selbst schon eine Reflexion auf diese Grenze. An den ästhetischen Nerv der Imagination rührt auch folgender Passus aus den schon zitierten »Meditationen zur Metaphysik. I Nach Auschwitz«:

Das Erdbeben von Lissabon reichte hin, Voltaire von der Leibnizschen Theodizee zu kurieren, und die überschaubare Katastrophe der ersten Natur war unbeträchtlich, verglichen mit der zweiten, gesellschaftlichen, die der menschlichen Imagination sich entzieht, indem sie die reale Hölle aus dem menschlich Bösen bereitete.[8]

Die Grenzen der Imagination von einem menschlich Bösen sind die der Gesellschaft, die zur *realen* Hölle werden läßt, was sich in der Imagination noch als das menschlich Böse vorstellen ließ. Das erklärt den mühseligen und zähen Kampf um die »innere Unschuld«: die äußere Grenze der Imagination wieder nach Innen zu schieben. Freilich bekommt vor dieser historischen Dimension einer uneinholbaren Differenz zwischen dem, was menschlich vorstellbar, und dem, was sich als gesellschaftlich machbar erwiesen hat, auch der Versuch, die Kategorie des Bösen wenigstens noch in der Ästhetik absolut zu setzen, wie ihn Karl Heinz Bohrer jüngst unternommen hat, etwas fast rührend Überholtes. Sowenig wie der Beelzebub der Theologie oder das negative Absolute der Metaphysik kann das Satanisch-Böse der ästhetischen Imagination die reale Hölle im ästhetischen Schein überbieten. Um sein Theorem aufrechterhalten zu können, muß Bohrer den »beunruhigende(n) Schritt in das Namenlose unbegrenzter Vorstellungskraft, die durch keinen der bekannten Diskurse mehr kontrolliert wird«[9], beschwören, während historisch die Grenzen der Vorstellungskraft längst gezogen wurden, und zwar nicht inhaltsästhetisch, sondern gesellschaftlich.

Die nicht ganz frei von falschem Pathos vorgetragene Anklage, daß die ästhetische Imagination der Vernichtung darum ganz zu unterlassen sei, wird freilich völlig schief, legt sich gegen die legitimen Ansprüche auf Ausdruck. Aus einer objektiven gesellschaft-

7 A.a.O., S. 1.
8 Theodor W. Adorno, *Negative Dialektik*, a.a.O., S. 352.
9 Karl Heinz Bohrer, »Das Böse – eine ästhetische Kategorie?«, in: *Merkur*, Heft 6, 39. Jahrgang, Juni 1985, Stuttgart, S. 472.

lichen Grenze eine normative Inhaltsästhetik heraus begründen zu wollen ist ein autoritäres Verlangen, wo es doch erst einmal darum geht zu untersuchen, wie diese Grenze in der Kunst selbst reflektiert und nachgezogen wird. Was dann noch als unhintergehbare Bedingung des Ästhetischen das Skandalon ausmacht, ist der noch im sprödesten Kunstwerk enthaltene Genuß, der aus der Transformation ins Imaginäre geschöpft wird, die Distanz ermöglicht, Kälte des Betrachtens.

Im folgenden möchte ich zeigen, wie eine radikale ästhetische Transformation dieses Problems in Claude Lanzmanns Film *Shoah* gemacht wurde. Die Debatte um diesen Film vor allem in der Bundesrepublik hat sich in den meisten Fällen ästhetischer Kritik enthalten und ihn als »erschütterndes Dokument« dargestellt, aus dem vielfältige historische, politische und moralische Komplexe herauslesbar sind. Daß es sich außerdem auch um ein Kunstwerk handelt, wurde eher nebenbei und fast verschämt konstatiert. Puristen der dokumentarischen Form kamen dabei noch am ehesten in die Nähe des Problems, weil ihnen ins Auge stach, daß weite Strekken des Films eben gar nicht dokumentarisch sind.

Lanzmann selber hat keinen Zweifel daran gelassen, daß sein Konzept weit über das Porträtieren von Augenzeugen hinausgeht. Er vertritt die Auffassung, daß die Personen in seinem Film spielen: sie spielen nach, was sie durchlebt haben, le vécu. Das meint jedoch etwas anderes als sich erinnern. Sich erinnern kann heißen: »Ach ja, ich erinnere mich, damals war ein heißer Tag, ich befand mich in der und der Situation usw.« Ein Erinnerungssatz muß überhaupt nichts davon enthalten, wie ich diese Situation erlebt habe. Darum muß Lanzmann darauf beharren, daß die Personen des Films nicht Erinnerungen erzählen, sondern Situationen wieder durchleben. Was das meint, kann ein krasses Beispiel erläutern: in der gefilmten Sequenz sagt der polnische Exilpolitiker Jan Karski, daß er nie über seine Erlebnisse im Warschauer Getto gesprochen habe. Als Erinnerung ist das lückenhaft, Historiker wissen, daß Karski darüber publiziert hat, daß er unmittelbar nach seinem Besuch im Getto Bericht davon gegeben. Was aber in dieser Formulierung zum Ausdruck kommt, ist das Gefühl, nur schwer darüber sprechen zu können, was Karski durchlebt, ist der Schock, der sprachlos macht, den er im Getto bekam, als er sah, was dort zu sehen war.

Zu diesem Konzept gehört, daß Lanzmann zum Spiel auffordert, er läßt ganze Szenarien nachspielen, mit einem ausgeliehenen Zug, mit der Aufforderung, Gesten, Handlungen nachzuspielen. Das ist durchaus einem Konzept wie der Sartreschen existentiellen Psychoanalyse geschuldet, daß noch vor der symbolbildenden Sprache physische Materialität liegt, ein dreistes Lachen, die kaum unterdrückbare sadistische Freude an der Drohgebärde: das alles bricht erst durch, wenn die Gesten, Körperhaltungen wiederholt werden. Im Spiel macht sich jeder wieder zu dem, der er ist, das ist das Authentizitätskriterium von *Shoah*, das ist die immense visuelle Kraft dieses Films, die ihn von anderen »Interview«-Filmen so deutlich unterscheidet. Die Maske des Lächelns, die vor der versteinerten Innenwelt des ehemaligen »Muselmanen« liegt, der im KZ nur durch die vorweggenommene Totenstarre überleben konnte, ist nicht weniger authentischer Ausdruck als der erschütternde Zusammenbruch. So ist es gerade die Transformation ins Spiel, die den Ernst der Darstellung bestimmt. In der Tat verführt, verleitet, überredet Lanzmann die Protagonisten, Dinge zu tun und zu sagen, die sonst verschwiegen, verdeckt geblieben wären. Das hat Lanzmann moralische Kritik eingetragen, die viel vom alten Affekt gegen alles Ästhetische an sich hat, daß im geraubten Bild die Seele des Abgebildeten eingefangen wird, und in der Tat steckt in jedem ästhetischen Bild ein dem gesellschaftlichen Sein entrissenes Beutestück, das darum freilich nicht minder legitim bleibt. Darin steckt keinerlei ästhetische Koketterie oder eitle Anmaßung eines Regisseurs, der die Spielleitung nicht aus den Händen geben will. Was Lanzmann damit meint, ist eben das Problem der Imagination: wenn erzählt wird, wird eine Vorstellung gegeben, die Vorstellung von etwas Abwesendem. Die Vorstellung, das Imaginäre, darin ist Lanzmann treuer Sartrianer, ist die Anwesenheit einer Abwesenheit, die außerhalb des raum-zeitlichen Kontinuums der gegenwärtigen Vorstellung liegt.

Strikt hält Lanzmann sich dabei innerhalb der Grenzen dessen, was vorstellbar ist: für das Unvorstellbare, die konkrete industrielle Abschlachtung von Millionen, setzt er die konkrete bildliche Vorstellung ab. Es gibt keine Bilder der Vernichtung selbst, ihre Vorstellbarkeit wird noch nicht einmal in den bestehenden dokumentarischen Fotos, die sonst durch jeden Film zum Thema geistern, evoziert. In dieser Aussparung zieht Lanzmann die Grenze zwischen ästhetisch, menschlich Vorstellbarem und dem unvorstellbaren Ausmaß der Vernichtung. So stellt der Film selbst

Was in den Waggons geschah,
Die Leute verhungerten
nicht nur, sie erstickten.

Abb. 17

Abb. 18

ein dialektisches Verhältnis her: in der Aussparung gibt er eine Vorstellung vom Unvorstellbaren. Aber noch auf andere Weise kreist er das Problem ein: er beginnt ganz wörtlich mit der ästhetischen Transformation des Satzes, daß die Vernichtung *statt*gefunden hat, indem er ihn räumlich projiziert ins Sichtbare. Er fährt an die Stätten der Vernichtung. Verräumlichung findet in der Gegenwart statt, abwesend bleibt, was zeitlich zurückliegt, die Vernichtung selbst. Sie wird nur (oft aus dem Off) in der Imagination der Protagonisten ausschnitthaft erzählt. Die Länge des Films mag viele darin getäuscht haben, daß er eine komplexe Montagestruktur hat, die vielfältig mit Real- und filmischer Zeit spielt. Die Anordnungen auf einer gleichen Zeitebene von räumlich weit auseinanderliegenden realen Ereignissen, wie z. B. einer Erzählstimme aus Israel und einem Gang durch das bewaldete Areal eines Vernichtungslagers, zielen auf eine Irritation der realistischen Raum-Zeit-Gewißheiten: die Anwesenheit einer Abwesenheit in den Imaginationen der Vergangenheit verbindet sich mit dem Konkretismus der Bilder gegenwärtiger Orte. Vergangenheit und Gegenwart greifen ineinander, das Vergangene wird vergegenwärtigt, das Gegenwärtige in den Bann der Vergangenheit gezogen. Die langen Schwenks, die die Realzeit des Blicks realisieren, bleiben im historischen Raum gefangen. In vielen dieser Einstellungen kommt ein Zug des Nicht-Entrinnen-Könnens, der Eingeschlossenheit zum Tragen. Die Kamera, wo sie nicht den subjektiven Blick aufnimmt, wird z. B. in einer Einstellung so bewegt, daß sich eine Gruppe von Menschen, die sich von ferne vom Waldrand her in das Feld hineinbewegt, nicht wirklich nähern kann, sondern immer wieder von der Kamera im Feld auf Distanz gehalten wird. Die Kamera bewegt sich ästhetisch autonom, sie ist nicht dokumentarisch, sondern imaginativ eingesetzt.

Am drastischsten wird dies, wenn Lanzmann sie einbaut in die fiktiven Szenarien des Nachspiels, zu dem er nicht nur die Protagonisten, sondern auch sich selbst und die Zuschauer zwingt. Der Eisenbahnzug, den er in Treblinka einfahren läßt, tut dies in einer subjektiven Einstellung. Der Zuschauer fährt mit: das ist auch eine schleichende Verführung. Erst läßt Lanzmann den Zugführer von damals noch einmal die Fahrt machen, dann ist er es selbst, und mit einer verspäteten Schrecksekunde registriert schließlich der Zuschauer, daß er mit im Zug sitzt, der unweigerlich den Schienen in das Areal des Vernichtungslagers folgt. Die subjektive Kamera überschreitet freilich nie die Grenze, sie nimmt uns gerade immer nur so weit mit, uns am Rande der Imagination die Wirklichkeit der Vernichtung, die reibungslose Selbstverständlichkeit ihrer Ausführung ahnen zu lassen – ohne in die Peinlichkeiten schauerromantischen Gruselns zu verfallen.

Die Erfahrung der äußersten Diskrepanz zwischen dem, was zu sehen ist, und der Vorstellung, die das Gesehene auslöst, organisiert Lanzmann ästhetisch in der beschriebenen Montage von Raum und Zeit. Es ist die Diskrepanzerfahrung der Ungerührtheit der ersten Natur gegenüber den Schrecken der zweiten. Damit schließt Lanzmann an Darstellungstendenzen an, die schon früh in den literarischen Verarbeitungen der Vernichtung auftauchen. Ich denke dabei vor allem an die Erzählungen von Tadeusz Borowski, aus dessen Erzählung *Die Herrschaften werden zum Gas gebeten* das folgende Stück stammt:

Ein kleiner Platz, Schutt, ringsum das Grün hoher Bäume. Früher war hier eine winzig kleine Bahnstation irgendwo in der Provinz. Etwas abseits, dicht am Straßenrand, steht ein geducktes Häuschen, kleiner und häßlicher noch als das kleinste, häßlichste Häuschen, das ich jemals gesehen habe. Ein Stück weiter, hinter der hölzernen Bude, türmen sich ganze Halden von Schienenschwellen, Berge von Schienen, riesige Haufen gesplitterter Bretter, zerbrochene Barackenwände, Ziegel, Steine, Brunnenringe. Hier ist der Ladeplatz für alles, was nach Birkenau geht. Material zum Aufbau des Lagers und Menschenmaterial für die Gasöfen. Es ist ein Arbeitstag wie jeder andere: Lastwagen fahren vor, laden Bretter auf, Zement und Menschen.[10]

Wenn man statt früher »heute« einsetzt und das folgende in die Vergangenheitsform, dann taucht das Lanzmannsche Szenario auf. Noch deutlicher wird dies an anderen Stellen derselben Erzählung:

Wir gehen an allen Abteilungen des Lagers II B vorbei, dem unbewohnten Abschnitt C, dem tschechischen Lager, der Quarantäne, dann tauchen wir in das Grün der Apfelbäume und der Birnbäume, die das Truppenlazarett umgeben. Das Grün, hervorgeschossen in den paar heißen Tagen, mutet uns wie eine unbekannte Mondlandschaft an.[11]

Und selbst die Kirche, auf die Lanzmann vom jüdischen Friedhof schneidet, ist bei Borowski präsent:

[10] Tadeusz Borowski, »Die Herrschaften werden zum Gas gebeten« (1946), in: *16 polnische Erzähler (hg. von M. Reich-Ranicki)*, Reinbek 1964, S. 111.
[11] A. a. O., S. 110f.

Abb. 19

(...) ihre Augen folgten träge und gleichgültig den majestätischen Figuren in den grünen Uniformen, irrten zum nahen und doch unerreichbaren Grün der Bäume, zum spitzen Turm der Kirche, von der ein verspäteter Angelus herüberklang.[12]

Damit soll nicht gesagt werden, daß Lanzmann Borowski verfilmt, sondern der Vergleich soll verdeutlichen, daß es eine ästhetische Transformation der Vernichtungserfahrung gibt, die sich nicht in den Fallen gängiger Verdikte und Paradigmen verstricken läßt. Claude Lanzmanns *Shoah*, das ist mein Argument, steht in dieser Tradition der ästhetischen Transformation der Vorstellung vom Unvorstellbaren. Daß er darüber hinaus genug Material für notwendige politische und historische Debatten anbietet und beiträgt, steht ganz außer Zweifel. Die Faszination, die er ausübt, seine düstere Schönheit, ist allerdings eine ästhetische Qualität, die zu unterschlagen oder in untergründige Ressentiments gegen den Charakter seines Hervorbringers zu verdrängen mir fahrlässig erscheint.

Der Engel des Vergessens und die black box der Faktizität – Zur Gedächtniskonstruktion in *Shoah*

Die Dialektik von Vergessen und Erinnern impliziert, daß Erinnern ein Vorgang ist, der sich im Bereich der Imagination abspielt: Erinnert wird das Abwesende, Vergangene, das nun als Vorstellung wiederkehrt, gebannt in der ästhetischen Form. Aus diesem Verhältnis entsteht die Vorstellung, daß Kunst und Trauer unabtrennbar sind, jedes Kunstwerk ein Nachruf am Grab der Zeit.

Sieht man einmal von der in der autonomen Ästhetik zur creatio ex nihilo radikalisierten Subjektzentrierung ab, die jeden Repräsentationsanspruch schließlich zugunsten eines radikalen Schöpfungskonzepts abstreift, dann lassen sich an einer Ästhetik, die auf die Dialektik von Vergessen und Erinnern aufbaut, auch einige pragmatische Kontextuierungen vornehmen. Erinnern als ein solipsistischer Akt des Subjekts wird in seiner ästhetischen Transformation objektiviert: subjektive Erinnerung wird als Gedächtnis konstruiert, das sich nun als Objekt für andere konstituiert. Damit verschiebt sich der Geltungsanspruch. Mit der semantischen Verschiebung von »Erinnerung« in »Gedächtnis« wird nämlich die

[12] A.a.O., S. 113.

Entlastung von Wahrheitsansprüchen, wie sie dem Imaginären subjektiver Erinnerung zukommt, auf eine andere Problemebene verlagert: was als Gedächtnis konstruiert wird, soll anderen in Erinnerung bleiben. Die Frage, ob eine ästhetische Repräsentation historischer Ereignisse möglich ist oder ganz einem narrativen Point-of-View-Relativismus verfallen muß, wird damit anders gestellt. Die Geltungsansprüche einer »wahrheitsgetreuen Beschreibung« werden zumindest tendenziell in einem intersubjektiven Verweisungszusammenhang neu gefaßt. Die Debatte um die ästhetische Transformation historischer Ereignisse wie die Shoah, die in den letzten Jahren geführt wurde, möchte ich im folgenden aus der Dialektik von Vergessen und Erinnern (Gedächtnis) heraus noch einmal aufgreifen.

Schalom Asch, Klassiker der jiddischen Literatur und damit Protagonist einer literarischen Schule, die wie kaum eine andere in der Moderne ebenso verspätet zur Tradition steht wie zur Moderne, zu der sie gerade dadurch wird[13], hat in seinem Roman *Der Nazarener* ein schwer durchdringliches Geflecht aus Vergangenheit und Gegenwart in einen historischen Roman vernäht, der ohne eine spezifische Lesart der kabbalistischen Vorstellung der Seelenwanderung undenkbar wäre. Der Roman beginnt mit der apodiktischen Feststellung: »Nicht das Erinnerungsvermögen, sondern gerade sein Gegenteil, die Fähigkeit zu vergessen, ist eine notwendige Bedingung menschlichen Daseins«, um von dort aus weiterzuschreiben unter der Autorität einer Lehrmeinung, deren Wahrheitsgehalt er klug genug ist unter die Perspektive einer Ansicht zu stellen:

Wenn die Lehre von der Seelenwanderung wahr ist, müssen die Seelen, wenn sie von einem Körper in den anderen hinüberwechseln, durch das Meer des Vergessens hindurchgehen. Nach jüdischer Ansicht geschieht dieser Übergang unter der Hochgewalt eines Engels, der heißt Engel des

[13] Vgl. A. Tilo Alt, »Die ideologische Komponente der jiddischen Literatur und die Frage der Modernität«, in: Albrecht Schöne (Hg.), *Kontroversen, alte und neue:* Akten des VII. Internat. Germanisten-Kongresses, Göttingen 1985, Bd. 5, *Auseinandersetzungen um jiddische Sprache und Literatur.* Hg. von Walter Rölle u. a., Tübingen 1986. Die eigentümliche Stellung zur Modernität kommt deutlich auch zum Tragen in der russischen Avantgarde, in der sich eine bewußt auf ihr Judentum beziehende Gruppierung auftrat. Das Esoterische der ästhetischen Avantgarde und das Exoterische der politischen Avantgarde, die sich darin verbinden sollte, war eine Transformation des chassidischen Erbes, das ebenfalls eine esoterische Lehre zu exoterischer Wirkung bringen wollte.

Vergessens. Zuweilen aber begibt es sich, daß der Engel des Vergessens selber die Spuren der früheren Welt aus unserem Gedächtnis zu tilgen vergißt, und dann gespenstern in unseren Sinnen fragmentarische Erinnerungen an ein anderes Leben. Sie treiben wie zerrissene Wolken über die Hügel und Täler der Seele, seltsam in die Geschehnisse unseres Alltags verwoben. Von Wirklichkeit umhüllt, treten sie in Gestalt von Alpträumen hervor, die uns in unseren Betten besuchen. Das ist dann nicht anders, als lauschte man gerade einem Radiokonzert und hörte plötzlich eine fremde Stimme eindringen, die von einer anderen Ätherwelle fernher getragen wird und mit einer anderen Melodie beladen ist.[14]

Der mythische Akteur in Aschs Roman ist in der Tat der vergeßliche Engel des Vergessens, der die Spuren einer Existenz zur Zeit Jesu mit der Gegenwart eines polnischen Orientalisten und Antisemiten verbindet. Es bedarf keiner interpretatorischen Finesse, um die poetische Kraft dieser Figur in ihrer mythisch dämonischen Ausstrahlung zu erkennen. Das stellt sie in die Tradition jüdischer Angelologie, die ihr Personal oft mit Kräften ausstattet, deren Vektoren sowohl ins Gute wie ins Böse, in der kabbalistischen Praxis in weiße und schwarze Magie ausschlagen können. Daß Aschs Engel des Vergessens sich mit der Seelenwanderung verbindet, liegt auf einer ähnlichen Ebene. Immerhin ist die Idee der Seelenwanderung in den verschiedenen kabbalistischen Auslegungen einmal als Strafe für Sündige gedacht, bei Luria schließlich als ein allgemeiner Zustand des Exils, der anhält bis in die messianische Zeit. Wie stark der Wunsch war, sich die Strafen poetisch auszumalen, bezeugt eine Zeile des Rabbi Salomon Ibn Gabirol in einer seiner religiösen Dichtungen, in der er den kosmischen Aufbau nicht viel anders als die Kabbalisten beschwört, um schließlich bei den ausgestoßenen Seelen zu landen:

Doch ward sie unrein, muß umher sie irren,
In Qual und in Verzweiflungswirren,
Und sitzt einsam, verstoßen, ausgeschlossen,
Darf dem Heilgen nicht nahn, bis der Läuterung Frist verflossen.[15]

[14] Schalom Asch, *Der Nazarener* (orig. Sholem Asch, *The Nazarene*, New York 1939), Bermann-Fischer/Querido Amsterdam 1950, aus dem Englischen übersetzt von Paul Baudisch, S. 9.

[15] R. Salomo ibn Gabirol, »Die Königskrone«, in: Michael Sachs, *Die religiöse Poesie der Juden in Spanien*. Zum zweiten Male mit biographischer Einleitung und ergänzenden Anmerkungen herausgegeben von S. Bernfeld, Berlin 1901, S. 18. Das 1845 von Sachs herausgegebene Buch mit Übersetzungen war die Grundlage für Heinrich Heines Lektüre von Jehuda Halevi. Es steht mir nicht an, die Übersetzungsprobleme

In diesem Kontext muß man den Auftritt des Engels des Vergessens als den einer weißen Macht sehen, denn die auf Wanderschaft geschickte Seele bekommt mit ihr die Chance zur Läuterung, durch die sie sich das traurige Schicksal der unreinen Seele in Gabirols Version durch aktive Nutzung der Frist abkürzen könnte. Das Vergessenkönnen als Voraussetzung zum Vorgang der Erinnerung ist unabdingbar, und es nimmt nicht weiter wunder, daß gerade in der jüdischen Tradition mit ihrer starken Emphase auf dem Eingedenken das Vergessen, das dem Gebot auf Dauer und qualvoll im Wege zu stehen scheint, zu einem mythischen Antipoden wird. Die Diskussion, ob Gershom Scholem die Differenz zwischen den schöpferischen Ritualen der Kabbala und den trockenen Riten des Eingedenkens im rabbinischen Judentum nicht überzogen hat, wie auch Yerushalmi anmerkt[16], soll hier nicht geführt werden.

Aschs Figur des Engels des Vergessens kann man freilich auch ganz anders deuten. Er ist nämlich durch seine Vergeßlichkeit derjenige, der Vergessen ermöglicht, das die Vergangenheit auf die schmale Spur der Erinnerung lenkt, seine Kostbarkeit ausmacht. Daß die Erinnerung in der Romantik zur poetischen Schubkraft wird, verweist aber vor allem auf den Status der Erinnerung als eine subjektive Re-Schöpfung der Welt durch die ebenso unendliche wie unverfügbare Auflösung dieser in Zeichenketten. Vergessen ist also als Voraussetzung zur Erinnerung schöpferische Kraft. Eben jene schöpferische Macht, in der schon Ibn Gabirol Gott und Künstler vergleicht:

Du bist weise, und schufst aus deiner Weisheit die Welt,
Wie der Künstler, was ihm gefällt.
(...)
Und aus des Gedankens Tiefen
Holt' er Gebilde, die verborgen schliefen.[17]

zu erläutern und darüber die Frage der historischen Rekonstruktion Ibn Gabirols zu stellen; die Übersetzung von Sachs ist ganz sicher von der deutschen Romantik geprägt und genau dieser hermeneutische Zusammenhang ist dabei für mein Argument von Bedeutung.

[16] Yosef Hayim Yerushalmi, *Zakhor. Jewish History and Jewish Memory*, University of Washington Press, Seattle/London 1983, S. 117. Yerushalmi weist auf ein strukturell ahistorisches Moment in Scholems These hin, das ihn schließlich selbst dazu bringt, anzumerken, daß die historische Verlaufsgeschichte in die Gegenwart hinein diesen Gegensatz mit veränderten Zuschreibungen wiederholt, so daß das rabbinische Judentum selbst genau in die gegenteilige Rolle gerät.

[17] R. Salomo ibn Gabirol, a. a. O., S. 6.

Im folgenden geht es mir um einen Spezialfall des Erinnerns, der auf eigensinnige Weisen den oben beschriebenen Zusammenhang von Vergessen und Erinnern unterläuft. *Shoah* ist ein Dokumentarfilm über die Vernichtung der europäischen Juden in der Zeit des Nationalsozialismus. Im Gegensatz zu seinen filmischen Vorläufern schlägt Lanzmann eine Strategie ein, die ganz vom Verzicht auf historisches Material beherrscht ist. Der Dokumentarfilm als Genre verfolgt die Intention, vor-filmische Ereignisse, deren Faktizität außerhalb der filmischen Konstruktion liegt, in eine ästhetische Form zu bringen, in der Dargestelltes (Faktizität der Wirklichkeit) und Vorgestelltes (Konstruktion der Wirklichkeit) in ein deiktisches Verhältnis gebracht werden. Historisches Film- und Bildmaterial erhält dabei zwei Funktionen:

- die der Herstellung eines optischen Evidenzbeweises: was ich sehen kann, ist real, also hat das stattgefunden, was die Kamera aufgezeichnet hat (kognitiv).
  Dieses Verfahren funktioniert nur, wenn die Annahme zutrifft, daß sich im Material selbst keine Manipulationen der Faktizität vorfinden. Man könnte deshalb sagen, daß der Kamera die Funktion eines Augenzeugen zugemutet wird, der Basisregeln der Kommunikation wie die erwarteter Aufrichtigkeit befolgt;
- die der Herstellung eines Authentizitätseindrucks: das Geschichtliche der Bilder wird erfahren, was ich sehe, kommt aus der Vergangenheit, die gerade in der Fremdheit der sozialen und kulturellen Zeichen (Mode, Architektur, Kamerastil) zum Ausdruck kommt (ästhetisch).

Die Negation dieser beiden Funktionen im Verzicht auf das probate historische Material, den Lanzmann übt, verweist auf dessen eigene Fassung des historischen und des ästhetischen Problems:

- Für das, was die Massenvernichtung war, gibt es keine adäquate Augenzeugenschaft der Kamera, die den inneren Zusammenhang zwischen dem gigantischen, externen Organisationsaufwand und der buchstäblichen Vernichtung, der Tötung selbst im Inneren der Vernichtungslager hergestellt hätte.
- Die Vernichtung entzieht sich der Historisierung. Die historischen Bilddokumente haben sich zu Metonymien verselbständigt: Die Berge von Brillen, Koffern, Haaren sind an die Stelle der Toten getreten, die sie in einem kulturellen Zeichensystem vertreten und damit historisieren als abgeschlossene Vergangenheit (ästhetisches Ritual der Trauer).

Dagegen steht die Vorstellung von der Shoah als einem Ereignis, das zwar faktisch der Vergangenheit angehört, aber mit der Wucht eines Traumas sich dem Vergessen widersetzt. Die innere Ökonomie von Vergessen und Erinnern als Modi subjektiven Strukturierens von Zeit tritt nicht in Kraft. Vor diesem Hintergrund wird plastisch, warum Lanzmann wiederholt und heftig sich dagegen verwahrt hat, daß *Shoah* ein Film der Erinnerung sei.

Um aus dem subjektiven Solipsismus des Erinnerns herauszukommen, scheint es lohnend, sich in Erinnerung zu rufen, wie das Verhältnis von Vergessen und Erinnerung in der psychoanalytischen Theorie gefaßt wird und wo spezifische Formen realer und imaginärer Erfahrungsdimensionen aufeinander bezogen oder voneinander abgegrenzt werden. Meine These ist, daß *Shoah* aus der psychoanalytischen Perspektive einer traumatischen Struktur folgt, die sich erhellen läßt vor dem Hintergrund der Auseinandersetzung Jean-Paul Sartres mit Freuds Begriff des Unbewußten und einer daraus resultierenden Differenz in der Vorstellung davon, was ein Trauma ist.

In der Genese des Freudschen Trauma-Begriffs findet sich jener janusköpfige Empirismus vor, dessen eines Gesicht die Schrecken der Faktizität widerspiegelt und dessen anderes die Masken der Abwehr in der Irrealisierung des factum brutum. Um seine Theorie des Traumas plastisch zu machen, zieht Freud eine Analogie heran, die zu:

> Erkrankungen, wie sie gerade jetzt der Krieg in besonderer Häufigkeit entstehen läßt, die sogenannten traumatischen Neurosen. Es hat solche Fälle nach Eisenbahnzusammenstößen und anderen schreckhaften Lebensgefahren natürlich auch vor dem Krieg gegeben.[18]

Die eigentliche Definition des Begriffs läßt Freud im ökonomischen Schema:

> Wir nennen so ein Erlebnis, welches dem Seelenleben innerhalb kurzer Zeit einen so starken Reizzuwachs bringt, daß die Erledigung oder Aufarbeitung desselben in normal-gewohnter Weise mißglückt, woraus dauernde Störungen im Energiebetrieb resultieren müssen.[19]

Für Freud liegt das Gewicht mehr auf dem »Erlebnis« als auf dem »Ereignis«, das in der psychoanalytischen Kur ohnehin nur als

[18] Sigmund Freud, »Vorlesungen zur Einführung in die Psychoanalyse«, in: *GW XI*, Frankfurt a. M. 1978⁷, S. 283.
[19] Ebd., S. 284.

»erinnertes Erlebnis« sich fassen läßt. Verschiebt Freud zunehmend das Ereignis auf die Ebene eines in der Erinnerung konstruierten Erlebnisses, versucht Lanzmann in seiner Interviewtechnik aus dem Erlebten das Ereignis zu rekonstruieren, an die Stelle der Kamera als Augenzeuge treten die Überlebenden, um Zeugnis abzulegen. Die negatorischen Inversionen, die Lanzmann gegenüber dem psychologischen und filmischen Deutungsmuster vornimmt und in denen er schließlich eine gänzlich neue Darstellungsform findet, unterliegen einem anderen Einfluß, sie schließen in gewisser Weise an Jean-Paul Sartres Kritik der Freudschen Psychoanalyse und am Modell der existentiellen Psychoanalyse an.

Besonders plastisch treten Sartres Differenzen zu Freud ausgerechnet in einem postum veröffentlichten Werk zutage, in dem Sartre im wörtlichen Sinne Freud erfindet: in seinem *Scénario Freud*.[20] Das 1984 herausgegebene Buch umfaßt verschiedene Entwürfe eines Drehbuchs, das Sartre ursprünglich für John Huston schrieb, der einen biographischen Film über den Entdecker der Psychoanalyse drehen wollte. Das Ende der fünfziger Jahre geschriebene Drehbuch führte zum Zerwürfnis mit Huston, mit dem Ergebnis, daß Sartres Name aus den Credits des fertigen Films herausgenommen wurde.

Pontalis, der bedeutende Historiker und Komparatist der Psychoanalyse, ist der Herausgeber des Sartreschen *Scénario Freud*. In seinem Vorwort zur Edition zitiert er aus einem Brief an Beauvoir eine Stelle, in der sich Sartre scheinbar erbost über die mangelnde Anerkennung des Unbewußten durch Huston äußert.[21] Was Pontalis freilich nicht mehr zitiert, ist die in einem späteren Interview folgende bündige Absage Sartres an das Konzept des Unbewußten: »Dagegen glaube ich nicht an das Unbewußte in der Form, in der die Psychoanalyse es darstellt.«[22] Und er begründet seine Überzeugung sowohl historisch wie systematisch, bevor er diesen Schluß zieht:

Ich will sagen, daß es mir als Franzose echter kartesianischer Tradition und rationalistischer Prägung unmöglich war, ihn zu verstehen, daß mich die Idee des Unbewußten völlig schockierte. Aber das war nicht alles; noch

[20] Jean-Paul Sartre, *Le scénario Freud*, Paris 1984. Vgl. hierzu meinen Aufsatz »Sartre projette Freud sur l'écran«, in: *Les Temps Modernes*, Nov. 1990.
[21] J.-B. Pontalis, »Préface«, in: J.-P. Sartre, *Le scénario Freud*, a. a. O.
[22] »Sartre über Sartre.« Ein Interview mit Perry Anderson et al., in deutscher Übersetzung vorangestellt Jean-Paul Sartre, *Das Imaginäre*, Reinbek 1971, S. 18.

heute schockiert mich etwas, was für das Freudsche Denken unvermeidlich ist: die biologische und physiologische Sprache, in der er Gedanken ausdrückt, die anders nicht mitteilbar sind. Das Ergebnis ist, daß seine Beschreibung psychoanalytischer Phänomene nicht frei ist von einer Art mechanistischen Krampfes. Manchmal gelingt es ihm, diese Schwierigkeit zu überwinden. Aber meist bringt seine Sprache eine *Mythologie* des Unbewußten hervor, die für mich unannehmbar ist.[23]

Dabei betont Sartre ausdrücklich, daß er nicht die Tatsachen bezweifelt, die mit dem Unbewußten erklärt werden sollen, wie etwa die Vorgänge des Verdrängens, Verdichtens, Verschiebens usw. Der Psychoanalyse Freudschen Typus wirft er lediglich vor, daß sie sich zu finalistisch gebärdet:

Daraus ergibt sich eine eigenartige Darstellung des Unbewußten: einmal erscheint es als ein Ensemble völlig mechanistischer Determinationen, das heißt als ein System von Kausalitäten, dann wieder als mysteriöse Finalität, so daß es eine »List« des Unbewußten zu geben scheint, so wie es eine »List« der Geschichte gibt. (...) das Unbewußte ist erst ein *anderes* Bewußtsein, und im nächsten Moment ist es etwas *anderes als das Bewußtsein*. Was aber etwas anderes als das Bewußtsein ist, wird einfach zum Mechanismus.[24]

Etwas von dieser Kritik, die sich auf den Gebrauch der »*Wörter* wie ›Verdrängung‹, ›Zensur‹ oder ›Trieb‹«[25], nicht auf die Anerkennung der mit ihnen bezeichneten *Tatsachen* bezieht, verlegt Sartre in das Drehbuch. In einer eindringlichen Szene versucht Freud seinen Berliner Freund Fließ davon zu überzeugen, daß die zuvor angenommene »Verführungstheorie« falsch gewesen ist, daß es gar keiner direkten sexuellen Übergriffe Erwachsener auf Kinder bedarf, um diese in vorzeitige sexuelle Spannungen zu versetzen, daß vielmehr die Kinder von sich aus sexuelle Phantasien in ihren Beziehungen zu den Eltern entwickeln. Innerhalb der psychoanalytischen Theorie bezeichnet das exakt den Übergang von einer mechanistisch-materialistischen Theorie des Traumas zur Theorie unbewußter Phantasien, in denen das Trauma den Wunsch maskiert:

»FLIESS sèchement: En somme, tu t'étais trompé?

FREUD: Complètement. Mais je m'en félicite. C'est à partir de là que tout a basculé.

[23] Ebd., S. 15.
[24] Ebd., S. 16.
[25] Ebd.

FLIESS: Plus de traumatisme, alors?
FREUD: Si. C'est le choc qui empêche la liquidation de l'enfance.
[...]
FLIESS: Alors les premiers rapports de l'enfant avec ses parents sont de nature sexuelle?
FREUD: Oui.
FLIESS: Il y a donc une sexualité infantile?
FREUD: Oui.
FLIESS: Tu disais le contraire, il y a six mois.
FREUD: C'est à présent que j'ai raison.
[...]
FLIESS: Je n'y crois pas! Le viol des enfants par les adultes pervers, cela oui! C'était du solide! Une base pour mes calculs. Mais je me moque de la psychologie. Ce ne sont que des mots!
FREUD: Oui, des mots!«[26]

Freuds Hinnahme des Vorwurfs von Fließ »nur Wörter« gewinnt auf dem Hintergrund des Sartreschen Werkes eine eigentümliche Färbung. Damit hat Sartre *Freud* in die Kette seiner Biographien eingereiht, in die Biographien jener Autoren, die sich durch Wörter schaffen. Wörter, die wie Eigennamen die Dinge belegen und sie damit zur Mythologie erheben. Der spätere Vorwurf, daß Freud Tatsachen mit Wörtern bezeichnet, mit denen er ihre Existenz auslöscht und zu Mechanismen macht, also Wörter selbst zu Dingen werden läßt, ist im *Scénario Freud* bereits präsent. Sartre selbst läßt ein Stück weit in der biographischen Darstellung sein Konzept der Psychoanalyse gegen das Freuds antreten. Hinter der Entdeckung

26 »FLIESS, trocken: Letztlich hast du dich also geirrt?
FREUD: Völlig. Aber ich beglückwünsche mich dazu. Von da an hat sich alles gewendet.
FLIESS: Also kein Traumatismus mehr?
FREUD: Doch. Es ist der Schock, der die Loslösung von der Kindheit verhindert.
(...)
FLIESS: Also sind die ersten Beziehungen des Kindes zu seinen Eltern sexueller Natur?
FREUD: Ja.
FLIESS: Dann gibt es also eine kindliche Sexualität?
FREUD: Ja.
FLIESS: Vor sechs Monaten hast du das Gegenteil behauptet.
FREUD: Aber jetzt habe ich recht.
(...)
FLIESS: Das glaube ich nicht! Die Vergewaltigung von Kindern durch perverse Erwachsene, das schon! Das war etwas Handfestes! Eine Grundlage für meine Erwägungen. Aber ich mache mir nichts aus Psychologie. Das sind doch nur Wörter!
FREUD: Ja, Wörter.«
Sartre, *Le scénario Freud*, a.a.O., S. 396.

des Unbewußten und des Ödipuskomplexes, die das manifeste Sujet des Drehbuchs abgeben, verbirgt der Biograph Sartre das eigene Projekt einer existentiellen Analyse des Autors Freud.

Sartre verfährt in seinem Drehbuch so, daß er Freuds Biographie um zwei Achsen herum dreht, die eine ist die der kontingenten Existenz, in die er in einem bestimmten Jahr an einem bestimmten Ort von bestimmten Eltern geboren wurde, und die andere die der ödipalen Beziehung zu diesen Eltern, die für Freud selbst sich als die Kristallisation eines »einzelnen Allgemeinen« erweisen sollte: In den anderen (seinen Fällen, den Karl und der Cecily des Drehbuchs) entdeckt er sich selbst, das Individuellste wird zum Universellsten, in der Erweiterung des eigenen Inzestwunsches gegenüber der Mutter zur Mythologie des Ödipuskomplexes in der Metapsychologie. Sartre läßt es offen, ob er selbst dieser Entdeckung Freuds über den Weg traut oder ob er nur das darstellt, was Freud meint entdeckt zu haben.

Natürlich verfährt Sartre vergröbernd, wenn er bestimmte Züge aus Jones' Freud-Biographie, aus den Briefen an Fließ, aus den Fallanalysen der Anna O., der Dora und Cäcilie M. hervorkehrt und zur Deutlichkeit oder bis zur Unkenntlichkeit verzerrt. Er macht die sogenannte Hannibal/Hamilkar-Episode zu einem stehenden Motiv. Und das, aus der Perspektive einer Sartreschen existentiellen Psychoanalyse gesehen, mit guten Gründen.

Jones schreibt zu dieser Erinnerung Freuds im Zusammenhang mit dem Wiener Antisemitismus, unter dem Freud gelitten hatte.[27] In der *Traumdeutung* (die im übrigen nach Pontalis Sartre auch vorlag) berichtet Freud von einer Episode aus seiner Kindheit, die ihn dazu geführt hatte, sich mit Hannibal zu identifizieren. Dieser war als Knabe von seinem Vater Hamilkar dazu gebracht worden, vor dem Hausaltar zu schwören, an den Römern Rache zu nehmen. Die Identifizierung mit den Karthagern gegen die Römer und der daraus resultierende Wunsch, endlich nach Rom zu gelangen, es einzunehmen, wird von Freud als Phantasie des Wiener Gymnasiasten geschildert, der die Karthager mit dem Judentum und die Römer mit der katholischen Kirche, also den Christen, identifiziert. In diesem Zusammenhang wird aus der Hannibal/Hamilkar-Geschichte eine weitere Erinnerung geschält, wie nämlich Freuds

[27] Ernest Jones, *Sigmund Freud. Leben und Werk*, Band 1, Die Entwicklung der Persönlichkeit und die großen Entdeckungen 1856-1900, München 1984, S. 42f.

Vater dem Knaben gewöhnlich auf Spaziergängen allerlei über das Leben erzählte:

So erzählte er mir einmal, um mir zu zeigen, in wieviel bessere Zeiten ich gekommen sei als er: Als ich ein junger Mensch war, bin ich in deinem Geburtsort am Samstag in der Straße spazieren gegangen, schön gekleidet, mit einer neuen Pelzmütze auf dem Kopf. Da kommt ein Christ daher, haut mir mit einem Schlag die Mütze in den Kot und ruft dabei: Jud, herunter vom Trottoir! »Und was hast du getan?« Ich bin auf den Fahrweg gegangen und habe die Mütze aufgehoben, war die gelassene Antwort. Das schien mir nicht heldenhaft von dem großen starken Mann, der mich Kleinen an der Hand führte. Ich stellte dieser Situation, die mich nicht befriedigte, eine andere gegenüber, die meinem Empfinden besser entsprach, die Szene, in welcher Hannibals Vater, *Hamilkar Barkas*, seinen Knaben vor dem Hausaltar schwören läßt, an den Römern Rache zu nehmen. Seitdem hatte *Hannibal* einen Platz in meinen Phantasien.[28]

Während Freud selbst von dieser Szene keineswegs dramatisch an dieser Stelle berichtet, heißt es bei Jones: »Freud verabscheute Unterwürfigkeit, und er gewann nie mehr den früheren Respekt vor seinem Vater zurück als dieser (das) erzählte (...)«[29]

Bei Sartre findet sich die Szene radikal verändert. Aus der Geschichte, die der Vater erzählt, um dem Knaben das Gefühl zu geben, daß er es in Wien besser hat als der Vater in Osteuropa, macht Sartre ein traumatisches Ereignis: Dazu verjüngt er den kleinen Sigi *um* sechs *auf* sechs Jahre, und aus dem erzählten Ereignis wird ein reales, das dem Kleinen auf Wiens Straßen widerfährt. Beim Besuch am Krankenbett des geschwächten Vaters beginnt dieser die Zukunft seines Sohnes als Hofrat zu phantasieren. Der Vater, von seniler Sentimentalität, ist Freud offensichtlich peinlich. Von einer Assoziation einer Kopfbedeckung ausgehend, beschwört der Vater den Hannibal-Schwur. In diesem Moment erinnert sich Freud dieser Szene in einem Flashback. Sartre beschreibt die Szene so, daß der Kleine an der Hand des Vaters diesen ab und zu stolz und bewundernd anschaut, während sie auf dem Trottoir gehen. Nachdem der Auftritt des Antisemiten Vater und Sohn auf den Fahrweg vertrieben hat, werden sie dort auch noch von einem vorbeifahrenden Wagen beschmutzt: »Le petit Freud prend l'air sombre et buté (celui-là même que nous avons vu si souvent sur le

[28] Sigmund Freud, »Die Traumdeutung«, in: *GW II/III*, Frankfurt a. M. 1968⁴, S. 202f.
[29] Jones, a.a.O., S. 43.

visage de Freud).«[30] Nach der häuslichen Szene des Schwurs wird der Vater sich der Bedeutung des Ereignisses gewahr, und sein Gesichtsausdruck wird in dem Maße traurig, wie er realisiert, daß »son acte pèserait sur toute la vie de son fils«.[31] Die Gefährlichkeit des antisemitischen Pogroms wird dabei als reale Gefahr beschworen, das Verhalten des Vaters gleichzeitig objektiviert als soziale Handlung und subjektiviert in seinen Folgen für den Sohn. Für Sartre wird dieses aus Jones' und Freuds Darstellung komponierte Ereignis zum Kristallisationspunkt für Freuds Entwicklung. Er muß sich zu dem Hannibal machen, den der Sturz des väterlichen Idols hervorgebracht hat. In dieser Szene konstituiert sich Freud als Jude, er entwirft sich damit in seiner kontingenten Existenz, als Jude geboren worden zu sein in einer antisemitischen Welt.[32] Ganz sicher drückt sich in dieser Einarbeitung der Konstitution Freuds als Jude Sartres Arbeit aus dem Jahre 1945 zur »Judenfrage« mit durch, in der Tat läßt er Breuer als den »unauthentischen« Juden auftreten, dazu gibt es einen Dialog beider. Überhaupt ist auffällig, daß Antisemitismus und Judentum eine nicht unerhebliche Rolle im Drehbuch spielen. Damit hat Sartre einen existentielleren Grund aufgestellt, als es Freuds eigene Entdeckung, der Ödipuskomplex, für ihn sein könnte. Interessanterweise spielt Freuds Mutter keine besondere Rolle im Drehbuch, sie bleibt für Sartre fast tabu, während die Genealogie der Väter das strukturierende Moment bildet. Das wird nicht nur auf der manifesten Ebene deutlich als Selbstthematisierung Freuds, sondern auch in den zahlreichen Regieanweisungen, die auf die Moses-Statue verweisen, wohl auch auf Freuds spätere Arbeit zu Moses und den monotheistischen Religionen. Auffällig ist aber doch, daß die Moses-Figur bereits als die Michelangelos ausstaffiert wird und quasi ein karikaturales Eigenleben führt als Hintergrundfigur für die versagenden Väter Meynert, Breuer und Fließ. Daß Freud selbst sich als jemanden deutet, der das strenge Gesetz Moses' sucht und am Ende dessen Hüter wird, Richter und Zeuge in einer Person, frei und unabhängig, gehört zum jüdischen Komplex dieser Kristallisation.

[30] »Die Miene des kleinen Freud verfinstert und verschließt sich (genau wie wir es so oft auf Freuds Gesicht bemerkt haben).« Sartre, *Le scénario Freud,* a. a. O., S. 307.

[31] »(...) seine Tat für immer auf dem Leben seines Sohnes lasten würde.« Ebd., S. 309.

[32] »Gespräch mit Kenneth Tynan« (*The Observer*, 18. und 25. Juni 1961), in deutscher Übersetzung erschienen in: Jean-Paul Sartre, *Mythos und Realität des Theaters,* Reinbek 1979, S. 118f.

Dennoch ist deutlich, daß Sartre Freud darin zu objektivieren versucht, im Sinne der »objektiven Neurose«, die er später in der großen Flaubert-Studie nachzeichnet. Sartres Interesse an dieser Phase Freuds, die mit seiner Freiheit abschließt, ist dem Interesse geschuldet, ein weiteres Mal zeigen zu wollen, wie sich ein einzelner Mensch in seiner Existenz als geschichtlicher entwirft. Deswegen interessieren Sartre gar nicht so sehr die einzelnen Fälle, die oft eher schematisch, mechanistisch vorgeführt und aufgelöst werden, so als habe sich an ihnen Sartres Mißtrauen gegen Freuds Theorie vom Unbewußten rachsüchtig kristallisiert.

Sartre hält also an einem empirischen Begriff des Traumas fest, das Ereignis ist kontingent, seine Auswirkungen nicht. In Lanzmanns Konstruktion scheint dieser Ansatz weiter zu wirken, als Absage an alle Versuche, der Massenvernichtung als historisches Ereignis einen nachträglichen Sinn zu geben. Gerade weil es als Ereignis gefaßt ist, kann Lanzmann dazu kommen, ins visuelle Zentrum die Orte des Geschehens zu rücken, und zwar nicht in der Historizität semantischer Zeichenbildung, sondern genau in der Kontingenz ihrer Existenz. Die Orte, an denen das Ereignis statt-fand, sind der Kristallisationspunkt einer traumatischen Erfahrungsstruktur, die Vergangenheit und Gegenwart simultan erlebt. In der neueren psychoanalytischen Forschung zur Extremtraumatisierung rückt die Auflösung des Selbst in den Mittelpunkt, dem der Boden der Selbstvergewisserung entzogen wird. Die notwendige Bedingung von Kohärenzherstellung, ohne die soziales Handeln mit seinen pragmatischen Kalkülen unmöglich ist, wird genau dadurch zerstört, daß Zeit als historisches Kontinuum nicht mehr erfahren werden kann. Das Trauma bedeutet eine Stillstellung von Zeit: die chronologische Zeit wird wie an einem Gummiband zurückgezogen in einen mentalen Zustand. Das Trauma bedeutet für die Zeitstrukturierung eine Zäsur, die sich als black box zwischen die Zeit vor und nach dem traumatischen Ereignis schiebt und als diskontinuierlich erleben läßt. Die black box gewinnt die Gestalt eines zeitvernichtenden Raumes. Die komplizierte Organisation von Zeit- und Raumdimensionen in *Shoah* evoziert eben diese Erfahrung eines distanzlosen Verschlungenwerdens in eine black box, Lanzmann spricht davon, daß sein Film die wuchtige Ruhe ausstrahlen sollte, die im

Auge eines Zyklons herrscht.[33] Erinnerung als mentaler Akt der Selbstsituierung im Zeitkontinuum dient der Kohärenzherstellung, als solche ist sie im Trauma ausgeschlossen.

In einem eindrucksvollen Plädoyer für eine Analyse historischer Träume als Material der Geschichtswissenschaft spricht Reinhart Koselleck von der »unentrinnbaren Faktizität des Fiktiven«[34], die sich in den Träumen vom Terror in der Zeit nationalsozialistischer Herrschaft niedergeschlagen habe. In ihnen objektiviert sich der Terror in seinem ganzen Ausmaß gerade, weil er sich bis in die subjektiven Regungen des Träumers erstreckt: daß von ihm geträumt wird, ist der Beweis seiner Existenz, die »unentrinnbare Faktizität des Fiktiven«. Was sich auf den ersten Blick in *Shoah* und den darin geübten Interviewtechniken noch als mnemotechnischer Trick ausnehmen kann, die Fragen nach dem Wetter, nach Entfernungen, Nachbarn, konkreten Handlungsabläufen, ist vielmehr zu verstehen als ein Versuch, das Somatische am traumatischen Schock, das sich gerade der kommunikativen Äußerung von Erinnerung als bewußtem Prozeß entzieht, zu fassen. Lanzmann verläßt, je näher er der black box der Vernichtung kommt, desto mehr das rein dokumentarische Vorgehen. An seine Stelle tritt eine Form der Inszenierung als Wiederkehr des Erlebten. Das traumatische Detail wird nachgespielt, nachge-stellt, an den historischen Schauplätzen oder inszenierten Räumen. Im Mittelpunkt steht »le vécu« und eben nicht die Erinnerung.

Abgesehen von der immensen historiographischen Bereicherung, die Lanzmann mit *Shoah* beigetragen hat, mit den minutiösen Zeugnissen, die in diesem Film abgegeben werden, gewinnt dieser in der mimetischen Aneignung der historischen Faktizität als erlebter Gegenwärtigkeit eine ästhetische Dimension, die ihn nicht nur in seiner Beziehung zum Ausgangsmaterial der Geschichte kognitiv festschreibt, sondern zum Kunstwerk macht.

Als solches eröffnet es die Möglichkeit eines Diskurses von Vergessen und Erinnern, den es auf der Ebene seines Gegenstandes

33 Zit. n. Shoshana Felman, »A l'âge du témoignage: Shoah«, in: Michel Deguy (Hg.), *Au sujet de Shoah. Le film de Claude Lanzmann*, Paris 1990, S. 127.

34 Reinhart Koselleck, »Terror und Traum. Methodologische Anmerkungen zu Zeiterfahrungen im Dritten Reich«, in: R. Koselleck, *Vergangene Zukunft. Zur Semantik geschichtlicher Zeit*, Frankfurt a. M. 1989, S. 284. Vgl. dazu auch Richard Kuhns, »Comments on ›Terror und Traum‹«, in: Dieter Henrich, Wolfgang Iser (Hg.), *Poetik und Hermeneutik X, Funktionen des Fiktiven*, München 1983, S. 397-401.

verweigern muß: Über die ästhetische Fiktion wird die verdrängte Faktizität der Massenvernichtung ins Gedächtnis eingeschrieben. Die Diskrepanz zwischen Nicht-Vergessen-Können und eben darum erinnerungslos im Terror der Faktizität eingeschlossen zu sein und der ästhetischen Transformation in einen Diskurs mimetischer Aneignung appelliert an Alterität: die Betrachter von *Shoah* eignen sich die Faktizität als Erinnerungsmaterial an, deren traumatische Reflexe wie eine somatische Spur zur black box führen, an die sie gar keine Erinnerungen haben können. So ist *Shoah* ein Film nicht der und für die Erinnerung, sondern mimetische Konstruktion eines Gedächtnisses, das aus der Teilnehmerperspektive kein Vergessen kennt und aus der Beobachterperspektive mit Faktizität gefüllt werden muß.

Exkurs: Täuschung und Evidenz in gestellten Fotos aus dem Getto Lodz

Die Fotos und Filme, auf die sich Siegfried Kracauer bezog, als er davon sprach, daß sich die Darstellung der faktischen Verhältnisse gegen ihre Verbildlichung sperrten, waren im Rahmen propagandistischer Aktionen entstanden – und innerhalb dieses Rahmens hat Kracauer recht, wenn er davon ausgeht, daß ihr Ziel, die propagandistische Beschönigung oder ideologische Aufbereitung, nur unter Umgehung der wirklichen Greuel zu erreichen war. Wenn also auch die Außendarstellung »gestellt« war, so muß man doch sehen, daß Berge von filmischem und fotografischem Material hergestellt wurden, das entweder zur internen Information zirkulierte oder aber auch aus sadistischer Schaulust heraus produziert worden war. Ganz offensichtlich hat es genug Täter gegeben, deren sadistische und nekrophile Impulse Befriedigung darin fanden, die Opfer ihrer Taten noch einmal als Objekte ihrer eigenen Vernichtungsszenarien zu überwältigen. Gehörte es zur Ikonographie der antisemitischen Propaganda, den ordentlich gekleideten, wohlgenährten, selbstbewußt sich gebenden deutschen Militär in den Vordergrund von Fotos zu rücken, deren Hintergrund von einem ausgemergelten, zerlumpten Mann mit dem Judenstern an der Kleidung eingenommen wurde, und dadurch bereits Hierarchien von Identifikation und Verwerfung optisch zu inszenieren, so gab es auch intendierte Täuschungsmanöver, die auf spezifische Gruppen zielten. Ein eklatantes Beispiel für einen Film, dessen einziges Ziel war, über die tatsächliche Vernichtungspolitik zu täuschen, indem die Konzentrations- und Vernichtungslager zu gut organisierten Arbeitscamps für die Kamera umgemodelt wurden, ist der in Theresienstadt aufgenommene Film *Der Führer schenkt den Juden eine Stadt*, in dem eigens für den Film aufgebaute Alltagsszenen von den Gefangenen aufgeführt werden mußten. Hatte dieser Film eine klare strategische Vorgabe, so gibt es doch auch genug Materialien, in denen sich propagandistische und voyeuristische Intentionen nebeneinander finden lassen. Auf irritierende Weise zeichnet sich in ihnen hinter aller Wohlgeordnetheit der Nachstellung ein Stück des grausamen Verhältnisses ab, das die Fotografen zum Objekt ihrer Fotografie gehabt haben mögen, das eines versteinernden Blickes, dem das Objekt nicht mehr ist als ein Stück zu beherrschender Natur, die im Blick des Herrn gebannt wird:

Der böse Blick ist das *fascinum*, das, was durch seine Wirkung die Bewegung stocken läßt und buchstäblich das Leben ertötet. Im Augenblick, wo das Subjekt einhält und seine Gebärde unterbricht, wird es mortifiziert. Die Anti-Lebens-, die Anti-Bewegungsfunktion dieses terminalen Punktes ist das *fascinum*, und es geht hier durchaus um eine der Dimensionen, in denen der Blick seine Wirkgewalt direkt entfaltet.[1]

Bei einer ersten, phänomenologischen Lektüre dieser Passage aus Jacques Lacans *Vier Grundbegriffe der Psychoanalyse* (unter Vernachlässigung seines etwas reduktionistischen Konzepts des alles strukturierenden Kastrationskomplexes) lassen sich mehr als homophonetische Beziehungen zu dem herstellen, was man eine *faschistische* Ästhetik nennen könnte. Die zu Ornamenten geordneten Massen, die einer Blickregie des Führers unterstellt sind, wie sie in Leni Riefenstahls Film *Triumph des Willens* noch einmal vor die Kamera postiert werden, kann man in diesem Rahmen als paradigmatisch verstehen. Als ästhetisch gelungen wird darin eben die Ordnungsfunktion des Blicks gedeutet: wie der Blick des göttlichen Auges kommt Hitler in der Eingangssequenz aus den Wolken herabgestoßen, auf ihn richten sich die Blicke aller. Die Ordnungsfunktion des Blickes, vor dem sich wie auf einem Magnetfeld die diffusen Objekte menschlicher Ansammlungen zum straffen, graphischen Ornament erstarren lassen, ist eine paranoisch kontrollierende – sich selbst zum Objekt eines solchen »starken« Blicks zu machen bedeutet, den eigenen Blick zu entleeren oder abzusenken. In vielen NS-Filmen tauchen dergleichen Blickdramaturgien auf, in der Masseninszenierung der NS-Aufmärsche sind sie Teil einer Ästhetisierungsstrategie geworden.[2]

Die ornamentalen Züge der faschistischen Ästhetik bestimmen über weite Strecken auch die des Nationalsozialismus – die Frage

[1] Jacques Lacan, *Die vier Grundbegriffe der Psychoanalyse,* Olten 1978, S. 125.

[2] Vgl. hierzu u. a.: Karsten Witte, »Die Wirkgewalt der Bilder: Zum Beispiel Wolfgang Liebeneiner«, in: *Filme,* Nr. 8, März/April 1981, S. 24-35, diesem Aufsatz verdanke ich die Anregung, Lacans *fascinum* unter dem Aspekt faschistischer Ästhetik zu betrachten. Zuvor hatte ich in Harlans *Kolberg* (1945) diese Strategie des entleerten Blicks festgemacht, vgl. Gertrud Koch, »Der höhere Befehl der Frau ist ihr niederer Instinkt – Frauenhaß und Männer-Mythos in Filmen über Preußen«, in: dies., »Was ich erbeute, sind Bilder«, a. a. O., S. 58 f.; Régine Mihal Friedman, »Männlicher Blick und weibliche Reaktion: Veit Harlans *Jud Süß*«, in: *Frauen und Film,* Heft 41, Dezember 1986, S. 50-64.

aber nach einer historisch spezifischen NS-Ästhetik ist mit dem Verweis auf den faschistischen Kontext noch nicht einmal gestellt; zu fragen wäre genau danach, wie die Massenvernichtung selbst sich in eine faschistische Ästhetik eingräbt und selbst diese noch von innen her transformiert. Die Grundzüge faschistischer Ästhetik laufen auf eine Selbstrepräsentation eines autoritären Systems hinaus, das nach dem Führerprinzip aufgebaut ist und der Masse die Form einer auf eine Spitze hin ausgerichteten vereinten Formation gibt. Dieses System der Selbstrepräsentation einer Masse, die sich für das Auge des Führers zum wohlgefälligen Ornament formiert, läßt außer den Führer/Gefolgschafts-Mustern keine anderen Formierungen zu, da sie bereits die Geschlossenheit der ornamentalen Formation zerstören würden – umgekehrt heißt das aber auch, daß in diesem System der machtgefüllten Geschlossenheit kein Platz mehr ist für die Präsentation des Feindbildes, gegen das ja gerade die Schließung des Systems gerichtet ist. Die NS-Propagandaspielfilme, allen voran Veit Harlans *Jud Süß*, müssen darum die gleichgerichteten Bahnen der faschistischen Blickausrichtung verlassen und in ein dichotomes Schema übergehen, wie es der damalige Reichsfilmintendant Fritz Hippler 1942 gefordert hatte:

Im Film mehr als im Theater muß der Zuschauer wissen: wen soll ich lieben, wen hassen. Mache ich z. B. einen antisemitischen Film, so ist es klar, daß ich die Juden nicht sympathisch darstellen darf. Stelle ich sie aber unsympathisch dar, so müssen ihre Gegenspieler sympathisch sein.[3]

Das Ergebnis ist dennoch zwiespältig wie der Antisemitismus selbst, das Objekt des Abscheus muß immerhin so viel Faszination auf sich ziehen, daß es die Spannung zur Gegenseite hin aushalten kann. Dabei taucht im Rahmen eines auf fiktionalem Illusionskino basierenden narrativen Vorgehens fast zwangsläufig das Problem der Identifizierung auf: Wo die Kamera die Perspektive eines dramaturgisch starken Handlungsträgers aufgreift, schafft sie auch Identifizierung, ein wahrnehmungspsychologischer Vorgang, der nur bedingt normativ gesteuert ist, weswegen ganze Filmgenres bekanntlich davon leben, daß sie die Identifikation der Zuschauer mit dem negativen Helden der Narration so unauffällig zustande bringen, daß die normative Kontrolle zeitweilig außer Kraft gesetzt wird; ein filmischer Mechanismus, der für *Crossfire* ebenso

[3] Fritz Hippler, *Betrachtungen zum Filmschaffen*, Berlin 1942, S. 92 – zit. n. R. M. Friedman, »Männlicher Blick und weibliche Reaktion«, a. a. O., S. 63, Fn. 16.

gilt wie für *Jud Süß*. So gesehen nimmt es weder wunder, daß der »arische« Darsteller des »Jud Süß«, Ferdinand Marian, Waschkörbe voller Liebesbriefe von deutschen Frauen bekommen hat, die Marian in der Rolle des schurkischen, doch eleganten Verführers sich zu Füßen legen wollten, noch daß Goebbels besondere Sorge um den Schluß des Films trug, in der Süß unter den Augen einer sadistischen Menge und eines von der Kamera auf ihn gerichteten Blicks getötet wird – das öffentliche Schauspiel wird so zum Lehrstück für die abweichenden Wünsche des Publikums gleich mitinszeniert. Aber auch in den »dokumentarischen« antisemitischen Propagandafilmen wie *Der ewige Jude* von Fritz Hippler, der zum Teil auf Material basiert, das die Propagandakompanien in den polnischen Gettos – auch in Lodz – eigens hierfür gedreht haben, wird Faszination aufgebaut, allerdings die des Ekels.[4] Um ihn zu erzeugen, werden die Möglichkeiten der Horror-Ikonographien voll ausgeschöpft, Blut, Schlamm, Leichen, Verwesung, Insekten, Ratten, Gewimmel usw., das antisemitische Propagandabild nimmt vorweg, was die nationalsozialistische Vernichtungspolitik aus den europäischen Juden gemacht hat; die abgefilmten Gettos, die auf Geheiß der Nazis eingerichtet werden mußten, boten innerhalb kürzester Zeit ein Bild von Leichen, Verwesung, Überfüllung, Verlausung, Epidemie. Die Nazis hatten innerhalb kürzester Zeit Juden nach ihrem Bild geschaffen; was sie selbst erst verursacht hatten, wurde nun propagandistisch als ontologischer Zustand »jüdischer Natur« vorgeführt: Ein menschenunwürdiges Leben im überfüllten Getto, in dem bald Fleckfieber und Typhus ausbrach, die Menschen geschwächt von Arbeit und Hunger, dem täglichen Tod Tausender auf engstem Raum, in den Straßen konfrontiert. Dennoch beschönigen die Filme die realen Zustände in einer unvorstellbaren Weise dadurch, daß sie die ins Getto Gezwungenen zu Mitspielern einer Farce degradieren, die so tut, als seien sie dort in ihrer eigenen Lebenswelt, ganz bei sich zu Hause. Eine absurde und leicht höhnische Freude an der gelungenen Täuschung verraten abermals die Zeilen Hipplers, der wenige Wochen nach dem deutschen Überfall auf Polen und wenige Monate vor der völligen Umwandlung des Gettos in ein geschlossenes Sperrgebiet mit einer Propagandatruppe nach Lodz geschickt wird:

[4] Vgl. hierzu den Aufsatz von R. M. Friedman, »Juden-Ratten – Von der rassistischen Metonymie zur tierischen Metapher in Fritz Hipplers Film *Der ewige Jude*«, in: *Frauen und Film*, Heft 47, September 1989, S. 24-35.

»Überzeugen Sie sich mal selbst, wie diese Juden da leben, wo sie zu Hause sind. Lassen Sie Filmaufnahmen vom Leben in den polnischen Ghettos machen«, sagte Goebbels zu mir, als ich ihm am Sonntag, dem 8. Oktober, den Rohschnitt der neuesten Wochenschau vorführte.

»Fahren Sie noch morgen mit ein paar Kameramännern nach Litzmannstadt (Lodz) und lassen Sie alles filmen, was Ihnen vor die Flinte kommt. Das Leben und Treiben auf den Straßen, das Handeln und Schachern, das Ritual in der Synagoge, das Schächten nicht zu vergessen. Wir müssen das alles an diesen Ursprungsstätten aufnehmen, denn bald werden hier keine Juden mehr sein. Der Führer will sie alle aussiedeln, nach Madagaskar oder in andere Gebiete. Deshalb brauchen wir diese Filmdokumente für unsere Archive.«

So fuhr ich am 10. Oktober mit einem halben Dutzend Kameramännern nach Litzmannstadt. Am 11. begannen sie mit ihren Aufnahmen, offen und aus verdeckten Planwagen, indessen ich mich mit den jüdischen Gemeindevorstehern über unsere Aufnahmewünsche unterhielt.[5]

Diese Aufzeichnungen Hipplers entstammen seinem 1981 veröffentlichten Buch *Die Verstrickung*, einer apologetisch gehaltenen Autobiographie des einflußreichen Reichsfilmintendanten, der die Verantwortung für die schließlich im November 1940 gestartete Filmfassung des *Ewigen Juden* weit von sich zu schieben trachtete. Allerdings langt bereits der falsche Zungenschlag dieses Erinnerungsberichts an seinen Aufenthalt in Lodz, um zu wissen, welcher Art Hipplers *Verstrickung* gewesen ist.

Der Rückbezug auf Hipplers Erinnerungen an die Vorarbeiten zum *Ewigen Juden* erscheint mir an dieser Stelle insofern von Belang, als sich darin einige auffällige Parallelen zu den Fotos aus dem Getto Lodz aufweisen lassen, die vielleicht meine Vermutung stützen können, daß es sich bei diesen »auftragsgebundenen« Laienfotos um Dokumente handelt, die einigen Aufschluß geben können über so etwas wie eine nationalsozialistische Ästhetik und ihre strategischen Implikationen, ihre Verbreitung als kultureller Code und Wahrnehmungscode ihrer Anhänger.

Zielt die faschistische Ästhetik auf eine ästhetische Ausgrenzung des anderen, der nur außerhalb des formierten Ornaments denkbar ist, die verdrängt, was sich nicht einpassen läßt, schlägt die nationalsozialistische Ästhetik in eine binäre Form um, die auf extreme Weise das eigene Ornament durch den wiederholten Exorzismus einer von innen her erzeugten Feindbild-Projektion befestigen

[5] Fritz Hippler, *Die Verstrickung*, Düsseldorf 1981, S. 187.

muß. Im folgenden möchte ich anhand einiger Fotos das Umschlagen einer solchen faschistischen Ordnungsästhetik der Blickdelegation in einen eher »schnüffelnden« Blick, der sich seiner Objekte überraschend nähert, mit dem Blick, wie er in den sogenannten »Sensationsfotos« kultiviert wird, aufzeigen.

Zuvor aber müssen die Art und Herkunft dieser Fotografien erläutert werden, da es sich dabei um wenig bekanntes Material handelt, das nicht professionell angefertigt wurde. Im Rahmen einer größeren Ausstellung über das Getto in Lodz 1940 bis 1944 hat das Jüdische Museum in Frankfurt im Frühjahr 1990 die fraglichen Fotos dokumentiert. Dabei handelt es sich um Farbdias, die 1987 von einem Salzburger Antiquar im anonymen Auftrag zum Kauf angeboten worden waren und von einer Wiener Forschergruppe (Florian Freund, Bertrand Perz, Karl Stuhlpfarrer) auf recht holperigen und nur detektivisch zu erforschenden Wegen schließlich bis zu ihrem Urheber zurückverfolgt wurden. Das Ergebnis dieser Recherche ergab, daß die Dias von Walter Genewein, dem Leiter der Finanzabteilung der deutschen Gettoverwaltung von Lodz, aufgenommen worden waren, einem privaten Liebhaber der Fotografie, der im Auftrag der Gettoverwaltung tätig geworden war. Ziel dieser Dia-Serie war eine repräsentative Außendarstellung des Gettos, die die Effizienz der dort für die Wehrmacht produzierenden Werkstätten herausstellen sollte – ob sich die deutsche Gettoleitung durch die größere Beteiligung von Firmen an der dortigen Produktion eine Aufrechterhaltung des Gettos versprach und damit die Fortsetzung ihrer eigenen Freistellung von der Wehrmacht, für die vornehmlich produziert wurde, läßt sich nicht klären, die Wiener Forscher haben diese Überlegung angestellt, ohne sie beweisen zu wollen:

> Die Frage, für wen und zu welchen Zwecken diese Aufnahmen gemacht und zusammengestellt wurden, kann nicht endgültig beantwortet werden. Es handelt sich bei dieser »Gettoserie« nicht um private Aufnahmen, auch wenn einzelne Bilder vielleicht zunächst aus privatem Interesse gemacht worden sind.[6]

Letztlich zeichnen die Dias ein Bild vom Getto, wie es für die deutsche Gettoverwaltung von Bedeutung war: selektiv und segmenta-

[6] Florian Freund, Bertrand Perz, Karl Stuhlpfarrer, »Bildergeschichten – Geschichtsbilder«, in: *»Unser einziger Weg ist Arbeit«*: das Getto in Łódź 1940-1944; eine Ausstellung des Jüdischen Museums Frankfurt am Main; Redaktion Hanno Loewy und Gerhard Schoenberner, Wien 1990, S. 58.

risch, aber nicht unbewußt allein. Die deutsche Gettoverwaltung war an einer Darstellung des Gettos interessiert, die es als besonders effiziente Form der Ausbeutung und Diskriminierung von Juden und als ihren genuin eigenständigen Beitrag zur Politik des Antisemitismus und zu den deutschen Kriegsanstrengungen zeigte.[7]

Zwischenzeitlich war sogar an die Einrichtung eines Museums gedacht worden, das einerseits den Bedarf an einer Art »Leistungsschau« aus der Gettoproduktion bedienen, andrerseits aber auch im »völkerkundlichen« Sinne der nazistischen Rassenvorstellung »Sitten und Bräuche der Ostjuden« in abstoßender Weise veranschaulichen sollte. Viele Motive der von Genewein aufgenommenen Dia-Serie, die sich wohl über mehrere Jahre erstreckt, erinnern unmittelbar an die rassistischen Klassifikationssysteme, wie sie aus den Propaganda-Ikonographien bekannt sind: eine ganze Serie stellt Typologien des »Ostjuden« vor, so die Bildlegenden, andere folgen narrativen Mustern, wie sie aus Hipplers Film entlehnt sein könnten, der möglicherweise Vorbild für die eigene Darstellung war. Eine Reihe von Dias, die in Großaufnahme beschlagnahmte Edelsteine und ein Glas mit zusammengerollten Geldscheinen zeigen, wirken wie ein direktes Zitat aus Harlans *Jud Süß*, wo ebenfalls mit dem Kontrast zwischen einem schlampig-wimmelnden Getto und dem immensen Reichtum des »Jud Süß« gespielt wird, die Armut somit als Tarnung denunziert wird. Um einen Überblick über den offenbar 1944 retrospektiv erfolgten Aufbau der Dia-Serie zu ermöglichen, folge ich der thematisch strukturierten Darstellung dieser Serie, wie sie Freund et al. im Katalog der Ausstellung vorgelegt haben:

Die quantitativ stark unterschiedliche Gewichtung der Themen kontrastiert den erzählenden Diskurs der Serie und begleitet ihn. Am Anfang steht die Abbildung der Grenzen des Gettos von innen und außen als Einführung und erster Überblick (22 Dias). Es folgt der Besuch des Gettos durch Himmler und andere NS-Größen (4 Dias), auf deren Anordnungen und Befehle die Einrichtung und Existenz des Gettos zurückzuführen war und die die Arbeit der deutschen Gettoverwaltung legitimieren. Der Hierarchie entsprechend folgen Fotos von leitenden Angehörigen der deutschen Gettoverwaltung, danach der jüdischen »Selbstverwaltung« (13 Dias). Die nächste Serie zeigt die verschiedenen Kontaktstellen, an denen jeglicher Austausch von Gütern mit dem Getto stattfand (11 Dias). Dann

[7] Ebd.

beantwortet der Fotograf die Frage, wer im Getto »wohnte« bzw. dorthin deportiert, im NS-Jargon »eingesiedelt« worden war. Auch Straßenszenen aus dem Getto sind hier zu finden (32 Dias). Diese Aufnahmen entsprechen am stärksten den rassistischen Sujets, wie sie auch bei den PK-Aufnahmen (Propaganda-Kompagnie – G. K.) zu finden sind.

Der nächste Block erklärt die kommunalen Einrichtungen im Getto, zeigt insbesondere das Bestattungswesen und den Friedhof. Damit soll die Funktionstüchtigkeit des Gettos dokumentiert werden (49 Dias, davon 28 Dias zum Bestattungswesen und zum Friedhof).

Der Hauptteil der Serie, nämlich mehr als die Hälfte aller Bilder (262) dient der Darstellung der Wirtschaftsbetriebe des Gettos, die für den Export und für die Eigenversorgung tätig waren. Den Abschluß der Serie bilden Aufnahmen des Zigeunerlagers (6 Dias und 2 zu einem nicht näher identifizierbaren Hauseinsturz), der Deportationen aus dem Getto (3 Dias) und der Situation im Lager Pabianice (18 Dias).[8]

Die Beschreibung des Gettos, wie sie in der Abfolge der Dia-Serie suggeriert werden soll, ist rein intentional ausgerichtet, sowohl darin, daß sie über reale Funktionszusammenhänge hinwegtäuscht, wie auch darin, daß sie einem doppelten Propagandaauftrag Genüge leisten will, der sich wechselseitig ad absurdum führt. Das soll an einigen Foto-Motiven gezeigt werden.

Auf Foto 240 der Serie ist ein offensichtlich »gestellter« Moment festgehalten, der einen gut funktionierenden handwerklichen Arbeitsablauf demonstrieren soll; die perspektivische Anordnung der arbeitenden Personen suggeriert eine klare Ordnung, eine Reihung. Darauf folgt im Foto 241 das Bild eines diffusen Haufens eben jener Holzschuh-Teile, die ordentlich auf dem Werktisch des Fotos 240 liegen; die Personen auf Foto 241 sind in einer »ungestellten« Bewegung erfaßt wie auf einem Schnappschuß. Die extreme Differenz dieser beiden Fotos bezeichnet genau den Umschlag vom propagandistischen Auftrag a), ordnungsgemäßer Funktionsablauf des Gettos als Produktionsstätte, zu Auftrag b), Suggestion von antisemitischen Stereotypen wie dem der hastigen, wimmelnden diffusen Masse (Abb. 20 und 21). Das ästhetisch »Unstimmige« und Groteske dieser Fotos entstammt offensichtlich der Schwierigkeit, daß sich die jüdischen Opfer nicht so ohne weiteres auf ein faschistisches Ideal formierter Ausgerichtetheit bringen lassen, ihre Körperhaltung paßt sich nicht in den kompositorischen Aufbau des Fotos ein. Das politische Programm der

[8] Ebd., S. 55 f.

Abb. 20

Abb. 21

»Vernichtung durch Arbeit«, das ohnehin nur ein transitorisches Teilstück bis zur geplanten Vergasung war, läßt sich mit der Programmästhetik der faschistischen Arbeitsathleten nicht darstellen. Das Motiv der genossenen, freiwilligen Unterwerfung läßt sich nicht nachstellen. Besonders deutlich wird diese Differenz in den »Objekt«-Welten auf Foto 234 (Abb. 22). Die beiden Paare an den Maschinen, die ebenfalls in perspektivischer Abstufung und ornamentaler Formierung der Körperhaltungen postiert werden, widersetzen sich der Transformation in den schamvoll gesenkten Blicken und dem in sich zusammengefallenen Oberkörper des Vorderen. Ähnliches passiert in der gestellten Szene auf Foto 169 (Abb. 23): Auch hier wird der Blick abgesenkt vor der Kamera, ohne daß dies aus der Intention heraus entstünde, »nicht-gestellt« zu spielen und tatsächlich so zu tun, als gäbe es einen intimen Austausch von Post zwischen Briefträger und Empfänger. Wie wenig die optischen Strategien der verinnerlichten NS-Ästhetik dieses Laienfotografen greifen, kann ein Vergleich zweier Porträtfotos zeigen, die beide Brustbilder sind, also aus einer relativen Nähe zum Objekt aufgenommen wurden. Foto 29 (Abb. 24) zeigt den deutschen Leiter der Gettoverwaltung, Hans Biebow, der sich ganz *für* die Kamera postiert in einer narzißtisch erstarrten Pose, die besonders die Nackenlinie und Silhouette seines Hinterkopfes durch das einfallende Licht vom Fenster schmeichelhaft konturiert, während sich der Gesichtszug mit blasierter Arroganz konzentriert auf die Akten auf dem Schreibtisch gibt. Durch die beiden Fenster und die dazwischenliegende dunklere Wand, die von den Gardinen dekorativ gerahmt wird, entsteht eine starke graphische Ordnung des Hintergrundes, die den Eindruck des Ernst-Gesammelten dezent bestätigt, den Biebow von sich zu geben trachtet. Foto 63 (Abb. 25) zeigt vor einem schlecht ausgeleuchteten Hintergrund das Profil eines jungen Mannes mit Brille auf der einen Seite und einen Metalleimer auf der anderen. Die Beleuchtung dieses Fotos rückt vor allem die Nase und das Ohr ins optische Zentrum, während der Blick hinter der Brille unsichtbar bleibt, undurchsichtig. Wo hingegen die Fotografierten direkt in die Kamera schauen, wie in Foto 328 und 183 (Abb. 26 und 27), zieht der Blick eine eher eisige Distanz zum Fotografen, der Blick verschließt sich. Bei diesen Fotos ist kein Zweifel mehr darüber möglich, wie die realen Herrschaftsverhältnisse waren.

Abb. 22

Abb. 23

Abb. 24

Abb. 25

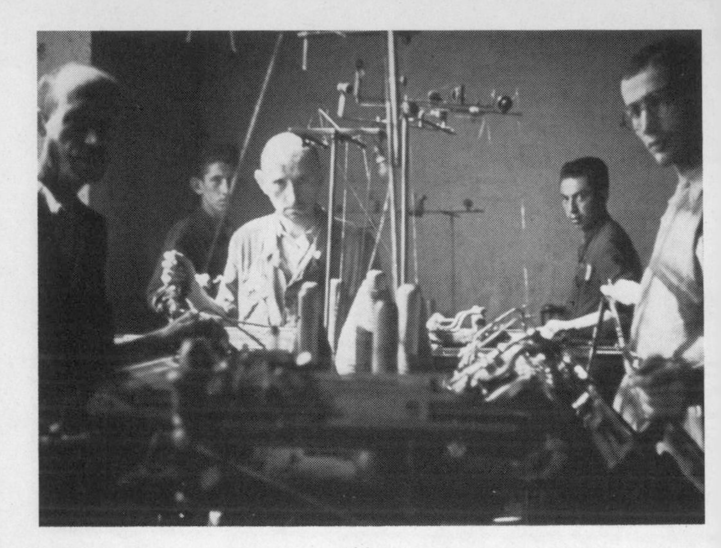

Abb. 26

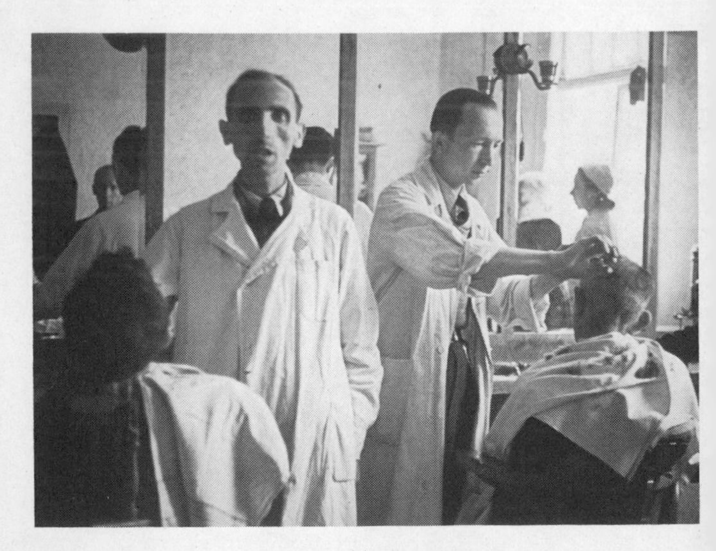

Abb. 27

Abb. 28

Sterben und Tötung werden in der Dia-Serie elliptisch aufgegriffen, das heißt als Schluß nahegelegt, aber nicht deskriptiv erfaßt. Auf diesen »Sprung« in der narrativen Struktur haben Freund et al. hingewiesen:

In der funktionalen Bild-Beschreibung des Gettos, des von den Deutschen installierten Systems von »Arbeit und Vernichtung« fehlt jedoch ein zentrales Element, die Ermordung von zehntausenden Gettoinsassen (...) im Vernichtungslager Chelmno/Kulmhof. Der Komplex Pabianice, ein scheinbar »normales« Arbeitslager, bleibt ohne jeden Hinweis darauf, daß zwischen den letzten Bildern, die das Getto darstellen, der »Aussiedlung«, und der Arbeit in diesem Lager, in dem die Kleider der in Chelmno Ermordeten verwertet wurden, das Vernichtungslager steht. (...)[9]

Die Dia-Serie endet deshalb wahrscheinlich wirklich mit Pabianice. Das letzte erhalten gebliebene Dia (Nr. 309) (Abb. 28) zeigt Juden des Lagers Pabianice beim Duschen. Die Beschriftung »Juden-Bad« kann als Hinweis auf die Tötung durch Giftgas gelesen werden: eine makabre Schlußpointe, die bei den Eingeweihten,

[9] Ebd., S. 56.

den Professionalisten der Vernichtungsmaschinerie, denen diese Bilder vielleicht vorgeführt wurden, als mörderisches Aperçu Heiterkeit hervorrufen mochte.

Eine historische Verortung dieser Dia-Serie, einen Vergleich mit den völlig anderen Fotos, die jüdische Fotografen wie Mendel Grosman im Getto gemacht haben und auf denen die Einsamkeit der Kinder, die Sterbenden, die Erschossenen und die Leichen zu sehen sind, vernachlässigt zu haben, ist eine problematische Einschränkung in der Kontextualisierung dieses Materials. Die Perspektive derer, die im Getto kaum Überlebenschancen hatten und doch um ihr Überleben vergeblich gekämpft haben, ist ebenfalls nicht Gegenstand dieses kurzen Exkurses. In ihm geht es um eine andere Frage: um Propaganda als Element nationalsozialistischer Ästhetik, die nicht nur die Adressaten, sondern auch ihre Akteure als »kultureller Code« determiniert. Die mentale Lücke, die zwischen Propagandisten und Manipulierten gerne aufgemacht wird, wollte ich schließen, um anhand dieser Mischform aus privater und offizieller Fotografie ein Stück nationalsozialistischer »Weltanschauung« als »Alltagsbewußtsein« der Vernichtung zu verdeutlichen.

III. Kino als Gegenwelt
Sehnsucht, Nostalgie, Wiederkehr

Die doppelten Strategien, die sich auf das Kino richten, lassen sich rückbeziehen auf dessen Anerkennung als prägender Teil der dominanten Kultur. Der »Kampf um das Kino« bezieht daraus seine Schärfe und seine Polarisierung. Unabhängig, ob die eigenen strategischen Implikationen sich dabei auf Gegen-Ästhetiken richten oder auf Binnen-Varianten, den Hintergrund bilden genau die Illusionsästhetiken des dominanten, narrativen Films. Dabei lassen sich parallel zur Auseinandersetzung mit dem narrativen Film ebenfalls polarisierende, verschiedene Theoreme über den ontologischen (in seiner Physikalität begründeter mimetischer Grundzug oder temporalisierte Strukturierung durch den eingefrorenen Zeitmoment) Status des filmisch-fotografischen Bildes finden, wobei die »intentionalistische« Position und die »kausalgeschichtliche« sich in einer solchen analytischen Trennung gegenüberstehen. Am ästhetischen Material selbst läßt sich zumeist zeigen, daß die analytisch getrennten Positionen in einzelnen oder Gruppen von Werken aufeinander bezogen werden. Wenn zum Beispiel in narrativen Filmen Wochenschau- oder anderes dokumentarisches Filmmaterial einmontiert wird, dann entsteht genau eine solche strategische Implikation, aus dem ontologischen Argument einen optischen Evidenzbeweis für eine fiktionale Situation zu schaffen. Die semantischen Potentiale des Kinos sind fast unerschöpflich, was sich bereits im Kern an all den Entwürfen festmachen ließe, die im Vorfeld des nie gedrehten Testfilms *Below the Surface* auftauchten, aber auch an der ersten Sequenz von *Crossfire*, in der dem Zuschauer das kognitive Wissen, daß es sich um eine Affäre unter GIs handelt, mit einer solch rhetorischen Figur eines fiktionalen optischen Evidenzbeweises übermittelt wird.

Was sich in der Debatte um *Crossfire* abgezeichnet hat, die Differenzen in bezug auf die Einschätzung der »Popularität« des Mediums als einer eigens zu erkennenden Qualität, läßt sich ebenso an der Existenz des jiddischen Kinos als einem Teil der amerikanischen Emigrantenkulturen festmachen wie an Charlotte Salomons sehnsüchtigem Blick auf das Kino als Metapher für das Aufgesogenwerden in die dominante christliche Kultur, deren »Popularität« ihr sowohl im Kino als Gegenwelt zum »Bilderverbot« in der konstruktivistischen Ästhetik der Avantgarde wie in der säkularisierten Präsenz sakraler, christlicher Musik entgegenschlägt.

Im Neuen Deutschen Film stellt sich anhand der dort auftauchenden jüdischen Charaktere die Frage nach ästhetischen Brüchen, nach der Wiederkehr älterer Ikonographien und dem zeitgenössischen Geschichtsbewußtsein: am Beispiel der Filme von Schlöndorff und Fassbinder lassen sich fragwürdige Strategien der »Popularisierung« festmachen, die nicht von ungefähr auf eine dualistische Konfrontation mit dem, was sie unter »Judentum« verstehen, hinausläuft. Das Problem des »positiven« Bildes taucht in problematischer Weise in einigen dieser Filme wieder auf, und zwar genau dort, wo das »positive« Bild im Sinne eines »empirischen« Bildes ein Negativbild ist, das sich selbst aber rein positiv versteht, als ein realer Abzug empirischer Mannigfaltigkeit.

Charlotte Salomons Buch *Leben oder Theater?* als historischer Familienroman

Seit Charlotte Salomons Werk im Jahre 1961 zum ersten Mal an die Öffentlichkeit gelangt ist, hat es vermutlich weit mehr interessierte Betrachter als Interpreten gefunden – kurz: was zu Charlotte Salomon geschrieben worden ist, war meist selbst Teil der Präsentation ihres Werkes in Ausstellungen. Erst in den achtziger Jahren begann die ästhetische Eigenständigkeit dieses Werkes ins Zentrum der Rezeption zu rücken, nachdem zuvor die Kategorisierung ganz auf den Dokumentcharakter abzielte, auf eine Art Tagebuch der Verfolgung, das in Analogie zu Anne Franks Tagebuch wahrgenommen wurde.

Erst kürzlich hat Mary Lowenthal Felstiner eine etwas düstere Bilanz der Salomon-Rezeption gezogen:

> This approach, largely accountable for the international success of Charlotte Salomon's exhibitions and reproductions, no longer constitutes an adequate reading.[1]

Paul Tillich, dem Felstiner ein zwar bewegendes, aber doch mißverständliches Vorwort attestiert, hatte dort das Werk charakterisiert als »universal human, something that bridges the distance between man and man (...) speaks in the almost primitive simplicity of these pictures«.[2] Verbirgt sich in Tillichs Worten die Sehnsucht nach transzendentem humanistischem Sinn, der die Opfer der Verfolgung zu auserwählten Sprechern macht, die nicht autonom, sondern situativ determiniert sind, auf verlorenem Posten einer besseren Welt, so wird damit genau die Dimension der Auseinandersetzung mit diesem kulturellen Konzept des Humanismus unterboten, die einen Teil der Brisanz in Salomons »Buch« gerade ausmacht.

Das Werk von Charlotte Salomon scheint von seiner eigenen Geschichte überdeterminiert: ein nachgelassenes Werk, das allen Vorstellungen eines Nachlasses entgegensteht, schließlich wird das Werk von der Biographie seiner Erzeugerin nicht nur während sei-

[1] Mary Lowenthal Felstiner, *Artwork as Evidence: Charlotte Salomon's »Life or Theater?«*, Vortragsmanuskript, unveröffentlicht, S. 1739.
[2] Zit. n. ebd.

ner Produktion als Stoff markiert, seine Rezeption, verspätet und ungenau, entnimmt ihm wieder nur die Biographie. Daß die Biographie einer Erschlagenen zur Hauptkonkurrentin des künstlerischen Werkes wird, ist allerdings seltsam und in der Tat der an grauenhaften Zügen nicht armen Biographie Charlotte Salomons geschuldet. In der knappen Form fast eines Curriculum vitae im Anhang eines der wenigen Bücher zu Salomons Werk, wie all diese als Begleitung einer Ausstellung gedacht, liest sich das so:

Charlotte Salomon »Charlotte Kann«
Am 16. 4. 1917 in Berlin geboren. Mit neun Jahren verliert sie 1926 ihre Mutter durch Selbstmord. Ihr Vater, Albert Salomon, heiratet 1930 die Sängerin Paula Lindberg. Charlotte besucht das Fürstin-Bismarck-Gymnasium in Charlottenburg. Aufgrund antisemitischer Anfeindungen verläßt sie die Schule vor dem Abitur.

Im Oktober 1935 bewirbt sie sich an den Vereinigten Staatsschulen für freie und angewandte Kunst in Berlin, wo sie am 7. 2. 1936 als Studentin aufgenommen wird. Studium in der Klasse von Prof. Ernst Böhm und Prof. Ludwig Bartning. Im Wintersemester 1937/38 verläßt sie die Hochschule.

Im Januar 1939 emigriert Charlotte zu ihren Großeltern nach Villefranche in Südfrankreich.

Im Juni 1940 wird sie zusammen mit ihrem Großvater vorübergehend im Lager Gurs in den Pyrenäen interniert. Von 1940 bis 1942 malt sie in Villefranche an dem autobiographischen Bildzyklus »Leben oder Theater?«.

Nach dem Tod des Großvaters im Februar 1943 heiratet sie im Mai 1943 den Emigranten Alexander Nagler. Zusammen mit Nagler wird sie am 21. September 1943 von der Gestapo verhaftet und nach Lyon gebracht. Von dort werden sie über das Sammellager Drancy nach Auschwitz deportiert. Charlotte ist im dritten Monat schwanger.

Der Tag ihrer Ermordung in Auschwitz ist unbekannt.[3]

Das Werk, das die Sechsundzwanzigjährige vor ihrer Deportation der amerikanischen Schutzpatronin Mrs. Moore als »Besitz« überschreibt und bei einem Arzt in Villefranche deponiert, besteht aus 1325 Gouachen und Pauspapierblättern, auf denen Texte über einige der Gouachen gelegt werden. Aus diesem Konvolut, das die Eltern 1947 in Villefranche von Mrs. Moore übereignet bekamen und das sie erst spät einer kunsthistorischen Einschätzung zuführten, wurde schließlich 1961 die erste öffentliche Ausstellung im

[3] Christine Fischer-Defoy, »Kurzbiographien«, in: dies. (Hg.), *Charlotte Salomon – Leben oder Theater? Das »Lebensbild« einer jüdischen Malerin aus Berlin 1917-1943. Bilder und Spuren, Notizen, Gespräche, Dokumente*, Schriftenreihe der Akademie der Künste, Band 18, Berlin 1986, S. 157.

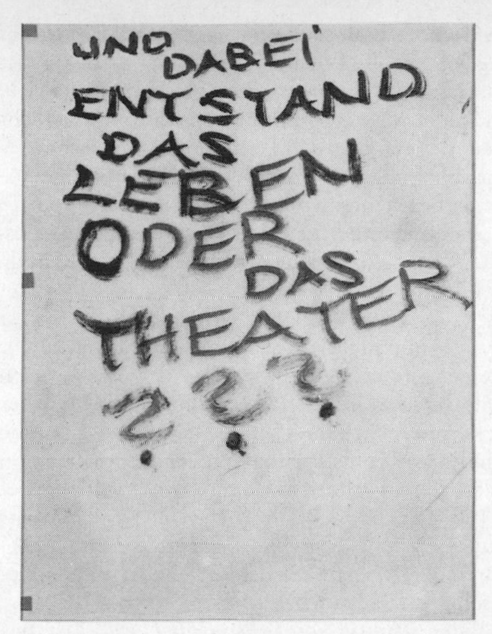

Abb. 29

Fodor-Museum in Amsterdam zusammengestellt. Erst die im November 1971 an das Jüdische Historische Museum erfolgte Schenkung stellte die Weichen für eine kunsthistorische Aufarbeitung dieses einzigartigen Werkes. Als ihr Ergebnis ist die Edition von Charlotte Salomons Buch *Leben oder Theater?* zu betrachten, das 784 Blätter in eine Abfolge gebracht hat, die freilich wie alle Editionen aus dem Nachlaß nur eine vermutete Intention nachzeichnen und nicht als autorisierte Fassung gelten kann.[4]

Immerhin legt diese Fassung nahe, daß das Werk vor der Depor-

[4] Meine Darstellung folgt der in der Buchedition erfolgten Editionsgeschichte, vgl. Charlotte Salomon, *Leben oder Theater? Ein autobiographisches Singspiel in 769 Bildern.* Mit einem Vorwort von Judith C. E. Belinfante, einer Einleitung von Judith Herzberg und einer editorischen Notiz von Gary Schwartz. Alle im folgenden in Klammern gestellten Seitenangaben beziehen sich auf diese Edition, Köln/Maarssen 1981.

tation abgeschlossen wurde, wenn auch seine einzelnen Bildfolgen nicht festgelegt waren. Etwas irreführend stellt die Buchedition im Untertitel das Werk als »autobiographisches« Singspiel vor, was kein Titel Salomons war, die nur von einem Singspiel schreibt und sich in jeder der auftretenden Personen vertreten sieht.[5]

Das komplexe Geflecht aus Bild, piktorial integrierter Schrift und schriftlichem Kommentar, das sich im Laufe von *Leben oder Theater?* herausgebildet hat als kühner Vorgriff auf ästhetische Praktiken, die explizit erst sehr viel später Eingang in die Avantgarde der bildenden Kunst gefunden haben, enthält ganz zweifelsohne einen essayistisch-kognitiven Aspekt, der mit »primitive simplicity« absolut nichts zu tun hat. Der brüchige und komplexe Versuch einer Situierung der eigenen Person als schöpferischem Subjekt, als den man *Leben oder Theater?*, vom Ende her gelesen, auffassen könnte, geht parallel mit dem Problem der Situierung des Berliner jüdischen Künstlermilieus in einer christlich dominierten Kultur, der sich Charlotte Salomon prima facie wie viele andere deutsche Juden zugehörig fühlte. *Leben oder Theater?* ist der kreativ-destruktive Versuch, das wäre mein interpretatorischer Aspekt, die Vektoren der sogenannten deutsch-jüdischen Symbiose in eine Art ironische Aura zu tauchen.

Die zeitliche Struktur von *Leben oder Theater?* ist die erinnerte Zeit, die kurz vor der Gegenwart abbricht, aber auch intern finden sich Zeitsprünge, die deutlich der filmischen Dramaturgie der Rückblende folgen oder der Parallelisierung von Zeit im multiperspektivischen Erzählen. Aller Reichtum an Zeit entstammt ihrer Fiktionalisierung, der Erinnerung. Damit stellt sich Charlotte Salomon selbstbewußt in die Tradition der Moderne (wie sie auch Verlaines Gedicht über Erinnerung an zentraler Stelle einbaut [S. 51]), die mit der französischen Lyrik des 19. Jahrhunderts ästhetischen Zeugungsakt und eine Poetik der Erinnerung verbunden hatte. Unabhängig von einer zeitlichen Angabe, in der ihr »Singspiel« selber situiert ist, endet sie das geschriebene Vorwort mit:

DER VERFASSER St. Jean August 1940/42
Oder zwischen Himmel und Erde außerhalb von unserer Zeit im Jahre 1 des neuen Heiles (S. 6).

[5] So jedenfalls Judith Herzberg, in: a. a. O., S. VIII, unter Bezugnahme auf eine Aufzeichnung Salomons.

Am Ende des Werkes schließlich, das sich mit weiteren geschriebenen Texten verabschiedet, unterstreicht sie noch einmal den Schöpfungsaspekt:

sie mußte für eine Zeit von der menschlichen Oberfläche verschwinden und dafür alle Opfer bringen – um sich aus der Tiefe ihre Welt neu zu schaffen (S. 782).

Und dabei entstand:

Das Leben oder das Theater??? (S. 783)

Die romantische Ununterscheidbarkeit von Leben und Kunst, die das dreifache Fragezeichen ausposaunt, wird im schwungvollen Rundbogen, auf dem unsichtbar die Fragezeichen angeordnet sind, zum ironischen Piktogramm eines Pendelausschlags, zum Bild des in der Mitte situierten »oders« als eigentlichem Zentrum des Schlußtableaus. Die serielle Verdreifachung des Fragezeichens, die als visuelle Analogie einer Pendelbewegung zur piktorialen Allegorie einer unbeantworteten Frage wird, ist eines der vielen Beispiele des Bandes, an denen man zeigen könnte, daß die Ausdrucksseite von Graphemen einen eigenständigen ästhetischen Subtext in diesem Buch bildet, in dem sich die Sprache nicht zufällig immer mehr zum visuellen Graphem integrierter Schriftzüge bildnerisch entwickelt.

Ein anderer Aspekt der visuellen Integration der Schrift ins Bild ist die graphische Umsetzung ihres lautmalerischen Aspektes, je nach Redendem schlängelt sich oder fließt die Schrift ins Bild oder um den Sprecher herum, mitunter werden Pfeile benutzt, um im wahrsten Sinn des Wortes »undurchsichtige« Sprechsituationen formal zu bestimmen. Die Schriftzüge erhalten auf diese Weise eine wichtige Stellung im gesamten Bildaufbau, indem sie graphisch Personen verbinden oder trennen, sie umkreisen oder nicht erreichen: die Dicke des Pinselstrichs, die wechselnden Farbschattierungen, die Zwischenräume der einzelnen Buchstaben – all diese formalen Elemente ergeben eine Art synästhetischer Partitur, die verrät, wie tief Charlotte Salomon vom musikalischen Milieu ihrer Stiefmutter, der Sängerin Paula Lindberg, beeindruckt und beeinflußt war.

Dennoch kann man kaum umhin, die Dominanz der Schrift und der formal-seriellen Momente in Salomons Arbeit in einen größeren Zusammenhang jüdischer Tradition zu rücken, was mich später zurückbringen wird zur Debatte des internen und internalisierten Kulturkampfes in einem historischen Milieu. Dieses ist gekennzeichnet durch das, was Shulamit Volkov als »kulturellen Antisemitismus«[6] in einer spezifisch deutschen Ausprägung als verbindlichen kulturellen Code beschrieben hat, dem sich deutsche Juden auf vielfältigste Weise konfrontiert sahen – bis zur Integration abwertender Deutungsmuster in die eigene Vorstellungswelt oder deren Projektion auf die »Ostjuden«. Diesen Zusammenhang möchte ich hier nur am Rande streifen, soweit er als Rahmen der von Charlotte Salomon in ihrem Werk geführten Auseinandersetzung mit dem deutschen Judentum in Form eines historischen Familienromans unabweisbar ist. Etwas schematisch könnte man die traditionellen kulturellen Differenzen in die zwischen Buch- und Schriftkultur auf der einen Seite und Bildkultur auf der anderen teilen, wobei ich gleich festhalten möchte, daß es sich dabei um Stereotypisierungen handelt, deren Kraft sich als Deutungsmuster entfaltet und nicht als deskriptive Kategorien historisch-empirisch beobachtbarer Befindlichkeiten.

Die Spannung zwischen dominanter christlicher Kultur und der eigenen jüdischen Herkunft wird von Charlotte Salomon in fast allen ihren Figuren deutlich gemacht, teils offen thematisiert, teils ironisiert. Insofern sie auf der narrativen Ebene einen regelrechten Familienroman entwirft, in dem sie sich selbst projiziert, läßt sich ihr Buch auch lesen als Dramatisierung der Weiblichkeit durch verschiedene exemplarische Stadien hindurch. Dabei verschränken sich offensichtlich Erfahrungen von Weiblichkeit, Modernität, Marginalität und blasphemischer Ironisierung theologisch-religiöser Systeme. Daß sich gerade in dieser spannungsreichen Verschränkung eine ganz und gar unsentimentale Perspektive auf das deutsche assimilierte Judentum eröffnet, erlaubt eine historische Kontextualisierung des spät öffentlich gewordenen Werkes, das sich nicht ausschließlich als negative Teleologie eines zum Tod verurteilten Lebens bestimmen läßt. Die Deportation Charlotte Salomons aus dem südfranzösischen Exil bot möglicherweise den Grund dafür, daß sich der Wunsch nach Normalität und Verleugnung der bedrohlichen Lebenswirklichkeit als übermächtig erwiesen hatte: Als Charlottes Schwangerschaft offenkundig wird, beharrt nämlich ihr Liebhaber Nagler darauf, sie zu heiraten. Erst

6 Shulamit Volkov, *Jüdisches Leben und Antisemitismus im 19. und 20. Jahrhundert, Zehn Essays,* München 1990, darin besonders »Antisemitismus als kultureller Code«.

hierdurch wurden Institutionen auf sie aufmerksam.[7] Die konventionelle Aufhebung der langen Adoleszenzkrise, die sich im Familienroman niedergeschlagen hat, wird zur Verschärfung der politischen Situation, selbst ein fragiles Zeichen der unmöglichen Assimilation, die Ziel der Ironisierung im Werk wird.

Der 1. Aufzug beginnt 1913, wobei die Jahreszahl ins Bild wie auf einem Kalenderblatt integriert ist. Die Legende verheißt nichts Gutes: »An einem Novembertage verließ Charlotte Knarre das elterliche Haus und stürzte sich ins Wasser« (S. 7). Das Bild selbst ist aufgebaut wie manche Votivbilder, die Figur der Erzählung wird auf dem Weg vom elterlichen Treppenhaus durch eine baumgesäumte Straße bis ans Ufer des Flusses, an dem bedeutungsträchtig eine Trauerweide und ein Nachen sich befinden, in nicht voneinander getrennten Stationen gemalt, ca. 30mal ist sie zu sehen. Dabei fällt auf diesem ersten Blatt schon auf, daß der scheinbar naive Stil einer Mischung aus Moritat und Votivtafel etliche Verweise auf die Stummfilmmelodramen der Zeit enthält: die Körpergesten der verzweifelten Selbstmörderin, das expressionistisch, anti-illusionsperspektivisch konstruierte Haus, das unvermittelt Treppenhaus und Außenwand aneinandersetzt. In gewisser Weise ist die Kombinatorik von Bild und Schrift, die bereits im zweiten Bild als Text der Todesanzeige ins Zentrum des Bildes rückt, wie auch die wiederholte Einbeziehung der Jahreszahl eine narrative Technik des Stummfilms, der damit die Schwerfälligkeit überlanger Zwischentitel zu vermeiden suchte. Ohnehin ist bereits mit den ersten Bildern deutlich, daß Salomon ein extremes Interesse an Simultanität und Bewegung im Bild hat, das an den Möglichkeiten und der Ästhetik filmischer Montage und Kamerabewegung geschult wird. Stilistisch spielt sie dabei durchaus bewußt mit der Zweidimensionalität auch des filmischen Bildes, wenn sie das Zentrum einer Szene durch drei langgestreckte vertikale Bildstreifen so rahmt, daß die parafilmischen Bilder flächig wirken, das von ihnen gerahmte dreieckige Zentrum aber einen illusionsperspektivischen Raum simuliert (S. 18). Die bewußte Verletzung illusionsperspektivischer Konstruktion zugunsten eines flächigen Simultanmodells, das sich oft vogelperspektivisch (S. 19) auf Räume fixiert, um dann den Point-of-view innerhalb eines Bildes mehrfach zu verändern wie ein bewegliches Kameraauge, gehört zu den durchgängi-

[7] Vgl. Judith Herzberg, a.a.O., S. XII.

gen Techniken des Bandes. Mit dem Wechsel der visuellen Tonlagen sind die Stimmungskolorits der Narration verbunden, zum Beispiel wird ein Bild konventioneller Harmonie auf einem Ferienausflug durch die Berge bei Saas Fee in einem leichten, perspektivisch konventionellen Landschaftsbild entworfen (S. 52), dagegen wird der eigentümliche Stil Charlotte Salomons narrativ an die Großmutter zurückgebunden. Der 5. Aufzug beginnt mit der kugelförmig zusammengekrümmten Großmutter Knarre, die auf dem Fußboden hockt. Die Legende zu diesem Bild kündigt eine Art Rückblende an: »Inzwischen hat sich Frau Doktor ganz in sich selbst zurückgezogen und läßt ihr tragisch bewegtes Leben in der ihr eigenen dichterischen Form an sich vorüberziehen« (S. 103). Anschließend folgen Bilder, die sich stilistisch keinesfalls unterscheiden von den vorhergehenden. Der Zeitsprung zurück bis 1890, die Einführung als grüblerische Fixierung auf Vergangenheit und Erinnerung verweisen aber doch noch einmal darauf, daß Salomon sich sehr stark damit auseinandergesetzt hat, zwischen den parafilmischen Erzähl- und Bildformen und der Struktur vorbeiziehender Ströme von Erinnerungsbildern eine Homologie zu konstruieren. Tatsächlich waren vor der Erfindung der Bewegungsfotografie und den Trompe-l'œil-Effekten von Blätterkinos und anderen Spielen Erinnerungsbilder die einzigen von Menschen projizierten Bewegungsbilder, die aber in die reine Subjektivität eingeschlossen blieben, insofern mentale Bilder eben keine physische Wirklichkeit haben können.

Die Bilder Charlotte Salomons beziehen wohl einen Teil ihres doppeldeutigen Reizes daraus, daß sie auf der Höhe der technischen Erfindung der visuellen Bewegungssimulation eigensinnig auf der subjektivierten Ebene mentaler Erinnerungsbilder beharren. Daß sie sich dieses Verhaftetseins an eine poetische Autonomie der Erinnerung sehr wohl bewußt gewesen ist, zeigt sich an der durchaus virtuosen und ironischen Handhabung unterschiedlichster Stile und Zeitebenen. Wenn sie zum Beispiel die Hochzeitsnacht ihrer Eltern in einem vornehmen Berliner Hotel visualisiert, dann tut sie das in einer filmischen Simulation, die im ersten Bildstreifen nur die Füße des Paares zeigt, das unter den Blicken des Portiers eine elegante mit rotem Teppich ausgelegte Freitreppe hochschreitet, dann in einer »amerikanischen« Einstellung das Paar als kopflosen Torso vorführt, um sie schließlich im dritten unter einer Bettdecke verschwinden zu lassen (S. 17. Vgl. Abb. 30).

Abb. 30

Die enorme visuelle Einbildungskraft Charlotte Salomons verweist auf mehr als eine rein formale und spielerische Beziehung zum filmischen Bild, das ihr großes Vorbild zu sein scheint. Interessanterweise gibt Salomon einige direkte Hinweise auf die Zentralität, die das Kino in ihrer ästhetischen Sozialisation einnimmt. Nicht nur verweist sie an einer Stelle, die in der Zeit der Pubertät spielt, auf den gerne und häufig ausgeübten Kinobesuch, sie gibt auch einen Hinweis auf einen konkreten Filmtitel: Im Bild steht Charlotte mit einer Schulfreundin vor einer Plakatsäule, auf der eine Ankündigung von Leontine Sagans Film *Mädchen in Uniform* angekündigt wird (S. 85. Vgl. Abb. 31). Nun muß man sich nur kurz in Erinnerung rufen, daß Sagans Film ein früher lesbischer Kultfilm war, der ins Zentrum die schwärmerische Verliebtheit eines jungen Mädchens in seine Lehrerin rückt, eine pubertäre Neigung, die aufs scheußlichste von der engstirnigen und autoritären

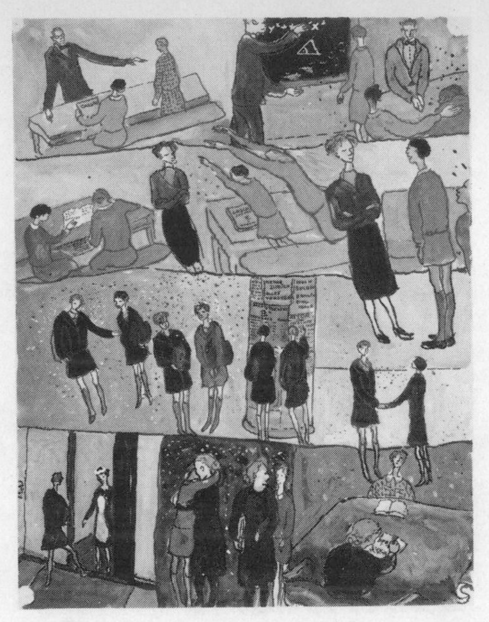

Abb. 31

Ordnung des preußischen Erziehungswesens in einen tödlichen Ausgang getrieben wird. Dieses dramatische Geschehen verbindet die Obsession des Selbstmordes in der Familie der leiblichen Mutter mit der Schwärmerei für die Stiefmutter, und nicht zufällig resümiert die Bildlegende gerade die qualvollen und obsessionellen Momente einer solchen pubertären, lesbischen Verliebtheit in die idealisierte »Mutter«: »Und auch in der Schule denkt sie nur noch an sie. Nur selten gelingt es, sie aus ihrer Lethargie zu reißen. Doch hat sie jetzt eine andere Freundin und geht auch gern ins Kino. Doch die erste Frage ist, wenn sie nach Hause kommt: ›Ist „Sie" (denn einen Namen ihr zu geben, war sie noch nicht fähig) zu Haus?!!‹«

Die Stiefmutter ist es auch, die als erste Figur im Buch über ihre jüdische Herkunft definiert wird. Der ganze dritte Aufzug ist als eine Art Rückblende konzipiert, in der Paulinka ihren Werdegang am Grabe ihrer Mutter vor sich vorbeiziehen läßt, und zwar nach der »Melodie ›In einem kleinen Städtchen in Kurzenberg am Rhein, da wohnte einst ein Rabbi, der hat ein Töchterlein‹ (...)« (S. 59). Auf den beiden vorhergehenden Bildern wird bereits über die Stiefmutter der erste Verweis auf einen jüdischen Lebenszusammenhang gegeben, und zwar ebenfalls im Kontext der Familie von Paulinka, mit der die Hochzeit gefeiert wird (S. 57, 58). Die in den folgenden Bildern dargestellte Karriere als Sängerin beschreibt in einer ebenso grotesken wie eindringlichen Weise, welchen Preis die Assimilation fordert, nämlich genau den der völligen Verbergung der eigenen Herkunft zugunsten eines Aufgehens in der dominanten christlichen Kultur. Dabei gibt es durchaus ein Selbstbewußtsein davon, daß die musikalische Orientierung aus dem Judentum selbst stammt und nicht Ergebnis der Assimilation an die christliche Kultur ist. Für Paulinka wird der singende Vater und Rabbi ganz offensichtlich zum Vorbild, das sie von unten aus der Ecke am Bildrand heraus bewundert (S. 60. Vgl. Abb. 32). Mit einigem Recht kann man annehmen, daß Charlotte Salomon in der stilisierten Karriere der Paulinka Bimbam den durchaus paradigmatischen Lebensentwurf einer jüdischen Künstlerin der Zeit vermittelte: eben jenes Muster, das Shulamit Volkov beschrieben hat als Assimilation qua Erfolg, was soviel hieß, daß keineswegs auf irgend dramatische Weise das eigene Judentum verleugnet wurde, sondern lediglich, daß man sich durch Erfolg in der dominanten Kultur ein Stück soziale Sicherheit und Unabhängigkeit von antisemitischen Schikanen erhoffte. Dazu paßt die parallel mit der Erkenntnis ihrer künstlerischen Begabung einhergehende Namensänderung von »Levy« in »Bimbam«; einer ironischen Umdrehung der schikanösen Namensgebung für Juden durch deutsche Institutionen, denn nur allzu deutlich ist »Bimbam« eine Allusion an den »heiligen Bimbam« (S. 67). Der weitere Erfolg bringt sie als Kirchenmusiksängerin zur Geltung, und Salomon würzt diese Episode mit einer eingebauten Zeitungsnotiz, in der »man bewunderte, daß es unter der christlichen Jugend noch solch wahre innere Frömmigkeit gibt« (S. 72. Vgl. Abb. 33).

Die ironische Distanzierung vom Erfolg der Bewunderten, vom »heiligen Bimbam«, ist in dieser Rekonstruktion einer künstlerischen Karriere als Assimilation qua Erfolg deutlich zu sehen. Wird in Paulinkas Karriere der Weg von der Synagogalmusik zur Kirchenmusik beschrieben, so der des Vaters zum deutschen Profes-

Abb. 32

sor, der die klassische Karriere im freien Beruf des Arztes aufgibt, um sich in die institutionellen Hierarchien der deutschen Universität günstig zu plazieren. Vor diesem bildungsbürgerlichen Hintergrund einer assimilierten jüdischen Familie nimmt die Vorliebe der Charlotte Kann des Buches für das Kino eine durchaus häretische und rebellische Funktion ein. Nicht zufällig verbindet sich das abweichende Motiv einer, wenn auch völlig folgenlosen pubertären Schwärmerei für eine idealisierte Frau und das einer sowohl gegenüber der traditionellen Bevorzugung von Musik und gelehrter Schriftkultur ungewöhnlichen Vorliebe für das Bild und den Film. In diesem Schwanken bahnt sich auch die Auflösung der Krise pubertierender Weiblichkeit an. Während nämlich die Karriere der Paulinka Bimbam als »Assimilation qua Erfolg« beschrieben wird, die sich nicht in inneren Zweifeln an der eigenen Herkunft festmacht, sondern geradezu von selbstbewußter Idealisierung getra-

Abb. 33

gen ist, scheinen diese Strategien in der Familie Kann zu versagen. Wie eine ironische und bittere Umkehr der als Lichtgestalt gefeierten Stiefmutter nehmen sich die orphischen Versuche Charlottes aus, durch anhaltendes Singen von Beethovens berühmter 9. Symphonie und ihrer humanistischen Botschaft in »Freude schöner Götterfunken« die Großmutter Kann im südfranzösischen Exil davon abzubringen, sich selbst in die Kette der Selbstmörderinnen der Familie einzureihen (S. 704. Vgl. Abb. 34). Und in dem nachfolgenden Bild raunzt der Großvater angesichts der ebenso lautstarken wie vergeblichen Bemühungen: »Was sollt' denn der Quatsch bedeuten? Ich hab gar nicht schlafen können« (S. 705), bevor er schließlich zu der traumatischen Erzählung vom Selbstmord der Mutter von Charlotte überleitet. Damit wird Charlottes Lebenskrise ausgelöst. Die Diskreditierung einer Kultur, die ihr humanistisches Erbe im Terror des Nazismus auf einen Streich ver-

Abb. 34

spielt zu haben scheint, kann keine Toten mehr wecken, geschweige denn die Lebenden von ihrer Todessehnsucht befreien.

Die für die Zeit ungewöhnlich avantgardistische und neue Ästhetik, in der Charlotte Salomon die widersprüchlichen kulturhistorischen Hegemonialansprüche der einzelnen Künste zu einem ironischen Gesamtkunstwerk integriert, ist ebensosehr eine geschichtsphilosophische Konstruktion wie eine ästhetische Destruktion radikalisierter Geltungsansprüche einzelner Kunstformen. Ganz im Sinne Walter Benjamins, der im Film ein Teleskop meinte entdeckt zu haben, mit dem er die Luftspiegelungen des 19. Jahrhunderts einfangen zu können glaubte, meint auch Charlotte Kann, am Ende angelangt, dem drohenden eigenen Selbstmord noch einmal entkommen, sich vom orphischen Glauben an die Kunst freimachen zu müssen und statt dessen von der Kunst der Innerlichkeit zu der der Äußerlichkeit gelangen zu müssen. An die Stelle der idealisierten Sängerin der hohen Kultur tritt immer mehr der verrückte Gefährte Daberlohn, die erste Liebe. Daberlohn ist es, dem Salomon ihre Thesen zum Kino unterlegt, und zwar in einer Kritik am Bilderverbot des Alten Testamentes (S. 374. Vgl. Abb. 35).[8] Am Ende schließlich aber unterzieht sie

[8] Wie stark die Debatten um das sogenannte »Bilderverbot« in kulturelle Debatten und wertende Zuschreibung zu Judentum und Christentum eingegangen sind, wie sehr also Salomon darin Zeitströmungen aufgreift, die sich genau aus einer als konkurrierend erlebten Spannung zwischen christlicher und jüdischer Tradition speisen, läßt

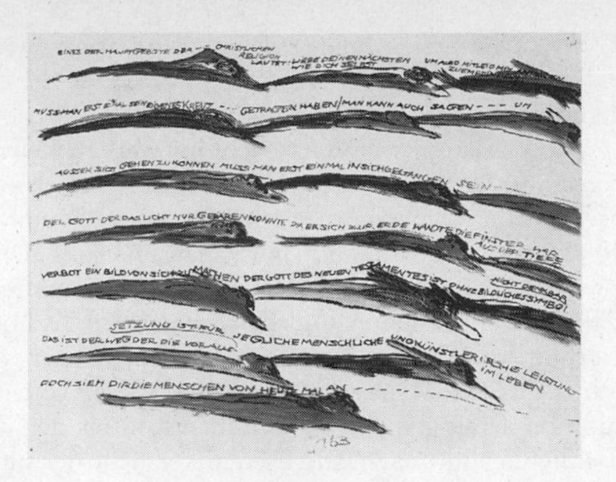

Abb. 35

Daberlohn einer ähnlichen Ironisierungsstrategie wie auch Paulinka Bimbam, wenn sie ihm attestiert, »Herrn Daberlohn beherrscht das Gefühl einer Christusähnlichkeit. (...) Für ihn wird das Kino zur Maschine des Menschen, zur Produktion seiner selbst« (S. 535). Und eben diese Vision greift Salomon am Ende des Buches auf, freilich bloßgelegt von den kulturkämpferischen Häresien des Daberlohn (S. 779). Dennoch bleibt auch in dieser Version noch erstaunlich, wie verschieden die Auseinandersetzung mit christlicher Kultur und jüdischer Herkunft im Generationensprung artikuliert ist.

Charlotte Salomons Werk ist in seinem Kern eine gewagte Verbindung eingegangen zwischen der Auseinandersetzung um tradierte und kulturell für unhinterfragbare Tradition gehaltene Formen der Künste wie die der Musik im jüdischen Selbstverständnis

sich aus einem Werk aus dem Jahre 1927 plastisch entnehmen:
»Das Wort von der Kunstfeindlichkeit des Judentums taucht auf. Das Problem ist zu Beginn des Jahrhunderts viel umkämpft worden. Man zog das Bilderverbot der Bibel als Beweis für die Kunstfeindlichkeit des Judentums an. Von der anderen Seite versuchte man das Judentum von diesem Vorwurf zu befreien und trug aus Archiven und Schriften Material über jüdische Künstler und jüdische Kunsttätigkeit zusammen. Diese Bemühungen waren gutgemeint, aber sie verkennen das Problem. Das biblische Verbot ist ein *Bilder*verbot und man muß *Bilder*feindlichkeit und *Kunst*feindlichkeit scharf auseinander halten. (...) das Bilderverbot sagt nichts aus über die Einstellung des Judentums zu Fragen der bildenden Kunst.« (Aus: Richard Krautheimer, *Mittelalterliche Synagogen,* Berlin 1927, S. 12f.)

und den an visuelle Erfahrungen gebundenen Formen wie die des Films und der Malerei. Daß Salomon in ihrer Arbeit die Krise der Weiblichkeit und Geschlechterdifferenz und das Problem der Repräsentation zusammenbindet, macht ihr Werk in vielerlei Hinsicht interessant. Denn auf den ersten Blick, der Tillich so prominent täuschen konnte, bedient sich Salomon ja recht einfacher visueller Repräsentationssysteme, eine Amalgamierung der expressiven Potentiale der neu entstandenen physiognomischen Landschaften filmischer Gesichter und Körper mit den Techniken der Dezentrierung durch Verletzung illusionsperspektivischer Räume, wie sie eben aus der Malerei bekannt sind. Ganz offensichtlich bleibt Salomon damit ganz im ästhetischen Kontext der Weimarer Zeit, einschließlich ihrer synästhetischen Versuche der simultanen Organisation assoziativen Materials. Das Festhalten am Erfahrungshintergrund der Avantgarden der Weimarer Zeit erscheint natürlich im französischen Exil verspätet und ist doch eine zu neuen Formen führende Hintergrundfolie, vor der Salomon schließlich zu Formen der ästhetischen Verarbeitung kommt, die in ihrer Isoliertheit auch Vorgriffe auf die spätere Kunst von Frauen machen. Die Spannung zwischen Schrift und Bild als eine zwischen Festschreibung und Überhöhung, wo mal die Schrift die Idealisierung und Fetischisierung des Bildes (das »ideale Bild« ist eine der großen Obsessionen Daberlohns) aufbricht, mal die Schrift vor den expressiven Gehalten malerischer Gebärde zum Rückzug gezwungen wird, gehört ja seit den sechziger Jahren zu vielen Werken von Frauen, die sich gerade und immer noch auf diesem Wege des Problems der Repräsentation von Geschlechterdifferenz und ihrer impliziten Neigung zur fetischistischen Überhöhung des weiblichen Bildes in destruktiver Absicht angenommen haben. Nimmt man diese Dimension in Salomons Buch ernst, dann erscheint ihre visualisierte Verarbeitung der eigenen schwärmerischen Verliebtheit in das »ideale Bild« der auffällig blonden, hellen Paulinka Bimbam, die sie Daberlohn teilen läßt und ihn damit zum Koautor des »idealen Bildes« macht, der Kristallisationspunkt zu sein, der die schwarze Tradition des Selbstmordes in der weiblichen Familie Kann ausbalancieren muß.

Die bizarre Mischung aus kunsttheoretischer Reflexion, oft im gespreizten Stil expressionistischer Gebärden, autobiographischen Details und einer durchgängigen Strategie der Ironisierung von eindeutigen Gefühlslagen und »idealen Bildern« gewinnt eine zusätzliche Schärfe durch ihre Einbettung in den historischen Kontext, den Salomon keineswegs ausspart. Mary Felstiner hat auf die eindeutigen Zeichen dafür hingewiesen, daß Salomon sich sehr wohl der politischen Situation und extremen Gefährdung bewußt war, in der sie lebte und ihr Werk schuf. Als Beleg führt Felstiner das Bild an, auf dem ein Avis erfaßt wird, mit dem die französischen Behörden die deutschen Flüchtlinge zum Verlassen von Stadt und Departement auffordern. Salomon nimmt nun einen signifikanten Eingriff in den amtlichen Text vor: sie verweiblicht nämlich die Endung der Flüchtlinge, wozu sie extra einen Zeilensprung machen muß. Darin nun kann man in der Tat eine starke subjektive Reaktion in dem Sinne lesen, daß Salomon sich selbst zum adressierten Subjekt des Amtstextes gemacht hat (S. 762. Vgl. Abb. 36 u. 37).[9]

Als ein weiteres Beispiel wäre das zweite Blatt zum 2. Akt zu nennen, der mit einem Massenaufmarsch unter der Hakenkreuzfahne beginnt und das Datum vom »30. 1. 1933« trägt. Auf diesem Blatt ist eine Geschäftsstraße zu sehen, die ausschließlich jüdische Firmennamen zeigt, gleich das erste Geschäft trägt den Namen »Salomon«, dann folgen Cohn, Israel, Zelig & Cohn und Leiser, alle Geschäfte sind als Bekleidungsläden gekennzeichnet. Charlotte Salomon war sich also durchaus bewußt, daß die Assimilation ans deutsche Bildungsbürgertum, die Vater und Stiefmutter durchgemacht hatten, keinen klaren Distinktionsgewinn gebracht hat. Die Idealisierung der Stiefmutter geht aber doch so weit, daß politische und ödipale Krise miteinander in Verbindung gebracht werden. Der 9. November 1938 markiert einen Abschnitt, der eine besondere Bedeutung dadurch erhält, daß der Vater als erster der Familie zum Opfer der politischen Verhältnisse wird (S. 607). Das 3. Kapitel schildert unter der lakonischen Überschrift »Der Vati« dessen Lageraufenthalt (S. 644-647. Vgl. Abb. 38). Fast gesichtslos, eine gekrümmte Gestalt unter der Fuchtel eines doppelt so großen Mannes mit Peitsche und Stiefel, rutscht er von Bild zu Bild immer mehr in eine gänzlich gedemütigte und submissive Rolle. Paulinka ist es, die ihn befreien kann, und am Ende kehrt er heim, ein offenbar gebrochener, sprachloser Mann. »Der ehemalige Herr Professor Doktor med. Kann«, als den ihn das dem »Vati« gewidmete Kapitel einführt, ist im abschließenden Bild des 3. Kapitels ein

[9] Mary Lowenthal Felstiner, a. a. O., S. 1741.

Abb. 36

bettlägeriger Mann, ohne Boden unter den Füßen, den man erst wieder »hochbringen muß« (S. 649). Im folgenden 4. Kapitel wird er unter der sarkastischen Überschrift »Die deutschen Juden« als Teil einer Abendgesellschaft eingeführt, die über die Pläne zur Emigration diskutiert. Kurz darauf folgt Charlottes Abschied von Berlin und den Eltern, um sich in Südfrankreich bei den Großeltern in Sicherheit zu bringen. Die letzten Bilder des Kapitels sind fast ganz ohne integrierte Schriftzeichen, düstere Abschiedsszenen in eine ungewisse Zukunft, deren Ausgang keiner voraussagen wollte. Die Demontage des Vaters, der schließlich auch nur dem Schutz der strahlenden Paulinka Bimbam das eigene Überleben verdankt, ist denkwürdig genug, die Strategie der Ironisierung weicht einer eher sarkastischen Note nicht ohne Bitterkeit. So wird am Ende Charlotte Kann wieder zur mütterlichen Familie überstellt, wo sie die geheime Agenda des Selbstmords kennenlernen

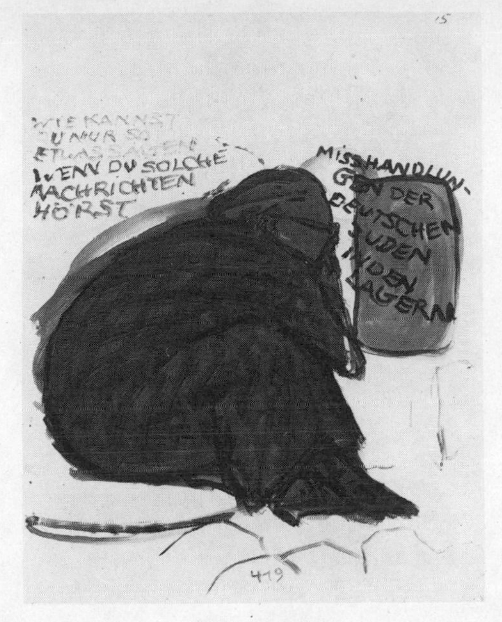

Abb. 37

wird. Erst diese Konfrontation bringt die Möglichkeiten zur Neuschöpfung in einem System der Repräsentation, das aus der Erinnerung schöpft und nun selbst die Schöpfung von Bildern als Rekonstruktion und Konstruktion von Lebens- und Selbstentwürfen erkennen kann.

Die Abkapselung im Exil, die Verschränkung von politischer und ödipaler Krise stellen kontingente Besonderheiten dar, die sicher zu der Einmaligkeit des Salomonschen Versuchs beigetragen haben. Insofern wäre es unsinnig, die historischen Implikationen dieses Werkes ganz auszusparen, es aber einzig als historisches Dokument einer grausam abgebrochenen Biographie zu begreifen würde das Werk exakt um jene Dimension von Autonomie bringen, die seine geheime Triebfeder zu sein scheint. Das intelligente Spiel mit Zitaten, die Charlotte Salomon aus den Materialien ihres historischen Familienromans, den sie rekonstruiert und konstru-

Abb. 38

iert ganz im Sinne eines psychoanalytischen, wird in Zukunft vermutlich noch viele Interpreten auf den Plan locken, allein die Verortung ihrer eigenwilligen musikalischen Anweisungen würde wohl ein neues Licht auf eben jene Strategie der Ironisierung werfen, die ihren visuellen Stil auszeichnet.

Charlotte Salomons Werk wurde sicher für lange Zeit verstellt durch den falschen Vergleich mit Anne Franks Tagebuch und bisher zu wenig beachtet. Dennoch läßt sich sicherlich bald eine neue Wertungsgeschichte dieses ungewöhlichen Werkes formulieren. Der eigenartige Status einer Verspätetheit gegenüber den formativen Phasen der Weimarer Republik und speziell des Kinos und einer Verfrühtheit gegenüber den fiktiven Autobiographien der neueren Kunst von Frauen sperrt dieses Werk gegen glatte Einordnungen, die es aus den Vereinsamungen des Exils auslösen wollen. Was an Salomons Werk historisch ist, scheint außer dem Reflex auf die Vernichtung seine Eingebundenheit in die Paradoxien des deutschen Judentums im 20. Jahrhundert zu sein, und dessen zweifelhafter Erfolg, an dem auch Charlotte Salomon ihren verspäteten Anteil haben wird, darin bestand, einen nicht unerheblichen Beitrag gerade zur deutschen Kultur geleistet zu haben. In vielem freilich ist Salomons Ironisierung all des »heiligen Bimbam« und »professoralen Klingklang« bereits die triste Bilanz all dessen, was die Vergeblichkeit des Singens am Bett einer zum Sterben Entschlossenen ausmacht. Daß auf der politischen Ebene schließlich die Trennung von Kultur und Herkunft Propaganda ist und zu dieser gemacht wird, versucht Salomon an der Gründung des Jüdischen Kulturbundes zu zeigen (S. 158), und an der zynischen Bemerkung des Propagandaministers, für den nur machtfunktionalistische Motive zählen (S. 162), mit der er diese gutheißt. Auch wo Salomon mitunter selber in den Fußstapfen der Kulturkritik der zwanziger Jahre sich verliert, hat sie ein scharfes Auge für die falschen Versöhnlichkeiten. Die Frage »Kunst oder Leben?« läßt sie zu Recht offen.

THE GREATEST YIDDISH PICTURE EVER MADE
MAYMON FILMS INC. PRESENTS
MAURICE SCHWARTZ
in SHOLEM ALEICHEM'S CLASSIC
TEVYA
MAURICE SCHWARTZ
PRODUCED BY HENRY ZISKIN
SHOLEM SECUNDA
מאָריס שוואַרץ
אין דעם גרעסטען אידישען פילם שלום עליכם'ס בארימטע ווערק
טביה דער מילכיגער

Abb. 39

Auf halbem Weg zum Engel des Vergessens
Das jiddische Kino

Jiddisch in Amerika

Das jiddische Kino ist geprägt von den Erfahrungen der Emigration. Der sichtbare Widerstreit zwischen den oftmals der chassidischen Kultur entnommenen Stoffen und den amerikanisierten Kinovorstellungen ist dabei weit mehr als ein Schönheitsfehler in der Reinheit folkloristischer Rekonstruktion – gerade diese Brüche sind es wohl, die die Filme davor bewahrt haben, sich in Nostalgisch-Museales zu retten. Authentisch ist die in ihnen eingeschlossene Tränenseligkeit und Melodramatik, die Mischung aus chassidischen Legenden und soap opera gerade im Ausdruck der Spannung zwischen Assimilierung als *materieller* Voraussetzung des Überlebens und dem Festhalten an der Tradition als Bedingung *kulturellen* Überlebens. Der amerikanisch-polnische Transfer scheint symptomatisch für diese Situation: Maurice Schwartz dreht 1939 den *Tevye* in den USA als detailgetreuen chassidischen Klassiker; Edgar G. Ulmer, assimilierter österreichischer Jude, dreht in den USA als Emigrant *Grine Felder, Yankel der Schmid* nach jiddischen, traditionellen Theaterstücken; Joseph Green, polnischer Emigrant in den USA, dreht in Polen Melodramen und Musikkomödien mit amerikanischen Stars der jiddischen Theater der legendären Second Avenue New Yorks.

Ein Fehler wäre es ohnehin, wollte man die Qualitäten einer »reinen« jiddischen Literatur gegen die unreinen Vermischungen des jiddischen Kinos ausspielen. Die selbstbewußte Propagierung einer jiddischsprachigen Literatur im 19. Jahrhundert hängt selbst schon zusammen mit der Bedrohung sprachlicher Subkulturen durch die fraglichen Errungenschaften moderner Gesellschaften mit ihren nationalen Verwaltungssprachen und Zentralismen. Die Rückbesinnung auf die schöpferischen Kräfte der eigenen Kultur und Sprache traf im 19. Jahrhundert nicht nur bei der jiddischsprachigen Intelligenz auf Resonanz, auch in Frankreich setzte zum Beispiel der provenzalische Dichter Frédéric Mistral das Okzitanische als Sprache seiner Dichtungen gegen die Nationalsprache

Französisch durch. Die bekannt gewordene jiddische Literatur, an der die Filme anknüpfen, hatte ihren Ausgangspunkt in der zweiten Hälfte des 19. Jahrhunderts, einige ihrer Hauptwerke sind um die Jahrhundertwende entstanden. Scholem Aleichem, einer der bekanntesten jiddischen Schriftsteller, u. a. von der Geschichtenfolge *»Tewje der milchiger«*, emigrierte in die USA, wo er unter großer Anteilnahme der jüdischen Bevölkerung von New York 1916 beigesetzt wurde, auf einem Arbeiterfriedhof in Brooklyn, wie er es gewünscht hatte. Aber auch: »Scholem Asch hat die jiddische Literatur von ihrer Blütezeit vor dem 1. Weltkrieg bis in die unmittelbare Gegenwart fortgeführt. Er war lebender Beweis dafür, daß das jiddische Schrifttum in den USA weiter bestand.«[1]

Wer sich das soziale und kulturelle Klima vergegenwärtigen will, in dem das jiddische Kino entstanden ist, wer das jiddischsprachige Milieu New Yorks, in dem viele jiddische Schriftsteller und Intellektuelle nach den Pogromen einen Platz zum Überleben suchten, ahnungsweise sich in Erinnerung rufen will, der sei auf die Erzählungen Isaac B. Singers verwiesen, der in seinen jiddischen Erzählungen nicht nur das Milieu beschreibt, sondern immer wieder auch in einen selbstironischen Diskurs über das eintritt, was jiddische Literatur ist und sein könnte. Bei Singer wird noch einmal reflektiert, was in der jiddischen Literatur des 19. Jahrhunderts oft ungebrochen praktiziert wird: die Rückwendung zu den Lebensformen des osteuropäischen Chassidismus und seiner Legenden. Eine Rückwendung, die vor allem aus Erinnern besteht. Aber nicht nur die verlassene Welt des osteuropäischen *schtetls* setzte sich in der jiddischen Literatur New Yorks erinnernd durch, auch umgekehrt verlief ein Transfer von New York nach Osteuropa. In seinen Tagebuchaufzeichnungen aus dem Jahre 1911 beschreibt Franz Kafka seine Besuche jiddischer Theateraufführungen vieler Stücke der Art, wie sie später verfilmt wurden, mit Hinweisen auf ihren amerikanischen Ursprung.

So schreibt er am 23. Oktober: »›Der große Adler‹, der berühmteste jiddische Schauspieler aus New York, der Millionär ist, für den Gordin den ›Wilden Menschen‹ geschrieben hat und den Löwy in Karlsbad gebeten hat, ja nicht zur Vorstellung zu kommen, da er vor ihm auf ihrer schlecht ausgestatteten Bühne zu spielen nicht den Mut hätte.« Und am 26. Oktober:

[1] *Jiddische Erzählungen,* in der Übersetzung von Alexander Eliasberg, mit einer Einleitung von Rudolf Neumann, Sammlung Dieterich, Bremen o.J., S. 31f.

Donnerstag. Gestern hat Löwy den ganzen Nachmittag ›Gott, Mensch, Teufel‹ von Gordin und dann aus seinen eigenen Tagebüchern von Paris vorgelesen. Vorgestern war ich bei der Aufführung des ›Wilden Menschen‹ von Gordin. Gordin ist deshalb besser als Lateiner, Scharkansky, Freimann usw., weil er mehr Details, mehr Ordnung und mehr Folgerichtigkeit in dieser Ordnung hat, dafür ist hier nicht mehr ganz das unmittelbare, förmlich ein für allemal improvisierte Judentum der andern Stücke, der Lärm dieses Judentums klingt dumpfer und daher weniger detailliert. Es werden allerdings dem Publikum Konzessionen gemacht und manchmal glaubt man sich recken zu müssen, um über die Köpfe des New Yorker jüdischen Theaterpublikums hinweg das Stück zu sehn ...[2]

Die Querverbindungen zwischen der jiddischen Literatur und den amerikanisch-jiddischen Filmen sind also keineswegs bloß aufgesetzte, angemaßte, sondern zum Teil entstammen sie einem verwandten Milieu, sich überschneidenden Ansprüchen und Bedürfnissen nach Unterhaltung und Bildung in der eigenen sprachlichen und kulturellen Tradition. Der Streit, wer dabei die größere Authentizität für sich beanspruchen kann, scheint müßig, wo beide Wege sich in der Emigration kreuzen, wo sich der »Kabbalist vom East Broadway« (Singer) und der wenig gebildete Schneider gleichermaßen in die Welt der Erinnerungen und verlorenen Traditionen zurückträumen. Die Wiedererweckung der alten Kultur und ihrer strengen Religiosität, die den Alltag bis ins kleinste regelte und formte, hat wohl in den Kinopalästen der Second Avenue und des Broadway mehr auf der Leinwand stattgefunden als in den Zuschauern, für die das Kino eben auch Vergnügen und Unterhaltung war. Es handelten auch keineswegs alle jiddischen Filme von den Schwierigkeiten mit der religiösen Gesetzestreue, viele beschrieben vorwiegend die familiären und sozialen Konflikte des Lebens in der Neuen Welt. Viele werden die alten chassidischen Legenden vom Leben der Frommen im alten Osteuropa mit respektvoller Distanz und Liebe zur Kenntnis genommen haben; längst selbst geprägt von den Reformen und Säkularisierungen ihres Glaubens, haben sie sich vielleicht mehr an den anekdotischen Ausspruch Raphael Kirchheims gehalten, »eines entschiedenen Reformers, den die Frommen wie den Gottseibeiuns fürchteten, weil er besser ›lernen‹ konnte als sie selbst: ›Nichts geht über den Genuß, den man am Schabbes

[2] Franz Kafka, *Tagebücher 1909-1923*, hg. von Max Brod, Frankfurt a. M. 1967, S. 82f.

Nachmittag mit einer guten Zigarre über einem Blatt Gemore (Talmud) hat.‹«[3]

Die Turbulenzen der Komödien freilich, die die Orthodoxie mit durchaus spöttischen Seitenhieben schilderten und sich mehr an die Übereinstimmungen zwischen dem »Popularitätskonzept« des Chassidismus und der »popular culture« Amerikas hielten, entfachten auch Stürme der Entrüstung. So etwa Goldins Film mit Molly Picon, *Misrach un Marew*/Ost und West, der den Assimilationsweg eines jungen polnischen Juden zum erfolgreichen Schriftsteller in Wien mit einer wechselseitigen éducation sentimentale verbindet, an dessen Ende er die wohlhabende amerikanisch-jüdische Tochter eines vormals galizischen Emigranten gewinnt. Dieser in Europa überaus erfolgreiche Film brachte in New York Ärger ein:

Ost und West – heute unter dem Titel *Mazel Tov* bekannt – lief in New York im Kielwasser des triumphalen Debuts von Picon in der Second Avenue an, nur um von den Beauftragten der Staatlichen New Yorker Filmkommission, Cobb und Levy, völlig abgelehnt zu werden. Für Cobb und Levy war die Figur des erfolgreichen europäischen Juden unsichtbar geblieben, während *Mazel Tov* »voll mit Szenen (war), die die Religion des Juden lächerlich machten und in Verruf brachten«. Der Film »ist gotteslästerlich und unanständig«, informierte die Kommission Kalich und Picon und zählte die Szenen auf, in denen der amerikanische *flapper* den Yom-Kippur-Gottesdienst und die jüdische Hochzeitszeremonie travestiert, in denen sie so tut, als ob die Mesuse ein Lutscher sei, »auf dem Tisch *shimmy* tanzt« und »in ihrer Unterwäsche auftritt« – ebenso wie »einige vulgäre Zwischentitel, (die andeuteten, daß) der Sitz der Religion eher in Kopf und Hirn als im Bart zu suchen sei«.[4]

Obwohl die Kommission Schnittauflagen gegenüber drei Szenen und zwei Zwischentiteln erlassen hatte, lief der Film mit großem Erfolg in einigen Kinos Manhattans und Brighton Beachs, und es dauerte Wochen, bis schließlich die Auflagen berücksichtigt wurden. Ganz offenbar waren die Maßstäbe des jiddischsprechenden Publikums und der New Yorker Kommission über die »political correctness« ihrer Selbstrepräsentation ausgesprochen unterschiedlich. Vermutlich liegt die Differenz in zwei unterschiedlichen Auffassungen der Öffentlichkeit, in der und für die das jid-

[3] Gershom Scholem, *Von Berlin nach Jerusalem*, Frankfurt a. M. 1977, S. 197.
[4] Jim Hoberman, »Jenseits von Galizien, diesseits von Hollywood: der jiddische Film aus Wien«, in: *Babylon*, Heft 8, Februar 1991, S. 126.

Abb. 40 *Tevya* (Maurice Schwartz)

Abb. 41 *Got, Mentsch un Tajvel* (Joseph Seiden)

Abb. 42 *Wu is mayn Kind?* (Leff und Lynn)

Abb. 43 *Misrach un Marew* (Sidney M. Goldin)

dische Kino gespielt wurde. Für die osteuropäischen jüdischen Einwanderer stellte die Komödie vermutlich eine »success story« dar, an der sie selbst lebhaften Anteil nahmen, spielten darin doch die eigenen Aufstiegs- und Assimilationswünsche eine große Rolle. Die verlassenen *schtetls* waren ebenso nostalgischer Ort in den Phantasien über die eigene Herkunft wie reale Objekte der Erinnerung an Zeiten großer Armut, Verfolgung und Enge.

In Joseph Greens Film aus dem Jahre 1938, der in Polen gedreht wurde und eine Auswanderung nach Amerika als Familienmelodrama inszeniert, treten diese Züge plastisch hervor. Green hat in einem Fernseh-Interview darauf verwiesen, daß er diesen Film, *A Brivele der Mamen*, bereits unter dem Eindruck drohender Gefahr gedreht habe. »Krieg«, sagt er, »lag bereits in der Luft.« Eine ironische Anspielung auf die harten Bedingungen, die den Emigranten auch in Amerika entgegenstanden, findet sich in diesem Film, wenn eine Gruppe von Emigranten an der Schiffsreeling über die Zukunft in Amerika räsoniert, und die Auskunft, daß es dort 80geschossige Häuser gebe, ungläubiges Staunen hervorruft. Befragt, was denn die Juden in Amerika beruflich täten, lautet die lapidare Anwort des Landeskundigen:

Die Juden sind Schneider.
Alle?
Ja!
Und ihr sagt, es gebe keine Sorgen!
Habt ihr schon mal einen jüdischen Schneider ohne Sorgen gesehen?

Die doppelte Objektbesetzung des *schtetls* als Ort nostalgischer und »schlechter« Erinnerung durchläuft den ganzen jiddischen Film; die Spannung zwischen Treue zur Herkunft, vor allem der Familie und der Religion, und Aufbruch, individuellem Aufstieg und kultureller Emanzipation ist im jiddischen Film immer präsent, auch wenn er sich in historische Stoffe und Vorlagen versenkt. Die Perspektive des jiddischen Kinos ist bereits eine *auf* das *schtetl*, nicht mehr *die* des *schtetls*, es ist ein Kino des Erinnerns.

Die Angst der Zensurbehörden vor einem solchen Film entspricht den politischen Ängsten, wie sie auch in Hollywood vorhanden waren: daß jeder Hinweis auf Herkunftsdifferenzen die antisemitische Imagination mit neuem Stoff bebildert; dabei war die Furcht vor Antisemitismus offenbar so groß, daß ethnische Binnenwitze als Gefährdung angesehen wurden. Eine Debatte, die

Abb. 44 *Die Kliatsche* (Edgar G. Ulmer)

sich um die Sammlungen zum »Jüdischen Witz« sporadisch wiederholt, und immer wieder sich an der alten Frage kristallisiert, wer sagt was zu wem mit welchem Recht?

Chassidismus und Religiosität

»Ich bin nicht zum ›Maggid‹ von Meseritz gegangen, um Tora von ihm zu lernen, sondern um zu sehen, wie er seine Schuhbänder knüpft.«[5]

Ohne den Bezug zum osteuropäischen Chassidismus lassen viele der Filme sich kaum verstehen. Das jiddische Publikum und die jiddischen Filmregisseure, -produzenten und -darsteller stam-

[5] Gershom Scholem, *Die jüdische Mystik in ihren Hauptströmungen*, Frankfurt a. M. 1967, S. 377.

men, wenn auch oft nur noch über die Generationenfolge vermittelt, zum großen Teil aus dem Milieu des osteuropäischen Chassidismus. Der polnische und ukrainische Chassidismus entstand um die Mitte des 18. Jahrhunderts als quertreibende Unterströmung zur Aufklärung. Innerhalb der jüdischen Tradition gehört der Chassidismus zur mystischen Strömung, die sich in mehreren Etappen der jüdischen Geschichte in verschiedenen Ausprägungen gegen den formalistischen Bestand der rabbinischen Schriftgelehrten und ihrer Tradition der Thora-Auslegungen aufbäumte. Im polnischen Chassidismus

> gab die Mystik den Anspruch, ihre Botschaft an das Volk zu bringen, nicht auf und zog sich nicht auf ganz kleine Kreise tiefgelehrter Mystiker zurück, denen alle Gebiete der Thora gleicherweise vertraut waren. Im Gegenteil, der Chassidismus, der aus den Kreisen der rabbinisch Ungelehrten als eine typische ›Erweckungsbewegung‹ entstanden ist, hatte von vornherein das Ziel breiter Wirkung vor Augen.[6]

Die mystische Bewegung des Chassidismus wurde so zu einem sozialen Phänomen, zur Lebensform des jiddischen *schtetls*, jener kleinen osteuropäischen Flecken, in denen der größte Teil der Juden lebte. Mit der Entstehung der jiddischen Literatur wurden auch die Legenden des Chassidismus wieder entdeckt und neu ediert. Etliche der jiddischen Schriftsteller haben sich von einem sozialkritischen Realismus im Dienste der Aufklärung, die sich gegen den Chassidismus und sein System von mächtigen Dorf-Zaddiken wandte, in späteren Werken den populistischen Zügen des Chassidismus zugewandt. Die Kraft des Chassidismus als »Erweckungsbewegung« hat sich nicht zuletzt dort noch einmal gezeigt. Den Konflikt, den der Chassidismus mit der formalistischen Tradition austrug, inszenierte Edgar G. Ulmer in *Grine Felder* nach dem Theaterstück von Peretz Hirschbein.

Vom Thora-Studium in der Synagoge, die Ulmer in extremer, asketischer Stilisierung mit strenger Perspektive auf die Thora-Schüler, die wie dadaistische Puppen hinter hohen Stehpulten verborgen sind, so daß nur ihre Köpfe und Teile des Körpers rausgukken, zeigt, bricht ein junger Mann auf, um seinen Traum vom wahren Chassid, vom frommen Juden, auf dem Lande zu finden statt bei den Gelehrten in der städtischen Synagoge. Aus den engen städtischen Kulissen der Aufbruch in die Natur: blühende Bäume,

6 A. a. O., S. 360 f.

ein Mädchen, das ihm vom Baum vor die Füße fällt, Äpfel am Boden signalisieren Fülle. Der verträumte junge Mann, schüchtern und wortkarg, wird, noch bevor er so recht weiterkommt, von den schlauen Bauern zum Lehrer gemacht, denn sie verehren in ihm eben den rabbinischen Gelehrten, der er nicht sein möchte. Der Unterricht der Bauernkinder greift den Konflikt zwischen der »Thora im Herzen« und der »geschriebenen Thora« immer wieder auf: vom Buch weg läuft der Junge nach draußen, nicht die Schrift ist hier das Fenster zur Welt, sondern das Fenster enger Rahmen wirklicher, lichter Weite. Wenn der fromme junge Mann ins Innere des Hauses sich verkriechen möchte, zum Talmud-Lernen, dann ist es die Tochter des Hauses, die den Verschämten doch immer wieder mit allerlei Aktionen ins Freie verlockt, ihn zu praktischen Arbeiten verleitet. – Schreiben lernt sie aus Liebe zu ihm, nicht aus Pflicht. Die Suche nach dem Chassid wird so zur chassidischen éducation sentimentale, an deren Ende die unvermeidliche Doppelhochzeit und Versöhnung aller steht: auf der Suche nach dem Chassid wird der Junge so selbst zum chassidischen Bauern. Die ironischen Brechungen in einen pantheistisch erweiterten Chassidismus hinein lehnen sich ästhetisch an die Naturmystik des Stummfilms an. Ein Baum, ein Zaun, weite Felder, über die die Füße nur so fliegen: Ulmer benutzt wenige signifikante Zeichen für die Fülle, das pantheistische Erfülltsein des ländlichen Raums. Die pantheistisch-naturmystischen Züge vieler jiddischer Filme verdanken dies in dieser Stärke ganz sicher den erweiterten Möglichkeiten, die der Film im Gegensatz zu den theatralischen Möglichkeiten der literarischen Vorlagen zu bieten hat. Die einfachen, mit schlichten Mitteln gedrehten Filme nutzten aufs schönste gerade den weiten Raum bei Außenaufnahmen. Die extreme Form des vollständig personalisierenden Chassidismus, der den Zaddik hervorbrachte, wird freilich kräftig kritisiert am unterwürfigen Verhalten der konkurrierenden Familien, die den jungen Gelehrten mit ihrer Wertschätzung verfolgen und sich um seine Gunst streiten. An dergleichen ironisch-komödiantischen Brechungen wird der Abstand von der Tradition deutlich noch da, wo sie zum Thema wird – gerettet wird sie als lebensphilosophisch unterfütterte Menschlichkeit. An alte chassidische Mythen knüpfen hingegen Michał Waszyński mit der Verfilmung des *»Dybuk«* und Zygmunt Turkows *A Vilna Legend* an. Der *»Dybuk«*, von S. Anski dramatisiert, wurde 1920 in Warschau von der »Wilnaer Truppe«

in jiddischer Sprache uraufgeführt. 1921 folgte an der »Habima« in Moskau die Aufführung des *»Dybuk«* auf hebräisch in der Übersetzung von Haim Nachman Bialik. Diese expressionistische Inszenierung durch Wachtangow, einen Schüler Stanislawskis, diente Waszyński als Vorlage seiner in Polen 1937 gedrehten Verfilmung. Vor allem die Frauen-Figur der Lea gewinnt aus diesem zeitverschobenen Verfahren eine eigenwillige, herbe Dramatik, die im Gegensatz zu den filmischen Frauenbildern der Zeit steht. Die expressionistische Inszenierung der dreißiger Jahre gibt der Legende eine historische Verfremdung, die die Legende noch dadurch überhöhte, daß sie sie in eine rituell zerdehnte expressionistische Form goß. Waszyńskis düsteres Poem verdankt seine Gestalt wohl nicht ausschließlich dem expressionistischen Gestus der »Habima«-Inszenierung, sondern auch der Schule des deutschen expressionistischen Stummfilms, der in den Boots- und Sturmszenen Pate gestanden haben dürfte. Ein doppelter Einfluß, der sich nicht nur am Film selbst zeigen läßt, sondern auch biographisch: Waszyński arbeitete nicht nur an Stanislawskis Moskauer Theater, er lernte auch bei F. W. Murnau in Berlin. Wie in der Legende vom *Dybuk* geht es auch in *A Vilna Legend* um das Gelöbnis, das sich zwei Väter vor der herannahenden Niederkunft ihrer Frauen geben: das Gelöbnis, die Kinder zu verheiraten. Während in *Der Dybuk* der kabbalistische *Chanan* nur als Geist, als *Dybuk*, in den Körper der verweigerten Braut Lea fährt und erst der Tod die beiden Liebenden vereint, hat *A Vilna Legend* einen freundlicheren Hintergrund, der durch die menschlichen Emanationen des Propheten Elias zu einem glücklichen Ende getrieben wird.

A Vilna Legend liegt in einer 1933 mit einer Rahmenhandlung und einem Erzähler ergänzten amerikanischen Fassung vor, die den Zauber der stummen polnischen Version mit derb-komischen Kneipen-Szenen versetzt, in denen der Erzähler seinen Ort findet, von dem aus die Verfilmung der alten Legende als seine Erzählung eingeschnitten ist. Obwohl schon jede Legende im Tone des »es war einmal« erzählt wird und damit ein externer Erzähler nicht notwendig ist, war offenbar der Wunsch nach einer auch sprachlichen Einbeziehung des Jiddischen stärker als das Bemühen um die Erhaltung der authentischen Filmstruktur. Der Prophet Elias, den der Regisseur Zygmunt Turkow selbst in seinen verschiedenen Erscheinungsformen und Maskeraden spielt, greift immer wieder steuernd in die Geschicke ein, um die Liebenden, die nicht wissen, was es mit dem Gelöbnis der Eltern auf sich hat, zur versprochenen Hochzeit zu bringen. Dabei wird die Familien-Saga der beiden Freunde erzählt: wie der eine reich wird und der andere Frau und Tochter in Armut hinterläßt, weil er vor seinem Tode nicht mehr verraten kann, wo er die in Obhut genommenen Juwelen eines Generals versteckt hält. Als der General schließlich sein Eigentum zurückfordert, muß die Witwe das Haus verkaufen. Der untreue Freund, der das Gelübde längst aus seinen Plänen gelöscht hat, schickt seinen Sohn in die Stadt zum Thora-Studium. Nach allerlei Verwicklungen, später Reue, plötzlichem Reichtum und merkwürdigen Zwischenfällen, die der Prophet auslöst, findet schließlich die Hochzeit mit der richtigen Braut statt. Der Stummfilm erzählt seine Geschichte mit wenigen Trickaufnahmen und einigen sehr amüsanten Sequenzen, die die Entwicklung eines frommen Provinz-Jungen zum verliebten Sünder markieren. Der quasinaive Ton wird an solchen Stellen durchbrochen von ironischen Verweisen auf die lockeren Sitten der aufgeklärten Stadtbewohner und die strengeren Gepflogenheiten in der Provinz. Der Film ist dabei durchaus geprägt von einem heitere Zuversicht atmenden Chassidismus und seinem Wunderglauben. Ganz im Gegensatz zu dem die Mysterien der Kabbala als durchaus auch bedrohlich zeigenden *Dybuk* wird hier die Legende vom Propheten Elias als Schutzfigur positiv aufgelöst, und auch die reuige Rückgabe des Schatzes sorgt für eine Stimmung allgemeinster Zufriedenheit, die wenig von den Bedrohungen der Prüfungen eines Hiob heraufbeschwört. Typisch sind indes auch hier die komödiantischen Züge, die das Holzschnittartige frommer Legenden beleben.

Eine Mischung aus ostjüdischen Legenden und Motiven mit klassischen Entwürfen der Weltliteratur stellen zwei nicht untypische Stücke von Jacob Gordin dar: *Got, Mentsch un Tajvel* und *Der jidischer Kenig Lir* sind als Verfilmungen überliefert. Gordin begann seine einflußreichen Stücke in jiddischer Sprache in der amerikanischen Emigration zu schreiben, wo er ab 1891 das Jiddische als Sprache für seine Stücke entdeckte. Die Transformation der Faust-Legende und des King-Lear-Themas ins jiddischsprachige Milieu der Ukraine bieten aufschlußreiche Variationen an.

Die Filmversion von *Got, Mentsch un Tajvel* aus dem Jahre 1949 geht über die Aufzeichnung einer Bühnen-Inszenierung leider nicht hinaus. So ist die Verfilmung von Joseph Seiden, einem der ersten und eifrigsten Regisseure des jiddischen Kinos, der mit Minimalbudgets und unter einfachsten technischen Bedingungen filmte, weniger von Interesse für die Entwicklung eines spezifischen Filmstils des jiddischen Kinos. *Got, Mentsch un Tajvel* ist ein interessantes Dokument für den kulturellen Zusammenhang, in dem das jiddische Kino entstand und stand, für die untergegangenen Bühnen der Second Avenue und ihrer Zuschauer. Gordins Stück, das mit einem Vorspiel im Himmel beginnt, wo Gott und Teufel eine Wette über die Verführbarkeit des frommen Herschel Dubrovner schließen, vermischt in die Faust-Sage Motive der Hiob-Figur. Während Hiob durch das Leiden in seiner Gläubigkeit geprüft wird und Faust durch die Sinnlichkeit, kommt dem Herschel Dubrovner der Glaube abhanden, als der Teufel ihm ein Vermögen beschert. Die Figur des *Tajvel* spielt Gustav Berger in einer traditionellen Maske, wie sie aus vielen Mephisto-Darstellungen bekannt ist, mit dreieckigem Haaransatz, dämonischen Augenbrauen und schwarzen Gewändern. Der bedrohliche Einfluß des Satans wird mit einfachen theatralischen Raum-Inszenierungen hergestellt: plötzliches, unerwartetes Auftreten, das Verharren im Raum, das ihm eine kontrollierende Allgegenwart verleiht. Die in fast allen jiddischen Filmen zu spürende Aussparung expressiv eingesetzter Großaufnahmen zugunsten von Halbtotalen oder Totalen, die nach Möglichkeit die Integrität des menschlichen Körpers im Bild zu bewahren trachten, sorgt bei dieser einfachen Theaterverfilmung für den Verzicht auf aufgesetzte Mittel, die aus Theater-Schauspielern mit aller Gewalt Filmstars machen wollen, obwohl diese ganz offensichtlich lediglich *vor* der Kamera spielen und nicht *für* sie. *Got, Mentsch un Tajvel* verzichtet gänzlich auf das sonst meist versöhnliche Ende: als Herschel Dubrovner sein Scheitern einsieht, weil ihm alles Geld nicht die Zuversicht und die Wärme gibt, die er zuvor aus seinem Glauben und der Liebe seiner Familie bezog, hängt er sich auf: in einer letzten expressionistisch wirkungsvoll ausgeleuchteten Einstellung droht als dunkler Schattenriß die Leiche des Erhängten. Obwohl das Gordinsche Drama nicht das hohe Lied auf die alles besiegende Frömmigkeit anstimmt, sind in *Got, Mentsch un Tajvel* starke Bezüge zum Wertekanon eines an religiöse Forderungen gebildeten Lebens vorhanden. Daß Reichtum nicht als Selbstzweck herhalten darf, daß Reichtum sich nur legitimieren kann über die Verwendung zu guten Zwecken, ist ein zentrales Motiv, die Schuld, an der Herschel Dubrovner zerbricht, ist so weniger das Geld selbst als sein Besitzdenken, mit dem er die bessere Verwendung des Geldes verweigert. In einer zentralen Szene fordern die Weber ihn auf, ihnen Geld zu leihen, damit sie eine Genossenschaft gründen können und nicht mehr als Arbeiter ausgebeutet werden. Dubrovner verweigert den alten Kollegen das notwendige Kapital und stellt sie selbst in seiner Fabrik ein, wird selbst zum schlimmsten Ausbeuter. In *Got, Mentsch un Tajvel* verbinden sich religiöses Lebensgefühl und politische Aufklärung ganz im Sinne vieler jiddischer Literaten, die den Weg von der Aufklärung über den populistischen Chassidismus und seine Werte gegangen sind und eine Verbindung dieser Motive suchten. Eine Form chassidisch geprägter Kapitalismus-Kritik.

Der jidischer Kenig Lir, ebenfalls nach einem Gordin-Stück, wurde 1935 von Harry Thomashefsky gedreht. Weit aufwendiger gedreht als *Got, Mentsch un Tajvel*, verblüffen in ihm vor allem die Sequenzen von einer Pilgerfahrt im »Heiligen Land«. Das Stück macht aus dem King Lear einen frommen Mann, der blind Töchtern und Schwagern seine Geschäfte anvertraut und auf Pilgerfahrt geht. Nur eine Tochter durchschaut das heraufziehende Unglück. In der Figur dieser Tochter, die als einzige den frommen Vater respektiert und ihn nicht um sein Vermögen bringen will, vollzieht sich noch einmal die Synthese aus Aufklärung und Volksfrömmigkeit: die Tochter und ihr Freund gehen in die Stadt zum Medizinstudium, Skandalon für eine Tochter aus frommem Haus – und doch ist sie eben die einzige, die in einem höheren Sinn dem Werte-Kanon der Religion korrespondiert, die verarmten Eltern bei sich aufnimmt, obwohl sie vom Vater kein Vermögen zu erwarten hat. Unausweichlich mündet das Stück in ein breit angelegtes rührendes Ende allgemeiner Aussöhnung. Thomashefsky belebt die Verfilmung durch eine breitere Auswahl an Drehorten, die die Bühnen-Dramaturgie durchbrechen.

Die Lebensform des Chassid, des frommen, ungebildeten Juden, zeichnet Maurice Schwartz, einer der legendären Schauspieler des jiddischen Theaters, als Regisseur und Hauptdarsteller des *Tevye*, 1939 in den USA gedreht. *Tevye* geht zurück auf die Geschichten von *Tewje der milchiger* Scholem Aleichems, einem Stück klassischer jiddischer Literatur, das populär geworden ist als Musical vom *Fiddler on the Roof*. *Tevye* zählt zu den beeindrukkendsten Werken des jiddischen Kinos, weil in ihm der Zusammenhang von chasssidischer Frömmigkeit als der Kunst vom

Überleben des Glaubens unter den objektiven Bedingungen des Pogroms und des Antisemitismus als Lebensgefühl konserviert wird. Tevye, der seine Tochter an einen reichen Christen verliert, und sie damit nach jüdischer Tradition für ihn gestorben ist, gewinnt sie wieder in der Stunde der Verfolgung, in der sie sich zum Vater und zum Glauben bekennt, ihren Mann verläßt und mit ihrer Familie in eine ungewisse Wanderschaft aufbricht. Tevye repräsentiert nicht nur das realistischere Menschenbild des Chassidismus, der die Übertretungen der Gesetze Gottes wohl etwas flexibler flicken konnte durch sein Postulat der »Menschlichkeit« – er formuliert auch die Würde und Tradition der »Alten« und ihr Bewußtsein, wie es Manès Sperber in seiner autobiographischen Erinnerung ans polnische jiddische *schtetl* beschreibt, das von Besatzungstruppen belagert wird:

> Die älteren Leute brachten nun ihr Wissen zur Geltung, das seit Jahrhunderten, seit Jahrtausenden überliefert war. So ist es immer gewesen, sagten sie, und so, wiederholten sie, wird es immer sein. Es steht geschrieben: »Fällt der Krug auf den Stein – wehe dem Krug! Fällt der Stein auf den Krug – wehe dem Krug!« Und selbst wir Kinder erfaßten sofort, daß wir die tönernen Krüge waren und die anderen der Stein ...[7]

Es gibt nicht viele jiddische Filme, die den heraufziehenden Genozid spüren lassen, die die Vernichtung nicht verdrängen – in *Tevye* ist davon etwas zu spüren, und was an ihm sentimental erscheinen mag, erweist sich gegenüber der Geschichte des geschundenen jüdischen Volkes als selbstvergessene Träne in einem Meer von Blut. Maurice Schwartz erzählt den *Tevye* in einfachen strengen Bildern, in halb-realistischen, halb-stilisierten Innenräumen malt er das Bild des erzürnten, aber gerechten und verzeihenden Vaters. In luftigen Außenaufnahmen von den Fahrten Tevyes mit seinem Milchkarren übers Land, vom gedeckten Tisch vor dem Haus schlägt auch in *Tevye* ein Stück chassidischer Naturmystik durch. Fast grobe Karikaturen geben die ukrainischen Bauern ab, als dumpfe Tölpel, schlitzohrige falsche Freunde werden sie gezeigt, denen die Lust am Pogrom aus den neugierig die Vertreibung beobachtenden Augen blitzt. Der *Tevye* von Maurice Schwartz besticht in der Darstellung durch eine betonte Einfachheit, keine Übertreibung nimmt dieser Figur die Würde, und noch wenn er in der Stunde, wo er ahnt, daß sich seine Tochter in einen Christen

[7] Manès Sperber, *Die Wasserträger Gottes*, Wien 1974, S. 146.

verliebt hat, plötzlich übermütig zu singen beginnt, weil er die Gefahr gerne gebannt sähe, dann kommt Schwartz dabei ohne allzuviel Drastik aus.

Wie auch immer ins Säkularisierte gewendet, spielt die chassidische Tradition für die jiddische Literatur und den jiddischen Film, der aus dieser seine kulturelle Tradition schöpft, eine gewichtige Rolle. Dabei mag es eine Rolle spielen, daß die jüdische Tradition insgesamt keine visuelle, sondern eine Schriftkultur ist. So lehnen sich die Filme eng an die jiddische Literatur und nicht an die bildliche Tradition etwa eines Marc Chagall an. Der Widerstreit zwischen dem säkularisierten Aufklärungsanspruch und den tradierten Lebensformen eines religiösen Lebens- und Kulturzusammenhangs, der die Biographien der meisten jiddischsprachigen Literaten durchzieht, zeichnet sich noch im filmischen Stil der jiddischen Durchschnittsproduktion ab: der realistische Erzählduktus, der auf filmästhetische Möglichkeiten der Irrealisierung und Verzauberung verzichtet, steht oft und offen im Gegensatz zur streng stilisierten Lebensweise eines nach religiösen Riten ablaufenden Lebens. Daß die Filme des jiddischen Kinos trotz der ganz offensichtlichen Schwächen in bezug auf den Stand der Filmästhetik ihrer Zeit dennoch eine so starke Faszination auf den Betrachter ausüben, ist sicherlich Ergebnis solcher Brüche, in denen eine vergangene Welt, eine Welt auch *fiktionalen* Rückerinnerns inszeniert ist als eine reale, naturalistisch verdoppelte Welt, als seien die Schatten der Toten noch einmal auf die Erde zurückgekehrt. Die Erinnerung freilich baut auch deren Leben noch einmal um: die größte Armut, der schlimmste Schrecken werden gelöscht, und die Tränen geraten in Fluß bei den Szenen der Versöhnung, für die das Leben und der Tod keine Zeit lassen. Die Tränen- und Rührseligkeit des jiddischen Films ist wohl das Produkt einer Verschiebung: statt über den lähmenden Schrecken der Vernichtung und die Toten weinen wir über heimkehrende Söhne und Töchter, so als brächte erst die Rührung über die Fortdauer des Lebens die steinernen Barrieren des Schreckens zum Schmelzen. Der jiddische Film erzählt nicht von den Alpträumen, sondern von den Träumen, als hätte der Engel des Vergessens nur halbe Arbeit getan.

»Jeden Abend konnte es geschehen, daß mitten im Gespräch einer der Gäste eine zu heftige Debatte oder das Kartenspiel unterbrach und ein Lied anstimmte, das andere aufnahmen. Ein zweites, ein drittes mochte folgen, man sang zuweilen bis in die späte Nacht (...).«[8] Ein konstitutives Moment des jiddischen Films ist die Musik, der Gesang, wo es wirklich folkloristisch wird auch der Tanz, wie zum Beispiel auf den zahlreichen Hochzeitsfesten, die als Glücksversprechen auf die Zukunft und den Weiterbestand des Volkes wohl eine unvergleichlich größere Bedeutung im soziokulturellen Kontext der jüdischen Tradition haben, als dies in anderen Kulturen heute noch üblich ist. Zur jiddischen Musik, die im Alltag des *schtetls* eine außerordentlich Rolle spielte, schreibt Manès Sperber:

am Morgen so gut wie am Abend – gab es immer den Gesang. Er drang aus allen Bet- und Studierstuben, aus den Kellern der ärmsten Handwerker, aus den Hinterhöfen und den Ställen. Die religiösen Melodien, welche die Exilierten noch aus dem Orient mitgebracht hatten, verquickten sich auf eigene Weise mit den Liedern, die die slawischen Wirtsvölker, insbesondere die ukrainischen Bauern sangen.[9]

Vor allem die Filme von Joseph Green versuchen in ihrer ästhetischen Struktur diese Ubiquität des musikalischen Ausdrucks einzufangen und zu inszenieren. Es sind regelrechte Musikfilme, in denen die Musik weit mehr als illustrierende oder stimmungsmalende Funktion übernimmt. Die Musik wird in einigen Filmen Greens direkter Handlungsträger und Thema des Films.

Yidl mitn Fidl ist das gelungenste Stück eines solchen jiddischen Musikfilms. Von vier umherziehenden, bettelarmen Musikern, die in den Hinterhöfen und auf den Straßen der Städte spielen, auf Dörfern und Landstraßen singen, erzählt der Film, in dem Molly Picon, Star der Second Avenue, eine fulminante Hosenrolle hat, in der sie für einige erotische Verwirrung bei ihrem jugendlichen Mitspieler sorgt, dem sie bald mädchenhaft in die Arme sinkt, bald mit falsch plazierten Küssen erstaunt, bis sie am Ende, für die Bühne entdeckt, ihre Liebe gestehen kann. Ein Geständnis, das sich vorerst nur im Lied an die imaginäre Mutter wendet: »oi mame, bin

[8] Manès Sperber, a.a.O., S. 39.
[9] A.a.O., S. 39.

ich verliebt!« Dabei belegt *Yidl mitn Fidl* vielleicht am eindrucksvollsten die Liaison zwischen jiddischer Tradition und amerikanischer Broadway- und Musicaldramaturgie. *Yankel der Schmid*, den Edgar G. Ulmer in den USA inszenierte, aber auch Greens polnischer *Purimschpiler* bleiben da dichter an der Tradition, indem sie der Musik, sei es in *Yankel der Schmid* den Aspekt des widerständigen Alltags, sei es im *Purimschpiler* den des Schicksalhaften, Trauernden gegen das Erfolgreich-Glückliche geben – beide Filme bleiben auch dichter am Milieu des *schtetls*, an seiner Enge und seiner Armut, seiner Hoffnung auf ein besseres Leben und seinem Scheitern am anderen Leben. Molly Picon freilich, Star der Greenschen Musikkomödie, verkörpert einen städtischen Typ und in *Yidl mitn Fidl* gleitet sie am Schluß den Bühnen der Second Avenue entgegen: dem Traum nach Ruhm und Erfolg der Näherinnen der Lower East Side näher – dem Aufstieg zum Star.

In *Mamele*, wo Molly Picon ein melodramatisches Aschenputtel spielt, das sich mit Gesang und Herz den Musiker erobert, den sie geduldig immer wieder zuerst den Töchtern des Hauses anbietet, für die sie den Muttterersatz abgeben muß. *Mamele* spielt im städtisch-proletarischen Milieu wie auch große Teile des *Yidl mitn Fidl* – dessen schönste Sequenzen voller naturromantischer Schwärmerei freilich wieder an den pantheistischen Zug des Stummfilmkinos erinnern. Wie in den meisten Filmen wird die Armut des Milieus auch hier zum Thema, aber nicht wirklich zum Gegenstand der Inszenierung wie etwa im *Purimschpiler* das Milieu des lausig armen, kleinen Handwerkers im *schtetl*. *Mamele* gefällt sich mehr im Idyllischen, die Hintertreppe wird zum Bühnenaccessoire attraktiver Auftritte, das schäbige Kleid Teil der Aschenputtel-Verwandlungskomödie, an deren Ende der Aufstieg an der Seite des erfolgreichen Geigers steht.

Im Pariser Exil notierte Siegfried Kracauer zum jiddischen Kino nach einer Aufführung von *Mamele*:

PARIS, im Juli. Mehrere aus Polen kommende jiddische Filme – darunter der »Dybukk« – haben vor einiger Zeit in Paris Beachtung gefunden; »Mamele« (»Petite Mère«) hält sich noch immer auf dem Programm. »Mamele« ist ein Sittenstück mit Gesangseinlagen, das anscheinend in Lodz spielt und den Alltag einer armen kinderreichen Familie schildert; lange Strecken hindurch mit einem Realismus, der aus dem Film eine interessante Milieustudie macht. Man sieht die engen Stuben, in denen die achtköpfige Familie

Abb. 45 *Yidl mitn Fidl* (Joseph Green)

zusammengepfercht haust, und folgt der Kamera durch ein Stadtviertel, das kaum trübseliger sein könnte.[10]

Kracauers Kritik bleibt zwiespältig, für ihn ist zwar lobenswert genau die realistische Tendenz, die dem Film einen dokumentarischen Grundzug verleiht, den er aufgrund seiner »ontologischen« Bildtheorie schätzt, aber die rigide Trennung von Wort und Bild, Musik und Handlung erscheinen ihm allzu grob. Andrerseits konstatiert er wenig später in seiner Kritik:

Alle diese Mängel, zu denen noch Ungeschicklichkeiten der Photographie und des Schnitts kommen, sind aber verzeihlich. Denn einmal hat der jiddische Film vorerst keine Tradition, und zum andern kündigen sich schon in »Mamele« wichtige Qualitäten an. (...)

Kein Zweifel: es lohnt sich den jiddischen Film weiter auszubauen. Seine Hauptstärke ist, »Mamele« nach zu schließen, ein unbestechlicher Blick für Zustände und Charaktere.[11]

Das jiddische Kino, das mit der Massenvernichtung, wie Joseph Green sagt, sein Publikum verloren hat, hatte zwar in den zwanziger Jahren in der Sowjetunion begonnen, aber durch die wenigen Dekaden seiner Existenz hindurch die politischen Wechselfälle zwischen Osteuropa, Amerika, Palästina und Israel auf den eigenen Schultern tragen müssen. Zu der von Kracauer in Aussicht gestellten Entwicklung ist es nicht mehr gekommen, die wenigen jiddischen Filme, die heute noch gedreht werden, sind fast alles Filme *über* das jiddische Kino und die jiddische Kultur, jedoch weniger dessen authentische Fortsetzung.

Im *Purimschpiler* wird am deutlichsten, wie sich Aufstiegswunsch und Absterben der authentischen Kultur des *schtetls* miteinander verknüpfen. Das proletarische Milieu der anderen Green-Filme mit seinen fleißigen Frauen und kleinkriminellen Nichtsnutzen knüpft an religiöse Gehalte nicht mehr an: die jüdischen Festtage und religiösen Riten sind endgültig zu kulturellen Traditionen und Familienfeiern geworden, die mit den chassidischen und rabbinischen Lebensformen wenig noch gemeinsam haben. Musik und Gesang übernehmen einen Teil des Traditionsbestandes – aber bereits nur noch Teile, die als fremdgewordene Melodiefetzen herüberwehen, während im großen ganzen doch

10 Siegfried Kracauer, »Mamele: ein jiddischer Film«, in: *Central-blad voor Isr.*, 5.VI8.
11 Ebd.

מיר זאל זיין פאר דיר
Sung by MOLLY PICON in
"THE CIRCUS GIRL"
By SHOMER SISTERS
Produced by JACOB KALICH
NOW PLAYING AT
Kessler SECOND AVE. THEATRE
35 SECOND AVENUE, NEW YORK

Abb. 46

die bunte Mischung des Kurkonzerts, des Couplets, der Trivialmusikindustrie sich hörbar einmischt. *Purimschpiler* ist der direkte Ausdruck der widerstreitenden Tendenzen: steht der Purimspieler noch ganz in der Tradition religiös gebundener kultureller Ausdrucksformen, so präsentiert die Frau, die er vergeblich liebt, bereits die erfolgreiche Version integrierter Folklore; sie singt jiddische Folklore und jiddische soap opera fürs begeisterte Publikum der großen Städte. So sind die Musikfilme Greens vielleicht tatsächlich ein Stück weit Ausdruck des Wunsches nach Versöhnung der unerbittlich gegeneinander arbeitenden kulturellen Differenzen zwischen Vergangenheit und Gegenwart. Die Geigen schluchzen einer fernen Nähe nach, die es so wohl nie gegeben hat, und die endlos traurigen Augen des allein und arm zurückbleibenden Purimspielers Getzel verraten die Tiefe der Wunden, die keine Kantilene mehr überbrücken kann. Die abrupten musikalischen Mischungen greifen die Ambivalenz- und Diskrepanzgefühle auf: noch die affirmativsten Glücksmomente werden in den Tränen gebadet, die wir mit den schluchzenden Geigen vergießen.

Mir scheint es nicht zufällig zu sein, daß das jiddische Kino ein solches Übermaß an Emotionalität, Rührseligkeit und Aufforderung zum Weinen enthält: schließlich spiegelt sich in ihm diejenige Phase des jüdischen Volkes, die durch extreme Bedrohung, von Vernichtung gekennzeichnet ist, und viele der krassen Umschwünge von witzig-ironischen Momenten in tiefste Traurigkeit und Sentimentalität, wie sie das jiddische Kino kennt, sind vielleicht schon der Reflex manisch-depressiver Zustände extremer Situationen.

Erinnerung: Zeit im Rückwärtslauf

Das jiddische Kino erzählt nach literarischen Vorlagen, die oft genug hinter die Zeit, in der sie entstanden sind, zurückspringen; das jiddische Kino, wo es von der Gegenwart handelt, zeigt diese im Konflikt mit der Vergangenheit: wie durch ein unsichtbares Gummiband festgehalten, bleibt die Gegenwart im Banne der Vergangenheit, werfen die Schattenrisse der Vergangenheit die Konturen der Erben auf die Leinwand (Ulmers *Amerikaner Schadchen* macht sich so zu seinem Vorfahren). Der Konflikt zwischen Tradition und Assimilation besteht noch heute – nach dem Genozid am jüdischen Volk sicher mit weit schwereren Konsequenzen belastet als früher –, und vielen Juden mag es beim Anblick der jiddischen Filme, in denen eine Kultur noch als lebendig beschrieben wird, deren Erben der Nationalsozialismus blutig vernichtete, gehen wie dem Leser bei folgender Parabel von vier Generationen und ihrer Beziehung zur jeweils geerbten Tradition. Die dritte Generation stand vor folgender Situation:

Wieder eine Generation später sollte Rabbi Mosche Leib aus Sassow jene Tat vollbringen. Auch er ging in den Wald und sagte: »Wir können kein Feuer mehr anzünden, und wir kennen auch die geheimen Meditationen nicht mehr, die das Gebet beleben; aber wir kennen den Ort im Walde, wo all das hingehört, und das muß genügen. – Und es genügte. Als aber wieder eine Generation später Rabbi Israel von Rischin jene Tat zu vollbringen hatte, da setzte er sich in seinem Schloß auf seinen goldenen Stuhl und sagte: »Wir können kein Feuer mehr machen, wir können keine Gebete sprechen, wir kennen auch den Ort nicht mehr, aber wir können die Geschichte davon erzählen.« Und – so fügt der Erzähler hinzu – seine Erzählung allein hatte dieselbe Wirkung wie die Taten der drei anderen.[12]

[12] Gershom Scholem, a. a. O., S. 384.

Todesnähe und Todeswünsche: Geschichtsprozesse mit tödlichem Ausgang. Zu einigen jüdischen Figuren im deutschen Nachkriegsfilm

Vorspiel auf dem Theater

Die ästhetischen Debatten über die Darstellbarkeit des Nationalsozialismus, Antisemitismus und der Judenvernichtung wurden bis in die Mitte der sechziger Jahre vor allem anhand von Theaterstücken publik. Stücke, die mit den unterschiedlichsten formalen Mitteln gearbeitet waren und aus den unterschiedlichsten Ländern stammten. 1965 legte Peter Weiss mit der *Ermittlung* eine Dramatisierung des Auschwitz-Prozesses vor, die, in äußerster Unterkühlung erstarrt, die Mechanismen der Dehumanisierung vorführte. Eine zeitgenössische Analyse faßte das Neue an Peter Weiss' Darstellungstechnik als die Aufkündigung herkömmlichen Theaters:

> Es hört eigentlich auf, Theater im herkömmlichen Sinne zu sein. Wenn Weiss sein Drama *Oratorium* nennt, so ist das nicht nur folgerichtig, weil es sich um die Totenklage handelt, sondern weil das Oratorium einen statischen, *undramatischen*, im wesentlichen aktionslosen Charakter hat.[1]

Ein Bericht, der ein Oratorium ist: das heißt, inhaltlich berichtet *Die Ermittlung* von einem Prozeß und seiner Rekonstruktion der vergangenen Wirklichkeit des Vernichtungslagers Auschwitz, formal schmilzt er das sprachliche Material zum Oratorium, zur Totenklage, um. Der Versuch von Peter Weiss, Erinnerung und Trauer in eine ästhetische Form zu binden, die dem Problem der Repräsentation und realistischen Abbildung, aber auch der Einschränkung auf dramatisierte Einzelschicksale, wie sie das populäre Stück nach dem *Tagebuch der Anne Frank* charakterisiert, entgeht, steht noch ganz im Bann des historischen Prozesses. Das Paradox, mit Auschwitz eine Wirklichkeit zu benennen, die als ästhetisch nicht abbildbar, sondern nur beschreibbar erscheint,

[1] Ernst Schumacher, »Die Ermittlung von Peter Weiss«, in: Volker Canaris (Hg.), *Über Peter Weiss*, Frankfurt a. M. 1970, S. 78.

aber eben diese Beschreibung in die ästhetische Form des Oratoriums einzubinden, zeigt deutlicher als alle wohlmeinenden Stücke, die auf kathartische Wirkungen qua Identifikation hin eher pädagogisch konzipiert sind, wo die Probleme liegen. In der Wirklichkeit von Auschwitz selber: »Wie sagt man? Auschwitz hat stattgefunden« (Maurice Blanchot). – Gegen die sinnstiftende Metaphorisierung von »Auschwitz«, die Wende dorthin, wo das Unfaßbare an Auschwitz in den feierlich gespitzten Mündern von Festrednern zur Entlastung derer herangezogen wird, die durchaus konkret an seiner Vorbereitung beteiligt waren, sperrt sich das dokumentarische Material des historischen Auschwitz-Prozesses, das Weiss bearbeitet. In *Die Ermittlung* zeigt sich einer der Zeugen sensibel gegenüber den falschen Zungenschlägen des Pathos, wenn er sagt:

Wir müssen die erhabene Haltung fallenlassen,
daß uns diese Lagerwelt unverständlich ist.
Wir kannten alle die Gesellschaft
aus der das Regime hervorgegangen war
das solche Lager erzeugen konnte.

Weiss geht davon aus, daß über die Geschichte vorab dies aufzuklären sei. Dieses Aufklärungspathos unterwirft sich erst in der Form des Oratoriums dem Banne der Toten. Rund 20 Jahre später wird von Eberhard Fechner der Versuch unternommen, anläßlich eines NS-Prozesses einen Film zu machen, der die Wirklichkeit der Vernichtungslager thematisiert.

Juristisches Nachspiel

Der Prozeß – ein Dokumentarfilm von Eberhard Fechner über den Majdanek-Prozeß in Düsseldorf. Eberhard Fechner ist der Spurenleser unter den Dokumentaristen. Geschichte zu rekonstruieren aus den Zeichen, die sie hinterlassen hat, bestimmt die Struktur vieler seiner Filme. Dokumente, Fotografien, Papiere, Häuser, Orte, Briefwechsel, Berichte, Erzählungen sind das Material, aus dem er seine Filme baut. *Der Prozeß – Eine Darstellung des sogenannten »Majdanek-Verfahrens« gegen Angehörige des Konzentrationslagers Lublin/Majdanek in Düsseldorf von 1975-1981* ist der in der bundesdeutschen Nachkriegsgeschichte einmalige Versuch, sich mit einer dokumentarischen Methode über mehrere Jahre hinweg mit der NS-Vergangenheit auseinanderzusetzen.

Fechners Film besteht aus drei 90minütigen Teilen: den Ermittlungen, den Verhandlungen und den Urteilen. Die einzelnen Teile sind montiert aus Interviews, historischem Dokumentationsmaterial und wenigen Reportage-Stücken vom Tagesgeschehen, auch Material aus der Tagesschau, der Nachrichten-Sendung des Fernsehens. Lapidare Zwischentitel unterteilen nach motivischen Blöcken wie: »Leichenkommando«, »Eine Kinderaktion«, »Abend-Appell«, »Die Aufseher«, »Dienstschluß«. Das Hauptmaterial des Films setzt sich zusammen aus Interviews mit 70 Personen: Zeugen, Staatsanwälte, Richter, Strafverteidiger, Angeklagte und Beobachter des Prozesses, alle treten nur in ihren Funktionen, ohne namentliche Nennung auf.

Fechners Film ist kein Dokumentarfilm über den Prozeß im klassischen Sinne, seine Technik ist die der Befragung. Einer Befragung, die außerhalb des juristischen Prozeß-Geschehens stattgefunden hat. Der Prozeß ist der Anlaß, den Prozeß der Erinnerung in Gang zu setzen, eine Öffentlichkeit herzustellen, die auf einem Diskurs besteht, der nicht durch die instrumentellen Interessen eines Gerichtsverfahrens beschränkt wird. Es ist ja bekannt, daß die skandalösen Urteile, die am Ende dieses Prozesses ausgesprochen wurden, sich zum Teil aus dem juristischen Umstand heraus ergaben, daß jede Tat jedem einzelnen nachgewiesen werden mußte, daß die bloße Tatsache der Mitgliedschaft in der SS-Wachmannschaft eines Vernichtungslagers nicht Grundlage von Verurteilungen sein konnte. Deswegen mußten nach 40 Jahren durch Zeugenaussagen ehemaliger Häftlinge und Wachpersonen des KZ Majdanek Tatvorgänge im Detail rekonstruiert werden. Den Angeklagten bot das die Möglichkeit, durch die zähe Verleugnung einzelner Tatbestände die Dimensionen des 250000fachen Massenmordes in Majdanek in den Hintergrund zu drängen und das Problem der moralischen Schuld in zähen Grabenkämpfen kleinzuarbeiten. Wie groß dennoch der moralische Druck ist, zeigt sich in den Aussagen, die die Angeklagten, die sich vor Gericht einzig durch ihre Verteidiger äußerten, vor Fechners Kamera machen: Flucht in die Amnesie.

Die Öffentlichkeit eines Gerichtsverfahrens ist ja eine, die auf Delegation basiert: für den Angeklagten spricht der Verteidiger, Anwalt des Staates ist der Staatsanwalt, im Namen des Volkes urteilt schließlich der Richter. Eine Öffentlichkeitsform, die darauf basiert, daß das Interesse des einzelnen gegen das des Staates durch eine klassische Aufteilung der Rollen vermittelbar bleibt. Die Öffentlichkeit, die dagegen Fechner herzustellen versucht, ist die der freien Rede, der Überzeugung ohne Sanktionierung. Das Faszinierende an Fechners Montage-Technik ist es, zwischen den 70 verschiedenen Personen einen fiktiven Diskurs herzustellen. Das Ergebnis und Telos ist nicht wie der formaljuristische Prozeß die Rekonstruktion von Tathergängen, Faktenerhebung, Beschreibung von Ereignissen, sondern die Dokumentation von Bewußtseins- und Gefühlslagen, die sich mit diesen verbunden haben. Fechner ist in dieser Methode so genau, daß er Satzanschlüsse zwischen verschiedenen Interviews herstellen kann. Satzanschlüsse, die nach einer Methode montiert sind, die man in der kinematographischen Montage-Theorie als »identischen Rekurs« bezeichnet und die darin besteht, daß zwei Einstellungen verschiedener Situationen, Orte, Personen oder Zeitpunkte miteinander verbunden werden durch ein gemeinsames bildliches Motiv in identischen Positionen vor der Kamera. Diese Form verwendet Fechner in der Ton-Montage. Damit macht er deutlich, daß es um historische und empirische Ereignisse geht. Es gibt ein empirisches Referenz-Objekt, das KZ Majdanek, von dem die Rede ist. Aber da hören die Gemeinsamkeiten der Rede auch schon auf, denn die Erinnerungsarbeit ist keine gemeinsame, sondern eine konfrontierende: die Erinnerungen der Opfer werden von den Tätern geleugnet, ja diese stellen sich außerhalb des Gerichtssaals als die eigentlichen Opfer der Geschichte dar.

Das dramaturgische Prinzip des Films basiert auf der Irritation, daß die klassische Einheit von Zeit und Ort der Tragödie nie in Frage gestellt wird, daß aber die historischen Akteure in ihrem Bewußtsein diese Einheit aufsprengen. Für die Opfer war das KZ in der Tat ein »anderer« Ort als für die Aufseher und Schlächter. Das ist die grauenvolle Mitteilung des Films: daß die Totalität der wirklichen, historischen Welt unter dem Druck der Ereignisse einen Riß bekommen hat, der auch heute, Jahrzehnte später, jeden Gedanken an Aussöhnung als absurd erscheinen läßt. Auf immer fällt die Geschichte auseinander in die der Opfer und die der Henker. Zu den qualvollsten Stellen des Films gehören die vergeblichen Versuche der Opfer, im fiktiven Dialog die Täter wenigstens zur Anerkennung ihrer Taten zu bewegen, von Strafe, Sühne, Rache muß da noch gar nicht die Rede sein. Für Hegel stellte sich bekanntlich der sittliche Zusammenhang der Welt in der Bestrafung eines Täters durch die Anerkennung seiner Tat als Untat wieder her. Genau diese Wiederherstellung gibt es nach Auschwitz, nach Majdanek nicht mehr. Die Rede von der Aussöhnung, ja auch nur von der Aufarbeitung jüngster deutscher Geschichte findet ihr Ende in diesen Monologen, in denen die Opfer den Tätern ihre Taten beweisen müssen.

Wo die Sprache in Fechners Film noch den, wenn auch vergeblichen, Versuch macht, Bewußtsein zu vermitteln gegen die Tendenz der Verleugnung als dem ungeheuerlichsten Weg, ungeschehen zu machen, sprechen die Bilder eine andere Sprache. Integraler Bestandteil des Films sind nämlich Einblendungen von Fotos, die alle zwischen 1940 und 1944 in deutschen Konzentrationslagern in Polen aufgenommen wurden. Diese Fotos, schwarzweiß, oft unscharf, von Leichenbergen Geschundener sind im Kontext der Opfer erdrückende Last der Erinnerung, Alptraumgeister, die keiner mehr los wird, aber auch der schlichteste Beweis für die Absurdität, ermitteln zu müssen, wie jeder dieser Morde im einzelnen stattgefunden hat. Im Kontext der Täter werden die Fotos zu den schattenhaften Umrissen des Verdrängten und Geleugneten, das doch einmal die Alltagswelt darstellte, in der sie lebten. In Annotaten zum Film beginnt Fechner mit einem Zitat Alexander von Humboldts:

Ein Volk, das keine Vergangenheit haben will, verdient auch keine Zukunft.

Die Verdrängung der Vergangenheit markierte symptomatisch die Zukunft, die auf Peter Weiss' *Ermittlung* wartete. *Die Ermittlung* gehörte damals zu den meistgespielten Stücken und erscheint retrospektiv als zeithistorisches Schlüsselstück auch deswegen, weil es in seiner Rezeptions- und Inszenierungsgeschichte ein zweites Mal an paradigmatischer Stelle auftaucht. Nach 17 parallelen Uraufführungen im Oktober 1965 wurde das Stück bis 1967 von über 30 Bühnen nachgespielt. Danach verschwand es für zwölf Jahre von der Bildfläche. 1980 kam es dann schließlich zu einem Skandal um die Inszenierung von Schulte-Michels an der *Freien Volksbühne Berlin*, die dem Regisseur Gelegenheit gegeben hatte, seine Inszenierung für das *Schloßtheater Moers*, ein Jahr davor, noch einmal für die Berliner Bühne einzurichten. Elsbeth Wolffheim schrieb zu diesen Ereignissen:

Um das Skandalon kurz zu skizzieren: extravagant geschminkte Darsteller agierten in einer Nachtclubatmosphäre, u. a. auf einem Laufsteg – lachen, klatschen einander Beifall, machen Tanzschritte zu Schlagermusik und rufen Assoziationen an Tingel-Tangel-Machwerk hervor. Die Absicht des Regisseurs: Erstens will er die »Scheinpietät« entlarven, die sich bei uns bei dem Thema Konzentrationslager einstellt. Zum andern will er die schon beim Holocaust-Film konstatierte sentimentale Informationsgier als Voyeurismus denunzieren: als »Gourmetmoment«, als »frivoles Sich-dran-Ergötzen«. Damit will er letztlich die bundesdeutschen Verdrängungsmechanismen treffen, womöglich gar aufbrechen. Die Ernsthaftigkeit dieser Absicht anzuzweifeln besteht kein Anlaß.

Dennoch ist den vielen Reaktionen auf diese Inszenierung zu entnehmen, daß das Ensemble, daß Schulte-Michels diese Absicht mit untauglichen Mitteln zu realisieren suchte. Vor allem opponieren viele Zuschauer und Kritiker dagegen, daß Ankläger und Zeugen hier von denselben Schauspielern dargestellt werden. Die in der *Ermittlung* vom Zeugen 3 behauptete Austauschbarkeit wird, wo sie krude in Szene gesetzt wird, zum Anstoß, zur Provokation![2]

Damit war auch *Die Ermittlung* in jenen *Widerschein des Nazismus* geraten, den Saul Friedländer in seinem Essay über *Kitsch und Tod*[3] reflektiert. Ein ähnlicher Sprung ließe sich auch im Vergleich der Inszenierungen des *Getto*-Stückes von Sobol durch Peter Zadek in Berlin und das Theater in Haifa aufzeigen. Die Mitte der siebziger Jahre einsetzende Mythisierung von Faschismus und Nazismus, die Friedländer als ein nicht nur in der Bundesrepublik zu beobachtendes Phänomen beschreibt, hat sich in der Bundesrepublik sichtbarer als im Theater im Film niedergeschlagen.

Hellsichtig hat Adorno in seinem kurzen Essay *Was bedeutet: Aufarbeitung der Vergangenheit* darauf hingewiesen, daß möglicherweise die historischen Tatsachen selbst der Verdrängung und Verleugnung anheimfallen könnten:

Sozialpsychologisch wäre daran die Erwartung anzuschließen, daß der beschädigte kollektive Narzißmus darauf lauert, repariert zu werden, und nach allem greift, was zunächst im Bewußtsein die Vergangenheit in Übereinstimmung mit den narzißtischen Wünschen bringt, dann aber womöglich auch noch die Realität so modelt, daß jene Schädigung ungeschehen gemacht wird.[4]

[2] Elsbeth Wolffheim, »Über Die Ermittlung von Peter Weiss«, in: *Spectaculum 33*, Frankfurt a. M. 1980, S. 323.

[3] Saul Friedländer, *Kitsch und Tod. Der Widerschein des Nazismus*, München 1984.

[4] Theodor W. Adorno, »Was bedeutet: Aufarbeitung der Vergangenheit«, in: ders., *Eingriffe. Neun kritische Modelle«*, Frankfurt a. M. 1963, S. 136.

Zum Ummodeln der Realität gehört in diesem Sinne die Auslöschung der konkreten Erinnerungsbilder der Vernichtung und Vertreibung der Juden und ihre Ersetzung durch mythische Umdeutung. Das heißt, wenn Adornos These stimmt, müßte sie sich als veränderte Perspektive auf jüdische Figuren seit 1945 empirisch festmachen lassen. Auffällig ist deren Aussparung in den Filmen der fünfziger und sechziger Jahre, die ganz im Zuge der Restauration der Filmindustrie standen. Eine systematische, empirische Analyse würde wahrscheinlich einen Umschlag vom antisemitischen Stereotyp des NS-Films in ein philosemitisches zeigen. Von den rund tausend Filmen, die von 1949 bis 1961 in der Bundesrepublik gedreht wurden, dürfte es freilich eine absolute Minderheit sein, die überhaupt die Geschichte oder gegenwärtige Existenz von Juden thematisierten.

1961 kam es zu einem Skandal um Helmut Käutners Film *Schwarzer Kies*, dessen Struktur dem neueren Fassbinder-Skandal nicht einmal unähnlich ist. Dorothea Hollstein zu diesem Konflikt:

> Im April 1961 stellte der Generalsekretär des Zentralrates der Juden in Deutschland, Dr. van Dam – laut dpa – Strafantrag gegen den Film *Schwarzer Kies*, gegen den Regisseur Helmut Käutner und gegen den Hersteller Walter Ulbrich mit der Begründung, der Film stelle eine öffentliche Beleidigung der Juden dar, indem er einen Bordellwirt als Juden kennzeichne. Käutner hielt den Strafantrag für ein »unseliges Mißverständnis« und ließ die betreffenden Szenen aus dem Film entfernen; (...). – Später unternahm nur der Regisseur Kurt Hoffmann unter persönlichen Opfern auch das Wagnis, einen Film über die Judenverfolgung in Prag zu drehen, *Das Haus in der Karpfengasse* (1965), aber auch ihm gelang es nicht, die Gründe für das dargestellte judenfeindliche Verhalten sichtbar zu machen.[5]

Aus einer zeitgenössischen Kritik geht hervor, daß in *Schwarzer Kies* die jüdische Figur von einem alten Nazi als »Judensau« beschimpft wird[6] und diese Sequenz den Strafantrag mitprovozierte. Käutner, der seinen Film als »realistisch« verstand, hatte offensichtlich Realismus und Realität verwechselt, so wie später in der Fassbinder-Debatte immer wieder der Versuch unternommen wurde, aus der Realität die Legitimation für eine ästhetische Dar-

[5] Dorothea Hollstein, *Jud Süß und die Deutschen. Antisemitische Vorurteile im nationalsozialistischen Spielfilm*, Frankfurt a. M. 1983, S. 353.

[6] rpk (Martin Ripkens), »Schwarzer Kies«, in: *Filmkritik* 5/1961, München 1961, S. 248.

stellung direkt abzuziehen mit dem stereotypen Argument, daß es ja schließlich *wirklich* reiche, jüdische Spekulanten gäbe. Allerdings ist die merkwürdige Vorliebe des bundesdeutschen Kinos für das, was Alexander Kluge einmal den »mittleren Realismus« genannt hat, insgesamt geprägt von einem Mißverhältnis zwischen realistischer Form und erfahrungsloser Stereotypisierung von Personen und Handlungsschemata. Dadurch entsteht eine Diskrepanz zwischen einer hyper-realistischen Ausstattung und völlig klischeehaften Figuren, die nicht psychologisch erfaßt sind.

In einer solchen ästhetischen Konfiguration müssen jüdische Figuren besonders schablonenhaft wirken, weil in der Regel der pingelige Ausstattungsrealismus keinen Code für jüdisches Milieu entwickelt und so noch nicht einmal den Anschein von Realismus hervorbringen konnte. (Mitunter werden synagogale Kultgegenstände zur Dekoration »jüdischer« Wohnungen benutzt etc.)

So schrieb ein zeitgenössischer Kritiker zu *Schwarzer Kies* durchaus plausibel:

> Schwankend nämlich zwischen dem Versuch, ein Teilstück (ein wenig repräsentatives übrigens) bundesrepublikanischer Realitäten dokumentarisch zu fixieren, und dem Versuch, eine dramaturgische Konzeption der Verkehrsunfälle und Dreiecksverhältnisse damit zu verschmelzen, trägt schließlich die Story den Sieg davon. (...) Entsprechend überzeugen Zeit und Ort (Hunsrück-Airbase Oktober 1960) ansatzweise immer nur dann, wenn nicht agiert wird.[7]

Motivgeschichtliche Studien lassen sich methodisch sinnvoll nur als Konfigurationsanalysen konzipieren und nicht aus dem Zusammenhang, in dem sie auftauchen, lösen. Eine ernsthafte Studie zum Bild der Juden im Film der Zeit von 1945 bis 1965 hätte sich also wohl vorrangig mit solchen Realismus-Konzepten zu beschäftigen.

Es wäre interessant, gerade die filmischen Erzählformen des Nachkriegsrealismus daraufhin zu analysieren, aus welchen literarischen Traditionen sie kommen. In einer Analyse der jüdischen Figuren Gustav Freytags hat jüngst Hans Otto Horch[8] auf das Problem des »programmatischen Realismus« aufmerksam gemacht,

[7] A. a. O., S. 249.

[8] Hans Otto Horch, »Judenbilder in der realistischen Erzählliteratur. Jüdische Figuren bei Gustav Freytag, Fritz Reuter, Berthold Auerbach und Wilhelm Raabe«, in: Herbert A. Strauss/Christhard Hoffmann, *Juden und Judentum in der Literatur*, München 1985, S. 151.

der auf einer »allegorisierenden Figurenkonzeption« basiert, die rezeptionsgeschichtlich als Abbildungsrealismus mißverstanden wurde. Gustav Freytag und insbesondere sein Roman *Soll und Haben* (1855) gilt – entgegen den Intentionen des Autors – geradezu als Klassiker der antisemitischen Literatur, obwohl er sich – historisch gesehen – als Weggefährte der jüdischen Emanzipation sah. Die Debatte um Gustav Freytag wurde Mitte der siebziger Jahre aktuell, als R. W. Fassbinder ankündigte, daß er *Soll und Haben* verfilmen wolle.

The long goodbye

Als Alexander Kluge 1966 seinem ersten Spielfilm den beziehungsreichen Titel *Abschied von Gestern* gab, war nur am Rande abzusehen, daß es keine zwei Jahre mehr dauern würde, bis dessen appellativer Sinngehalt entfaltet werden würde. In einer Sequenz dieses Films sehen wir die Hauptfigur Anita G. (Alexandra Kluge) auf dem Weg ins Gefängnis, um dort ihr Kind zur Welt zu bringen. Abgesehen von diesem hier nur äußerst verkürzt wiedergegebenen narrativen Schluß des Films enthält diese eine Sequenz so ziemlich alle Dilemmata der (bundes)deutschen (Film-)Geschichte eingeschweißt, so, daß sie leicht selbst zur Allegorie des Neuen Deutschen Films werden könnte: Nach dem Zwischentitel »Ich weiß, es wird einmal ein Wunder geschehen«, einem Schlagerzitat des NS-Films, das hier ironisch aufgegriffen wird, sehen wir die verstörte Anita G. durch die Städte und Stätten des Wirtschaftswunder-CDU-Staates fluchtartig huschen. Eine Teilsequenz dieses Schlußteils beginnt mit einer Vogelperspektive auf eine Autobahn, die Anita G. in der folgenden langen Einstellung auf einer Brücke überquert. Die Brücke liegt als dicker schwarzer Balken quer über der horizontalen Achse des Bildes, Anita G. läuft von links nach rechts, ihr entgegen fahren Autos, ihr entgegen recken sich die arroganten Giraffenhälse einer Gruppe von Baukränen, in dem unteren Drittel des Bildes unter der Brücke machen sich die Neubauten breit. In einer einzigen Fahrt folgt die Kamera den gegenläufigen Aktivitäten der Anita G., bis schließlich das Geländer der Brücke in einem Stacheldrahtzaun mündet, in einem freien Gelände, Niemandsland mit einigen geduckten Büschen.

Die sparsam aus der vorfindlichen Wirklichkeit gewonnenen

Zeichen, die Kluge setzt, evozieren einen Gang, eine Fahrt aus der Zukunft in die Vergangenheit, aus der bundesrepublikanischen Gegenwart heraus wird die Stacheldrahtrolle zum Ariadne-Faden in die Vergangenheit.

Das Verhältnis zur Geschichte wird Teil eines Diskurses, der einen großen Teil der Filme konstituiert. Als direkte Gegenproduktion zu den Geschichtsmythen des bundesdeutschen Unterhaltungsfilms der fünfziger und sechziger Jahre entstand eine Reihe kritischer »Heimatfilme«. In diesen wird die archaisierte Welt bäuerlichen Lebens vor dem Hintergrund ins Autoritär-Erhabene erhobener Natur als Schicksalsmacht in kathartischer Absicht, wie sie der gängige »Heimatfilm« im Anschluß an die Blut- und Bodenfilme der NS-Zeit entworfen hatte, auf die sozialen und politischen Notlagen der Landbevölkerung im Feudalismus oder dem beginnenden Frühkapitalismus rückbezogen. Paradigmatisch für diese Gruppe von Filmen kann Volker Schlöndorffs *Der plötzliche Reichtum der armen Leute von Kombach* (1970) gelten.

Schlöndorff greift auf einen Fall zurück, der in historischen Akten überliefert ist: Eine Gruppe verarmter Bauern beschließt einen Überfall auf einen Geldkarren, verrät sich schließlich durch allzu frühzeitigen Konsum der Beute und wird am Ende hingerichtet. Diese im Jahre 1821 im Hessischen sich abspielenden Ereignisse erzählt Schlöndorffs Film in Schwarzweiß, unter völligem Verzicht auf die romantische Landschafts- und Kostümbildnerei, die sich sonst in historischen Filmen als Sehnsuchtsfolie nach einem vormodernen Leben auf die Bilder legt. Die Gegenstände des täglichen Gebrauchs in den ärmlichen Stuben werden ohne Assoziationen an folkloristische bäuerliche Kunst als sparsam gesetzte Zeichen eines aufs Nötigste reduzierten Lebens vorgestellt. Der ästhetische Bruch mit der filmischen Historienmalerei wird in den Aufbau der Erzählhandlung fortgesetzt. Die Personen bieten wenig an Identifikationsaufforderung, werden zusätzlich vorwiegend in der Interaktion innerhalb der Gruppe und nicht als heroische einzelne vorgeführt. Lehrstückhaft auch die unterbrochene, in Wiederholungen und Ellipsen aufgebrochene Abfolge des Geschehens.

Dennoch stellt sich an diesem Film die Frage, welchen Fokus auf Geschichte eine solchermaßen paradigmatisch aufgebaute Narration aufzieht. Der Zeitbezug zumindest läßt sich festmachen an den politischen Debatten, die sich im Schatten lateinamerikanischer Filme und den Befreiungsbewegungen der Dritten Welt verstärkt auf einen klassenkämpferisch gemeinten Volksbegriff eingelassen hatten. Die eindrucksvollen Filme des brasilianischen Regisseurs Glauber Rocha, der mythische Volkshelden aus den Räuberballaden des Sertão in seine wuchtigen Filme über und gegen die Unterdrückung in feudalen Strukturen eingebundener Völker zur Spiegelung aktueller Freiheitsideen und Befreiungskonzepte einblendete, mögen dazu beigetragen haben, auch im eigenen Land nach dergleichen populären Figuren und Legenden Ausschau zu halten. Der »neue, linke Heimatfilm« zerfiel schnell in die zwei Tendenzen einer sozialromantischen Wiederbelebung sozialer Rebellen und Räuber einerseits und der sozialkritischen Milieuschilderung von Geschichte als Lernprozeß andererseits.

Der plötzliche Reichtum der armen Leute von Kombach gehört mit seiner kargen, fast didaktisch gesetzten Zeichensprache ganz sicher nicht zur romantischen Linie der Entwicklung des Genres. Schlöndorff hat sich nicht mehr und nicht weniger vorgenommen, als am historischen Fall aus der Entstehungszeit des Kapitalismus dessen Gesetzmäßigkeiten aufzuzeigen, denen gegenüber das Scheitern der Gelegenheitsräuber als ihrer objektiven Rückständigkeit geschuldet aufgezeigt werden soll. Dabei bleibt es völlig offen, ob Schlöndorff damit auch die romantisierenden Tendenzen in revolutionär bewegten Zirkeln kritisch ins Licht setzen wollte und deren schiefe Identifikation mit Sozialrebellen der Dritten Welt und dem frühen Anarchismus oder ob er vor allem auf die didaktische Aufklärung über die Binnenlogik kapitalistischer Entwicklung setzte. Tatsache ist jedenfalls, daß Schlöndorff sich in der Verfolgung seiner politischen Ziele auf beispielhafte Weise in eine andere Zeit der deutschen Geschichte verwickelte, die unfreiwillig seine guten Absichten mit den reaktionärsten Tendenzen romantischer Sozialkritik unterminierte.

Aus der dramaturgischen Notwendigkeit heraus, eine Figur ins Spiel bringen zu müssen, die das Treiben der Bauern aus distanzierter und kommentierender Perspektive begleiten kann und die sich außerdem dazu eignen soll, die Logik des Kapitals zu verkörpern, hat Schlöndorff zu den historisch überlieferten Beteiligten am unglücklich endenden Geschehen eine Kunstfigur hinzugefügt. Hatte Alexander Kluge in *Abschied von Gestern* die Kunstfigur der Anita G. mit einer jüdischen Herkunft ausstaffiert, die im Laufe des Films artifizielle, aber präzise Positionslämpchen in dem vergangenen und gegenwärtigen Verlauf der deutschen Geschichte zündete, so war Schlöndorff in die Falle des »programmatischen Realismus« gelaufen. Den fliegenden jüdischen Händler, den er sich ausgedacht hatte als Kontrastfigur zu den in ihrer Bodenständigkeit rückständig bleibenden Bauern, läßt er bereits in der ersten Einstellung, mit der er ihn präsentiert, zum Verführer werden, der die beschränkten Dörfler auf die Idee zum Geldraub erst mit seiner eindringlich-leisen Beschreibung der Leichtigkeit seiner Ausübung bringt. In den visuellen Strategien des Bildaufbaus isoliert Schlöndorff die jüdische Figur deutlich gegenüber der bäuerlichen Gemeinschaft am Tisch und von den Gesprächen über die Nöte und Wünsche des Alltags. Er integriert sie nur dann, wenn es um die gemeinsamen Geschäfte geht. Auf der Hochzeit schließlich, deren verräterisch reiche Ausstattung auf die Räuber aufmerksam macht, bleibt es der jüdischen Figur vorbehalten, in bedächtig-bedeutsamem Tonfall Parabeln vom Leben und Überleben, von Glück und Planung kontrastreich und prophetisch zu erzählen. Die didaktisch gemeinte Figur des jüdischen Händlers als des Repräsentanten der kapitalistischen Tauschwirtschaft gegenüber dem bäuerlichen Konkretismus der Scholle wird zum Schluß des Films gänzlich obsolet, ein Griff aus den Giftschränken älterer Klischees: Nach einigen der wenigen emotional aufrührenden Sequenzen des Films von Gefangenschaft, Marter und Todesangst wird in einer Parallelmontage ein nebelverhangener Acker gezeigt, aus dessen perspektivischer Tiefe der jüdische Händler auftaucht, um in einem langen prophetischen Schlußmonolog die Vorteile seiner Existenz des Ungebundenen auszumalen, den geraubten Schatz unterm Arm, auf dem Weg nach Amerika. Hier klappt die Falle der Repräsentation nun endgültig zu: Nicht die kapitalistische Entwicklung in ihrer historischen Überlegenheit wird in einer didaktischen Kunstfigur allegorisch dargestellt, sondern die Kunstfigur in einer geschlossenen, mit Tod und Flucht endenden Erzählung wird zur ikonographischen Gleichsetzung von jüdischem Händler und Kapitalismus. Eine Verschiebung, die zusätzliche problematische Konsequenzen darin nach sich zieht, daß der jüdische Händler und Verführer als Verkörperung des Raubkapitalismus herhalten muß. Mit dieser Art von Kapitalismuskritik als Kulturkritik hat Schlöndorff, ohne es zu wollen, bereits eine Tendenz im Umgang des Neuen Deutschen Films der zweiten Generation mit deutscher Geschichte vorweggenommen, die im Konflikt der achtziger Jahre im Antisemitismus-Vorwurf gegenüber Fassbinder aufbrach.

Sieht man die etwas naßforschen Verkürzungen, mit denen sich bereits der kritische, politische Film ans Werk machte, eine »unbefangene« Beziehung zur deutschen Geschichte aufzubauen, dann nimmt es nicht wunder, daß in den achtziger Jahren an den späten Filmen Fassbinders sich die Debatte um die neuen Formen eines sekundären Antisemitismus aufgeladen haben. Der von Saul Friedländer beschriebene neue Diskurs über den faszinierenden Faschismus hatte fast unbemerkt begonnen. Zwar waren sowohl Schlöndorffs merkwürdige Konstruktion wie auch Fassbinders problematische Obsession für jüdische Figuren in Frankreich und den USA auf Kritik gestoßen, aber in der Bundesrepublik wurden diese Tendenzen entweder nicht wahrgenommen oder, als sie schließlich 1985 mit den Auseinandersetzungen um das Theaterstück *Der Müll, die Stadt und der Tod* durch die Presse gingen, auf das Stück beschränkt.

Fassbinder und die Debatte zum ›sekundären Antisemitismus‹ – vor der »dritten« liegt die »zweite Generation«

Nun hat Fassbinder ja in der Tat in seinen späteren Filmen eine ausgesprochene Vorliebe für allegorisierende Formen entwickelt, die den gängigen Abbildrealismus sprengen. Er fiel damit freilich in ein Klima, in dem die Grenzen des kritisch gemeinten »programmatischen Realismus« längst überschritten worden waren zu jenen Formen allegorisierender Neo-Mythologien, die Friedländer beschrieben hat.

Da Fassbinder einer der wenigen Neuen Deutschen Filmemacher von Rang ist, die in ihren Filmen jüdische Figuren an prominente Stellen ihres Werks gesetzt haben, möchte ich im folgenden den Versuch unternehmen, die Konfigurationen aufzuzeichnen, in denen diese Figuren stehen. Dabei gehe ich davon aus, daß Fassbinder in ähnlicher Weise mißverstanden wird wie Gustav Freytag, dessen allegorische Figuren für Abbilder gehalten werden, der aber gleichwohl in seinen Allegorisierungen antisemitische Klischees transportiert.

Obwohl in Fassbinders Filmen eine Reihe bedenkenswerter,

wenn nicht fragwürdiger jüdischer Figuren vorkommen, wurde dies so gut wie nie zum Gegenstand der bundesdeutschen Filmkritik. Die ambivalenten Konstruktionen jüdischer Figuren bei Fassbinder selber schlagen sich wohl in solchen Aussparungen nieder. In den zahllosen Nachrufen ist zwar mitunter vom erhobenen Antisemitismus-Vorwurf die Rede, aber die jüdischen Figuren in den Filmen finden keine Erwähnung: In den Aufzählungen der gesellschaftlichen Opfer, der Randgruppen und Geknechteten, deren sich Fassbinder emphatisch angenommen hat, finden sie keinen Platz – und das, meine ich, hat seine guten Gründe.

Zuerst möchte ich einmal in aller Deutlichkeit zwischen dem unterscheiden, was Fassbinder in seinen Äußerungen zur Gesellschaft, Politik und auch seinen Filmen gesagt hat, und dem, was er in seinen Filmen gemacht hat. Als *politische* Figur ist Fassbinder gewiß kein Antisemit, sondern jemand, der sich kritisch auf die Bundesrepublik und die deutsche Geschichte bezieht. *Filmisch* präsent ist das vor allem auch in seinem Beitrag zu *Deutschland im Herbst* im Interview mit seiner Mutter. Auch in vielen seiner frühen Filme bewahrt er analytische Kälte in seinem Blick auf Menschen und die versteinerten Verhältnisse, in denen sie leben und innerhalb deren sie den Amoklauf der Gefühle antreten.

Es gibt wenige Neue Deutsche Filmemacher, die einen so genauen Blick auf die »Ehen unserer Eltern«, wie er ein unrealisiertes Filmprojekt nannte, hatten, auf den Schrecken, den die eichengetäfelten Traditionsbestände des deutschen Bürgertums und die blankgescheuerten Wohnküchen des Kleinbügertums auf die ausübten, die sie sich eingerichtet hatten. Der frühe Fassbinder hat den deutschen Mief gefriergetrocknet und pulverisiert, das war seine Stärke: *Marthas* Martern nicht als Rührstück einer gescheiterten Mittelschichtsehe, als mittlerer Realismus, sondern als Horrorfilm ehelicher Macht- und Unterwerfungsrituale, genauso wie er Hitchcocks *Suspicion* für *den* Film über die Ehe hielt. Filme wie *Katzelmacher, Warum läuft Herr R. Amok, Martha, Händler der vier Jahreszeiten, Liebe ist kälter als der Tod* behalten, wenn man so will, Distanz zum Gezeigten, ja, sie haben auch eine untergründige sadistische Lust am Vorführen. Fassbinder selbst hat sich das zu Unrecht selbst zum Vorwurf gemacht. Er wollte werden, wie er glaubte, daß die Filme Douglas Sirks gewesen seien: menschlich und voll Mitleid. Er bewunderte den ehemaligen Starregisseur der Ufa, Detlef Sierck, und dessen pathetische Melodramen *La Haba-*

nera und *Zu neuen Ufern* sowie seine amerikanischen Melodramen, für die meiner Ansicht nach gilt, was Adorno kritisch zu Wagner anmerkte: »Sentimental reflektiert die Tugend den Schrekken, den sie verbreitet.«[9]

Möglich, daß in Person und Filmen Douglas Sirks für Fassbinder sich eine geglückte Symbiose aus Ufa- und Hollywood-Ästhetik kristallisiert hat, daß er sich vorschnell über ihn eine Brücke bauen wollte, die ihn entlastete vom historischen Erbe der faschistischen Ästhetik, zu der freilich Detlef Sierck bereits gehörte und die auch in seinen Hollywood-Filmen noch präsent ist.

Wo Fassbinder den Boden der eigenen Erfahrungen historisch durchbrechen läßt in den Keller der deutschen Geschichte, landet er in einem mythischen Raum, den er ausleuchtet nach den Regeln der Ufa-Lichtregie und ausstattet mit Opfer-Phantasien, Schlachthof-Metaphern, Erlösungssymbolik. Stilistische und thematische Motive lassen sich vom Stück *Der Müll, die Stadt und der Tod*, das filmisch als Drehbuch für Daniel Schmids Film *Schatten der Engel* aufbereitet wurde, über *In einem Jahr mit dreizehn Monden*, dem Epilog zu *Berlin Alexanderplatz, Lili Marleen* bis zu *Die Sehnsucht der Veronika Voss* nachzeichnen. In all diesen Filmen tauchen an zentraler Stelle jüdische Figuren auf.

In einem Jahr mit dreizehn Monden ist ein heterosexueller jüdischer Bordellbesitzer und Immobilien-Spekulant, Überlebender der Vernichtungslager, die Sehnsuchtsfigur, um dessentwillen die Hauptfigur des Films, Elvira, sich in eine Frau umwandeln ließ. In einer langen, eindrucksvollen Schlachthof-Sequenz erzählt Elvira ihre Passionsgeschichte. Das Opfer des Fleisches, das Elvira um der Liebe willen gebracht hat, wird freilich nicht angenommen. Gottfried John spielt die jüdische Figur als kühl, überlegen, männlich. Ein Mann, der Frauen genießt, ohne selbst der Liebe zu verfallen. Zwar wird an der narrativen Oberfläche eine psychologische Motivation für dessen Kälte angeboten: der Name des Vernichtungslagers ist Geheimcode, mit dem er selbst beim Liebesakt sich stören läßt. Aber im Kontext des Films bleibt das eine eher zynische Metapher, deren sinnlich-bildhafte Ausdeutung verschoben scheint auf den Schlachthof, der Elviras Fleischesopfer ikonographisch auflädt. In *In einem Jahr mit dreizehn Monden* findet also

[9] Theodor W. Adorno, »Fragmente über Wagner«, in: *Zeitschrift für Sozialforschung*, Paris 1939, 1/2, S. 4.

bereits eine Verschiebung statt, die sich dann auch durch die anderen Filme zieht: die Verschiebung der Opfer-Phantasien von den Juden weg zu denjenigen Figuren, die im Fassbinderschen Kosmos prädestiniert sind zum Leiden am Leib, zur Qual des Fleisches.

In der ersten Folge von *Berlin Alexanderplatz* wird der gerade entlassene Franz Biberkopf auf der Straße verfolgt und schließlich angesprochen von Nachum, der bereits durch seine Kleidung – Kaftan, Hut, Bart und Schläfenlocken – als Ostjude kenntlich gemacht wird, noch bevor sein eingedeutschtes Kunst-Jiddisch seine Herkunft auch akustisch festschreibt. Nachum nimmt den verwirrten Biberkopf mit in die Wohnung des Schwagers, Eliser. Dort rollt sich Biberkopf vom Sofa auf den Teppich, krümmt sich, stöhnt, ein leidendes Stück Fleisch, ächzender, unglücklicher Leib. Ein Zwischentitel unterbricht die Szene: Belehrung durch das Beispiel des Zannowich. Der weitere Verlauf der Szene ist charakterisiert durch die Körperdarstellung Biberkopfs, sein Winseln und Stöhnen, das aus dem gekrümmten Körper sich preßt, und der mit Unterbrechungen erzählten Geschichte Nachums vom Zannowich. Dazwischen kommentiert die Erzählstimme Fassbinders aus dem Off, meist flüsternd, die Lage Biberkopfs mit Sätzen wie diesem: »Bereuen sollst du; erkennen, was geschehen ist; erkennen, was nottut!« Auf den passiven, schmerzenden Fleischberg ritzen sich die Worte der beiden Sprecher ein: die verrückten, lehrreichen Geschichten Nachums und die leicht spöttischen Kommentare des Erzählers. Beide akustischen Signale sind kontrapunktisch gesetzt zum Ächzen und Stöhnen Biberkopfs: Er ist der Leidende, der Schmerzbeladene, Nachum dagegen ist zwar verrückt, aber er hat einen geistigen Bezug zur Welt, er interpretiert sie, er erleidet sie nicht. Auch hier rutscht die jüdische Figur in die privilegierte Position dessen, der über Weltdeutung, über Sprache, über Geist verfügt.

Im Epilog schließlich, der in einer opernhaften Szenerie mit Engeln und sprechenden Leichen die Quintessenz des Biberkopfschen Lebens zu einer Collage verdichtet, taucht auch die Schlachthof-Metapher aus *In einem Jahr mit dreizehn Monden* wieder auf. Das Schlachthaus ist die Opferbank des Leibes, der Qual und fehlgeschlagenen Lust: Frauen blicken aus der Kachelhölle, Leiber hängen von der Decke, Uniformierte machen sich an Leiber-Bündeln zu schaffen. In einem anderen Szenario lehnt Biberkopf über einer Strafbank, bereit zur Tortur. In all diesen Leidensszenarien herrscht eine sexualisierte sadomasochistische Stimmung vor: Der Leib als Ursprung und Ziel somatischer Schmerz- und Lustempfindung ist das heimliche Thema. Die Bilderwelt, die sich von der historischen Vernichtung speist, wird a-historisch auf den Leib hin naturalisiert. Die Zeichen der Kultur, des Geistes sind verhöhnende Herrschaftszeichen: Reinhold, die zentrale Liebesfigur für Biberkopf, trägt die Dornenkrone Christi, Nachum schwenkt einen Rosenkranz. Nachum und Eliser werden als jüdische Figuren nicht in den Leidenskosmos verschmolzen, sie bleiben Symbolträger oder distanzierte Beobachter. Damit stellt sie Fassbinder außerhalb seiner Opfer-Phantasien, bewahrt sie damit zwar vor der falschen Einbindung in die subjektiven Konstruktionen einer sadomasochistischen Projektion, entläßt sie aber auch aus der Geschichte. Wie die meisten jüdischen Figuren Fassbinders sind sie auch in *Berlin Alexanderplatz* Symbole des kalten Geistes, der auf das geknechtete Fleisch herabschaut.

In eine ähnliche Konstellation verschiebt sich auch das Liebesverhältnis zwischen dem jüdischen E-Musiker und der Tingeltangel-Sängerin in *Lili Marleen*. Was als physische Passion beginnt, wird im Laufe des Films abgeschliffen: Am Ende ist Willie, die Sängerin, das Opfer in der weißen Hölle eines Krankenbettes, zerstörter Leib, der sich der Liebe geopfert hat. Der jüdische Geliebte wird, in die Hände der Gestapo geraten, mit ihrem Lied »Lili Marleen« beschallt, aber nie direkter physischer Folter unterworfen.

Die vorletzte Sequenz des Films greift ein Zitat aus *Berlin Alexanderplatz* auf: Durch den Wald, in dem Reinhold Mieze, Biberkopfs Freundin, ermordet hat, fliehen Willie und ein NS-Ordensträger, der Willie bei den für ihren Liebhaber begangenen Widerstandsaktionen geholfen hat und der ihr nun die Geschichte dieses Mordes erzählt. Damit schließt Fassbinder die Klammer seiner Opfer-Phantasie vom Leib. Kurz danach sucht Willie noch einmal ihren Geliebten auf, der zum gefeierten Dirigenten aufgestiegen ist – während er die Ovationen des Konzertpublikums entgegennimmt, verläßt sie ihn. Das jüdische Milieu wird in *Lili Marleen* als antipodisch gesetzt: Die Familie Mendelssohn ist ganz und gar durch das abstrakte Tauschmedium des Geldes charakterisiert, darüber regelt der Vater die Liebschaft seines Sohnes, darüber wird der Menschenhandel an der Grenze vollzogen: Kalt wie das Geld und der Geist.

Wie in einer Verschränkung greift schließlich *Die Sehnsucht der*

Abb. 47 *In einem Jahr mit dreizehn Monden* (Fassbinder)

Veronika Voss noch einmal das Motiv auf: Die drogensüchtige Veronika Voss ist ein ehemaliger Ufa-Star; passiv, eingesperrt in ein Krankenzimmer durchleidet sie die Höllenqualen des sich nach der Droge verzehrenden Leibes im Gruselkabinett der kalten Frau Doktor Katz, die sie und ihren Körper beherrscht. Die jüdische Ärztin trägt alle Züge der kalten Überlegenheit. In der Konstruktion des Films gibt es ein altes jüdisches Ehepaar, das ebenfalls von der Ärztin Drogen bezieht. Aber auch hier grenzt Fassbinder die Dimension des physischen Leidens aus: Die beiden Alten tragen deutliche Züge einer vergeistigten Weltabgewandtheit, sie bestimmen ihren eigenen Tod, so als habe die Geschichte sie in die privilegierte Position derer versetzt, die selbst zum Tode ein selbstreflexives und kein leibliches Verhältnis haben. Dem stehen lang ausgespielte Bilder des körperlichen Verfalls, der Qual und Tortur der Veronika Voss entgegen.

Dieser Zug in Fassbinders Opfer-Phantasien und seinen Konstruktionen jüdischer Milieus und Figuren, die dazu quer stehen, hat wenig mit dem zu tun, was sich als Klischee des Antisemitismus in der Metapher von der »Stürmer«-Karikatur während der Debatten um das Stück manifestiert hat. Juden sind bei Fassbinder nicht geil, reich, verführerisch, machtlüstern und amoralisch. Ebensowenig gehören sie zu den gequälten Opfern, geschundenen Minderheiten, leidenden Kreaturen wie viele andere Fassbinder-Figuren. Sie sind, wenn man so will, Gegen-Figuren, fast abstrakt, so wie auch der »reiche Jude« des Stückes die Liebe negativ im Tötungsakt setzt und nicht im romantischen Liebestod verschmilzt. Er bewahrt die Liebe als abstrakte Idee, nicht als physische Passion. Daniel Schmid hat in seiner weicheren Ästhetik in der Verfilmung *Schatten der Engel* dagegen eher ein psychologisches Motiv inszeniert, wenn er den Tötungsakt als zärtliche Intimität vor der Kulisse der Stadt stattfinden läßt.

Obwohl Fassbinder an keiner Stelle seiner Filme den bösartigen antisemitischen Klischees folgt, liegt seiner Konstruktion ein antisemitisches Motiv zugrunde, das sich öfters freilich als philosemitische Stereotype findet: das Bild der Juden als der strengen Patriarchen und Geistesmenschen, gesetzestreu und sittenstreng. Was die jüdischen Figuren Fassbinders latent begleitet, ist die unterdrückte Wut gegen die scheinbar Überlegenen, die noch im äußersten physischen Leiden moralische Superiorität erheischen. Fassbinder selbst hat ja, befragt zu seinen Vorstellungen über Ju-

Abb. 48 *Zu einem Jahr mit dreizehn Monden* (Fassbinder)

den, auf die Erfahrung seiner Kindheit verwiesen, wo die Mutter ihn flüsternd mahnte, höflich und rücksichtsvoll zu Nachbarn zu sein, weil sie (hinter vorgehaltener Hand gezischelt): »Juden sind«. Wenn man so will, ist der Fassbindersche Antisemitismus ein spezifisches Produkt der Verdrängungsmechanismen bundesdeutscher Geschichte. Das Tabu, das Berührungsverbot, die Ausgrenzung aus dem Alltagsbewußtsein lagert sich in Fassbinders Juden an: Die Projektion der eigenen Kälte und Distanz wird als Eigenschaft den Juden zugeschlagen, diese erscheinen nun unberührbar, kalt, abgewandt, unerreichbar, zurückweisend, überheblich, sich was Besseres dünkend. Gleichzeitig fungieren sie als Projektionsschirm narzißtischer Liebessehnsucht wie in *In einem Jahr mit dreizehn Monden*. Die Verschiebung und Verdrängung des Leidens und der Opfer wird in einem Kosmos leiblicher Selbstzerfleischung aufgesogen, in dem den Juden die ambivalente Stellung zugeschoben wird, Statthalter von Leben und Tod zu sein. In *Lili Marleen* findet das seinen makabren Höhepunkt, wenn suggeriert wird, daß die Juden die Macht gehabt hätten, sich selbst aus den Lagern der Nazis zu befreien, während die widerständige Willie und ihr Helfer sich nach der Befreiung in den Wäldern verstecken müssen, um nicht als Nazi-Kollaborateure verfolgt zu werden.

Fassbinders Ästhetik basiert auf allegorisierenden Konstruktionen, in denen die vielbeschworene deutsch-jüdische Symbiose einen besonderen Stellenwert zugeschrieben bekommt. Man kann Gershom Scholems Auffassung, daß die deutsch-jüdische Symbiose nie existiert hat und ihre Idee in Auschwitz ad absurdum geführt wurde, teilen oder nicht, als Gespenst kehrt ihre Beschwörung im Imaginären wieder: als Liebes- oder Freundschaftsverhältnis mit mortalem Ausgang. Zum Vergleich möchte ich skizzenhaft am Beispiel eines anderen, von den Fassbinderschen Filmen verschiedenen Films das Syndrom skizzieren. Dieser enthält keine manifesten oder latenten antisemitischen Motive, erscheint mir aber doch interessant im Kontext verdrängter Reaktionen auf die deutsch-jüdische Geschichte.

Direkter und weniger in Anspielungen hat Ingemo Engström in *Letzte Liebe* die deutsch-jüdische Symbiose als romantischen Liebestod inszeniert. *Letzte Liebe* beschreibt die Reise einer Frau, die als Tochter jüdischer Emigranten aus Paris ins Rheinland kommt, um die Heimat ihrer Eltern kennenzulernen. Heimatlosigkeit, Reise, Fremdheit sind auch hier die Folie für die Sehnsucht, in eine

Abb. 49 *Lili Marleen* (Fassbinder)

Symbiose einzutauchen, in diesem Fall in einen deutsch-jüdischen Liebestod als Doppel-Selbstmord. Besuche auf einem jüdischen Friedhof greifen auf das Todes-Motiv vor, bevor der Todes*wunsch* thematisch wird. Das Liebesverhältnis zu einem deutschen Lehrer, das die junge Frau eingeht, endet tödlich: vor einer romantischen Flußlandschaft am Rhein, im Hintergrund taucht drohend der Schornstein eines Atommeilers durch den Dunst auf. Bei Engström findet das Abtauchen in die deutsch-jüdische Symbiose als Verschmelzungsutopie statt, das gibt es bei Fassbinder nicht.

Die Wiederkehr der kulturellen *Symbiose*

Daß sich die deutsche Geschichte gegen den heimlichen Mythos von einer Stunde Null des »Neuen Deutschen Films« auch als kulturelles Erbe, als Vorrat unreflektierter Bilder, aufschimmernder Ikonographien immer wieder durchsetzt, zeigt sich an so gegensätzlichen Entwicklungen zweier Starregisseure des neuen deutschen Films, an Werner Herzog und Wim Wenders. Während sich Herzog, der sich bereits 1977 auf einem öffentlichen Symposion zur Situation des Films mit reichlich viel Pathos zur »nationalen Kultur« bekannte, mehr und mehr in der romantischen Vision vom Künstler als Künder und Erleuchteter, vom Pathos des Erhabenen angezogen fühlte, steht Wim Wenders mit seiner Filmästhetik ganz in der liebevollen, nostalgisch-kritischen Zitatverpflichtung gegenüber dem klassischen Hollywoodfilm, neuerdings freilich zunehmend auch in der konservativen Tradition konventioneller Konfliktdramaturgien. Bei Wenders, wie könnte es anders sein, führt der Weg in die Geschichte vornehmlich über die Filmgeschichte.

In *Der Stand der Dinge* (1982) entwirft Wenders eine Endzeitelegie der Filmgeschichte als Porträt eines Filmregisseurs in der Krise, ein auf die Geschichte des eigenen Mediums und seiner Agenten selbstreferentielles Geflecht aus Verweisen und Zitaten. Die filmische Sozialisationsgeschichte der Regisseure der Nachkriegsgeneration über den amerikanischen Film, die sich bereits in Wenders' Film *Im Lauf der Zeit* (1976) als ästhetische Spur einschreibt, das Wiederanknüpfen schließlich an die Regisseure aus der Zeit vor dem Nationalsozialismus, wird in *Der Stand der Dinge* explizit in der Narration thematisiert. Der deutsche Regis-

Abb. 50 *Lili Marleen* (Fassbinder)

seur und sein jüdischer amerikanischer Produzent haben im deutschen Stummfilmregisseur Friedrich Wilhelm Murnau (1888-1931) eine gemeinsame Projektionsfigur ihrer filmästhetischen Identifikation aufgebaut. Beide werden am Ende von einer im Produktionsbereich konkurrierenden italienischen Mafia auf einem Parkplatz erschossen. Vorausgegangen ist eine lange Sequenz der Fahrt von Regisseur und Produzent in einem Wohnmobil, das gleichzeitig Fluchtauto, Versteck und Metapher für die Heimatlosigkeit beider im kalifornischen Dschungel um Hollywood wird. In zärtlichen, fast intimen Gesprächen ziehen sie die Freundschaftsbande bis zum finalen Liebestod enger. In einem Monolog, mehr als einem Dialogteil, beschwört der jüdische Produzent die Absurdität der Situation: »Was tue ich hier, ein Jude aus Newark, New Jersey, mit einem deutschen Regisseur?« Wenn er am Ende erschossen wird, dann suggeriert das untergründig den Opfertod für eine untergegangene deutsche Kultur, nimmt die Umkehrperspektive auf den Tod Murnaus in Hollywood auf. Auf einen filmischen, politischen Mythos der Zeit bezieht Wenders den manieristischen Einfall, daß der Regisseur am Ende die Kamera als Waffe gegen die Heckenschützen zückt und dabei seine eigene Erschießung filmt, aus subjektiver Perspektive mit im Fallen sich kippender Kamera. So wird dieser Filmtod am Schluß von *Der Stand der Dinge* zu einer vielfachen Allegorie: Nostalgische Referenz auf die deutsch-jüdische Symbiose als kultureller Tradition und Allegorie auf den Tod des Kinos. Zu einer düsteren Allegorie des Todes des politischen Dokumentarfilms war im Jahre 1973 eine Filmaufnahme geworden, die aus der Kamera eines Dokumentaristen stammte, der an dem Tag, als der chilenische Präsident Salvador Allende vom putschenden Militär erschossen wurde, auf dem Dach des Präsidentenpalastes seinen eigenen Tod filmte. Die komplexen Verweise auf das Ende der historischen Konzepte des Films greift Wenders schließlich noch einmal in *Der Himmel über Berlin* (1987) auf, wo er nicht nur mit formalen Anspielungen an den Film der Weimarer Zeit beginnt, sondern die Darstellung der NS-Geschichte ganz als Problem des Films im Film, als Film über das Filmen auflöst.

Diese Tendenz zur Selbstreflexivität des Darstellungsproblems von biographischer und kollektiver Geschichte kennzeichnet auch Thomas Braschs Film *Der Passagier – Welcome to Germany* (1988) – freilich ohne die Wenderssche Nostalgie und Verliebtheit in den ornamentalen Reflex. Dennoch bricht sich auch Braschs Versuch, was die Repräsentation der NS-Geschichte angeht, nicht in den Fallen eines wie auch immer »programmatischen« oder didaktischen Realismus zu verkommen, am verführerischen Angebot zum Illusionskino, den ein Studiofilm bietet. Auch in Braschs Film geht es um einen Liebeskonflikt, der sich in den Vordergrund spielt, aber auch um eine kriminalistische Ebene, die Suspense herstellt. Daß zum Ende der achtziger Jahre auf die eine oder andere Weise Geschichte als multiple Facettierung von Erzählperspektivik aufgefaßt wird, nimmt nicht weiter wunder, bestimmt sie doch die neuesten Debatten um Historik und Ästhetik.

Was an all diesen Filmen symptomatisch erscheint, ist die Koppelung des jüdischen mit dem Todesthema. Wie wenig freilich Todes*nähe* für die Überlebenden und Nachgeborenen utopische Todes*sehnsucht* bedeutet hat und bedeutet, sondern erfahren wird als extreme, allgegenwärtige Bedrohung des Überlebens, als Zurückgeholtwerden in den Vernichtungskosmos – das mögen antithetisch ein paar Zeilen aus einem Gedicht Paul Celans plastisch werden lassen. Zeilen, die im Kontext der komplexen Sprachgitter Celanscher Lyrik etwas geradezu rührend Direktes haben:

(...) die Auguren
zerfleischen einander, der Mensch
hat seinen Frieden, der Gott
hat den seinen, die Liebe
kehrt in die Betten zurück, das Haar
der Frauen wächst wieder,
(...)[10]

[10] Paul Celan, »Windmühlen«, in: ders., *Die Niemandsrose*, Frankfurt a. M. 1976, S. 83.

Bildnachweise

Abb. 5: Arnold Schönberg, Grünes Selbstporträt; Arnold Schoenberg Institute, Los Angeles; Foto: Allan Dean Walker
Abb. 6: Arnold Schönberg, Der rote Blick; Foto: Städtische Galerie im Lenbachhaus.
Abb. 7: Arnold Schönberg mit drei Selbstporträts; Arnold Schoenberg Institute, Los Angeles; © Richard Fish 1953/1981
Abb. 8: Arnold Schönberg in Petersburg; Arnold Schoenberg Institute, Los Angeles.
Abb. 11: Arnold und Gertrud Schönberg in Brentwood Park (Los Angeles); Arnold Schoenberg Institute, Los Angeles.
Abb. 20–28: Fotos: Walter Genewein; © Löcker Verlag, Wien, 1992.
Abb. 29–38: aus »Leben oder Theater?« von Charlotte Salomon; © 1981 by Verlag Kiepenheuer & Witsch, Köln.

Danksagung

Den vielen Menschen, die während der Zeit, in der die vorliegenden Texte entstanden sind, in Gesprächen, Konflikten, privaten Freundschaften und kollegialen Debatten manchem meiner Gedanken auf die Sprünge geholfen haben, sei es durch Kommentierungen auf Konferenzen oder Kaffeehausterrassen, durch Einladungen zu Symposien, Seminaren, Sammelbänden oder Spazierfahrten, kann ich hier nur pauschal danken. Spezielle Hinweise, Kritik, Informationen haben willentlich oder unwillentlich gegeben: Geulie Arad, Harold Bloom, Micha Brumlik, Hauke Brunkhorst, Dan Diner, Saul Friedländer, Mihal Friedman, Nanette Funk, Miriam Hansen, Cilly Kugelmann, Claude Lanzmann, Martin Löw-Beer, Eric Rentschler, Sigrid Weigel, Karsten Witte. Besonderen Dank schulde ich Geulie Arad, die in ungewöhnlich großzügiger Weise Materialien aus der eigenen Forschungsarbeit zur amerikanisch-jüdischen Zeitgeschichte mir in freundschaftlichem Vertrauen überlassen hat. Ohne die intensive persönliche und intellektuelle Freundschaft zu Cilly Kugelmann in guten und in schlechten Zeiten wäre vermutlich vieles verschlossen geblieben.

Kulturgeschichte in der edition suhrkamp

Aron, Jean-Paul / Roger Kempf: Der sittliche Verfall. Bourgeoisie und Sexualität in Frankreich. Aus dem Französischen von Agnes Bucaille-Euler, Birgit Spielmann und Gerhard Mahlberg. es 1116

Brunkhorst, Hauke: Der Intellektuelle im Land der Mandarine. es 1403

Engler, Wolfgang: Die zivilisatorische Lücke. es 1772

Holbein, Ulrich: Der belauschte Lärm. es 1643

– Ozeanische Sekunde. es 1771

– Samthase und Odradrek. Versuche. es 1575

Kleinspehn, Thomas: Warum sind wir so unersättlich? Über den Bedeutungswandel des Essens. es 1410

Kultur. Bestimmungen im 20. Jahrhundert. Herausgegeben von Helmut Brackert und Fritz Wefelmeyer. es 1587

Lang, Bernhard / Colleen McDannell: Der Himmel. Eine Kulturgeschichte des ewigen Lebens. Mit zahlreichen Abbildungen. es 1586

Die Listen der Mode. Herausgegeben von Silvia Bovenschen. es 1338

Macho, Thomas H.: Todesmetaphern. Vom Reden über den Tod. es 1419

McKeown, Thomas: Die Bedeutung der Medizin. Traum, Trugbild oder Nemesis? Aus dem Englischen von Cornelia Rülke und Bernhard Badura. es 1109

Mythos und Moderne. Begriff und Bild einer Rekonstruktion. Herausgegeben von Karl Heinz Bohrer. es 1144

Naturplan und Verfallskritik. Zu Begriff und Geschichte der Kultur. Herausgegeben von Helmut Brackert und Fritz Wefelmeyer. es 1211

Scholem, Gershom: Über einige Grundbegriffe des Judentums. es 414

Das Schwinden der Sinne. Herausgegeben von Dietmar Kamper und Christoph Wulf. es 1188

Die unvollendete Vernunft: Moderne versus Postmoderne. Herausgegeben von Dietmar Kamper und Willem van Reijen. es 1358

Vernant, Jean-Pierre: Die Entstehung des griechischen Denkens. Aus dem Französischen von Edmund Jacoby. es 1150

– Mythos und Gesellschaft im alten Griechenland. Aus dem Französischen von Gustav Roßler. es 1381

Veyne, Paul: Glaubten die Griechen an ihre Mythen? Ein Versuch über die konstitutive Einbildungskraft. es 1226

Die Wiederkehr des Körpers. Herausgegeben von Dietmar Kamper und Christoph Wulf. es 1132

308/1/2.92

edition suhrkamp
Eine Auswahl

316/1/6.90

edition suhrkamp
Eine Auswahl

Braun, V.: Verheerende Folgen mangelnden Anscheins innerbetrieblicher Demokratie. es 1473
Brecht: Der aufhaltsame Aufstieg des Arturo Ui. es 144
– Aufstieg und Fall der Stadt Mahagonny. es 21
– Ausgewählte Gedichte. es 86
– Baal. es 170
– Buckower Elegien. es 1397
– Die Dreigroschenoper. es 229
– Furcht und Elend des Dritten Reiches. es 392
– Gesammelte Gedichte. Bd. 1-4. es 835-838
– Die Geschäfte des Herrn Julius Caesar. es 332
– Die Gesichte der Simone Machard. es 369
– Die Gewehre der Frau Carrar. es 219
– Der gute Mensch von Sezuan. es 73
– Die heilige Johanna der Schlachthöfe. es 113
– Herr Puntila und sein Knecht Matti. es 105
– Im Dickicht der Städte. es 246
– Der kaukasische Kreidekreis. es 31
– Leben des Galilei. es 1
– Leben Eduards des Zweiten von England. es 245
– Mann ist Mann. es 259
– Die Mutter. es 200
– Mutter Courage und ihre Kinder. es 49
– Der Ozeanflug. Die Horatier und die Kuratier. Die Maßnahme. es 222
– Prosa. Bd. 1-4. es 182-185
– Schweyk im zweiten Weltkrieg. es 132
– Die Tage der Commune. es 169
– Trommeln in der Nacht. es 490
– Der Tui-Roman. es 603
– Über den Beruf des Schauspielers. es 384
– Über Lyrik. es 70
– Über Politik auf dem Theater. es 465
– Über Politik und Kunst. es 442
– Über Realismus. es 485
– Das Verhör des Lukullus. es 740
Brunkhorst: Der Intellektuelle im Land der Mandarine. es 1403
Bubner: Ästhetische Erfahrung. es 1564
Buch: Der Herbst des großen Kommunikators. es 1344
– Waldspaziergang. es 1412
Bürger, P.: Theorie der Avantgarde. es 727
Celan: Ausgewählte Gedichte. Zwei Reden. es 262
Cortázar: Letzte Runde. es 1140
– Das Observatorium. es 1527
– Reise um den Tag in 80 Welten. es 1045
Denken, das an der Zeit ist. es 1406
Derrida: Die Stimme und das Phänomen. es 945
Determinanten der westdeutschen Restauration 1945-1949. es 575
Dinescu: Exil im Pfefferkorn. es 1589
Ditlevsen: Sucht. es 1009

316/2/6.90

edition suhrkamp
Eine Auswahl

Ditlevsen: Wilhelms Zimmer. es 1076
Doi: Amae – Freiheit in Geborgenheit. es 1128
Dröge / Krämer-Badoni: Die Kneipe. es 1380
Dubiel: Was ist Neokonservatismus? es 1313
Duerr: Traumzeit. es 1345
Duras: Eden Cinéma. es 1443
– La Musica Zwei. es 1408
– Sommer 1980. es 1205
– Vera Baxter oder Die Atlantikstrände. es 1389
Eco: Zeichen. es 895
Eich: Botschaften des Regens. es 48
Elias: Humana conditio. es 1384
Norbert Elias über sich selbst. es 1590
Enzensberger: Blindenschrift. es 217
– Einzelheiten I. es 63
– Einzelheiten II. es 87
– Die Furie des Verschwindens. es 1066
– Landessprache. es 304
– Palaver. es 696
– Das Verhör von Habana. es 553
Esser: Gewerkschaften in der Krise. es 1131
Faszination der Gewalt. es 1141
Feminismus. Inspektion der Herrenkultur. es 1192
Feyerabend: Erkenntnis für freie Menschen. es 1011
– Wissenschaft als Kunst. es 1231
Fortschritte der Naturzerstörung. es 1489
Foucault: Psychologie und Geisteskrankheit. es 272
Frank: Gott im Exil. es 1506
Frank, M.: Der kommende Gott. es 1142
– Motive der Moderne. es 1456
– Die Unhintergehbarkeit von Individualität. es 1377
– Was ist Neostrukturalismus? es 1203
Frevert: Frauen- Geschichte. NHB. es 1284
Frisch: Biedermann und die Brandstifter. es 41
– Die Chinesische Mauer. es 65
– Don Juan oder Die Liebe zur Geometrie. es 4
– Frühe Stücke. es 154
– Graf Öderland. es 32
Gerhard: Verhältnisse und Verhinderungen. es 933
Geyer: Deutsche Rüstungspolitik 1860-1980. NHB. es 1246
Goetz: Krieg/Hirn. es 1320
Goffman: Asyle. es 678
– Geschlecht und Werbung. es 1085
Gorz: Der Verräter. es 988
Gstrein: Einer. es 1483
Habermas: Eine Art Schadensabwicklung. es 1453
– Legitimationsprobleme im Spätkapitalismus. es 623
– Die nachholende Revolution. es 1663
– Die Neue Unübersichtlichkeit. es 1321
– Technik und Wissenschaft als Ideologie. es 287
– Theorie des kommunikativen Handelns. es 1502
Hänny: Zürich, Anfang September. es 1079

316/3/6.90

edition suhrkamp
Eine Auswahl

Handke: Die Innenwelt der Außenwelt der Innenwelt. es 307
– Kaspar. es 322
– Langsam im Schatten. es 1600
– Phantasien der Wiederholung. es 1168
– Publikumsbeschimpfung und andere Sprechstücke. es 177
Happel: Grüne Nachmittage. es 1570
Henrich: Konzepte. es 1400
Hentschel: Geschichte der deutschen Sozialpolitik 1880-1980. NHB. es 1247
Hesse: Tractat vom Steppenwolf. es 84
Die Hexen der Neuzeit. es 743
Irigaray: Speculum. es 946
Jahoda / Lazarsfeld / Zeisel: Die Arbeitslosen von Marienthal. es 769
Jakobson: Kindersprache, Aphasie und allgemeine Lautgesetze. es 330
Jasper: Die gescheiterte Zähmung. NHB. es 1270
Jauß: Literaturgeschichte als Provokation. es 418
Johnson: Begleitumstände. es 1019
– Der 5. Kanal. es 1336
– Jahrestage. es 1500
– Porträts und Erinnerungen. es 1499
– Versuch, einen Vater zu finden. Marthas Ferien. es 1416
Jones: Frauen, die töten. es 1350
Joyce: Werkausgabe in sechs Bänden. es 1434-1439
– Finnegans Wake. es 1524
– Penelope. es 1106
Kenner: Ulysses. es 1104
Kiesewetter: Industrielle Revolution in Deutschland 1815-1914. NHB. es 1539
Kindheit in Europa. es 1209
Kipphardt: In der Sache J. Robert Oppenheimer. es 64
Kirchhoff: Body-Building. es 1005
Kluge, A.: Gelegenheitsarbeit einer Sklavin. es 733
– Lernprozesse mit tödlichem Ausgang. es 665
– Neue Geschichten. Hefte 1-18. es 819
– Schlachtbeschreibung. es 1193
Kluge, U.: Die deutsche Revolution 1918/1919. NHB. es 1262
Koeppen: Morgenrot. es 1454
Kolbe: Bornholm II. es 1402
– Hineingeboren. es 1110
Konrád: Antipolitik. es 1293
– Stimmungsbericht. es 1394
Kriegsursachen. es 1238
Krippendorff: Staat und Krieg. es 1305
– »Wie die Großen mit den Menschen spielen.« es 1486
Kristeva: Geschichten von der Liebe. es 1482
– Die Revolution der poetischen Sprache. es 949
Kroetz: Bauern sterben. es 1388
– Furcht und Hoffnung der BRD. es 1291
– Heimarbeit. Hartnäckig. Männersache. es 473
– Mensch Meier. Der stramme Max. Wer durchs Laub geht … es 753

316/4/6.90

edition suhrkamp
Eine Auswahl

316/5/6.90

edition suhrkamp
Eine Auswahl

316/6/6.90

edition suhrkamp
Eine Auswahl

Schleef: Die Bande. es 1127
Schönhoven: Die deutschen Gewerkschaften. NHB. es 1287
Schrift und Materie der Geschichte. es 814
Schröder: Die Revolutionen Englands im 17. Jahrhundert. NHB. es 1279
Schubert: Die internat ionale Verschuldung. es 1347
Das Schwinden der Sinne. es 1188
Sechehaye: Tagebuch einer Schizophrenen. es 613
Segbers: Der sowjetische Systemwandel. es 1561
Senghaas: Europa 2000. es 1662
– Konfliktformationen im internationalen System. es 1509
– Von Europa lernen. es 1134
– Die Zukunft Europas. es 1339
Sieferle: Die Krise der menschlichen Natur. es 1567
Simmel: Schriften zur Philosophie und Soziologie der Geschlechter. es 1333
Sloterdijk: Der Denker auf der Bühne. es 1353
– Eurotaoismus. es 1450
– Kopernikanische Mobilmachung und ptolemäische Abrüstung. es 1375
– Kritik der zynischen Vernunft. es 1099
Söllner, W.: Kopfland. Passagen. es 1504
Staritz: Geschichte der DDR 1949-1985. NHB. es 1260
Stichworte zur ›Geistigen Situation der Zeit‹. 2 Bde. es 1000
Struck: Kindheits Ende. es 1123
– Klassenliebe. es 629
Szondi: Theorie des modernen Dramas. es 27
Techel: Es kündigt sich an. es 1370
Tendrjakow: Sechzig Kerzen. es 1124
Thiemann: Kinder in den Städten. es 1461
– Schulszenen. es 1331
Thompson: Die Entstehung der englischen Arbeiterklasse. es 1170
Thränhardt: Geschichte der Bundesrepublik Deutschland. NHB. es 1267
Todorov: Die Eroberung Amerikas. es 1213
Treichel: Liebe Not. es 1373
Vargas Llosa: Gegen Wind und Wetter. es 1513
– La Chunga. es 1555
Vernant: Die Entstehung des griechischen Denkens. es 1150
– Mythos und Gesellschaft im alten Griechenland. es 1381
Vom Krieg der Erwachsenen gegen die Kinder. es 1190
Vor der Jahrtausendwende: Berichte zur Lage der Zukunft. es 1550
Walser, M.: Ein fliehendes Pferd. es 1383
– Geständnis auf Raten. es 1374
– Selbstbewußtsein und Ironie. es 1090
– Über Deutschland reden. es 1553
– Wie und wovon handelt Literatur. es 642
Weiss, P.: Abschied von den Eltern. es 85

316/7/6.90

edition suhrkamp
Eine Auswahl

316/8/6.90